2296 | ALFA | EDEBİYAT | 72

İNCİR KUŞLARI

SİNAN AKYÜZ

1972'de Iğdır'da dünyaya geldi. Gazeteci, fotoğraf sanatçısı ve köşe yazarı da olan Akyüz çok okunan romanlarıyla tanınmaktadır.

Yazarın tüm kitapları Alfa Yayınları tarafından basılmaktadır:
Etekli İktidar
Bana Sırtını Dönme (cep boyu da basılmıştır.)
İki Kişilik Yalnızlık (cep boyu da basılmıştır.)
Yatağımdaki Yabancı (cep boyu da basılmıştır.)
Sevmek Zorunda Değilsin Beni (cep boyu da basılmıştır.)
Aşk Meclisi
Piruze: Şam'da Bir Türk Gelin (cep boyu da basılmıştır.)
İncir Kuşları (midi boyu ve 50. baskıya özel ciltli de basılmıştır.)
Şahika & Feraye (midi boyu da basılmıştır.)
Kavuşma: Piruze ve Oğulları (midi boyu da basılmıştır.)
Aşk Başka Evde
Bir Evlilik Komedisi
Yağmurun Gelini
Solgun Karanfil
Meyra

akyuzsin1@gmail.com
f /SinanAkyüz(Yazar)
f /SinanAkyüzOffical
/AkyüzSinan

İncir Kuşları

Yayıncı ve Genel Yayın Yönetmeni M. Faruk Bayrak
Genel Müdür Vedat Bayrak
Yayın Yönetmeni Mustafa Küpüşoğlu
Kapak Tasarımı Mustafa Odabaşı

ISBN 978-605-106-439-0

1. Basım: Şubat 2012
50. Basım: Şubat 2018 (Ciltli özel basım)
75-76. Basım: Ekim 2021

Baskı ve Cilt
Melisa Matbaacılık
Çiftehavuzlar Yolu Acar Sanayi Sitesi No: 8 Bayrampaşa-İstanbul
Tel: (0212) 674 97 23 Faks: (0212) 674 97 29
Sertifika no: 45099

Alfa Basım Yayım Dağıtım San. ve Tic. Ltd. Şti.
Alemdar Mahallesi Ticarethane Sokak No: 15 34110 Cağaloğlu–İstanbul
Tel: (0212) 511 53 03 (pbx) Faks: (0212) 519 33 00
www.alfakitap.com - info@alfakitap.com
Sertifika no: 43949

Sinan Akyüz

İnci Kuşları

ALFA

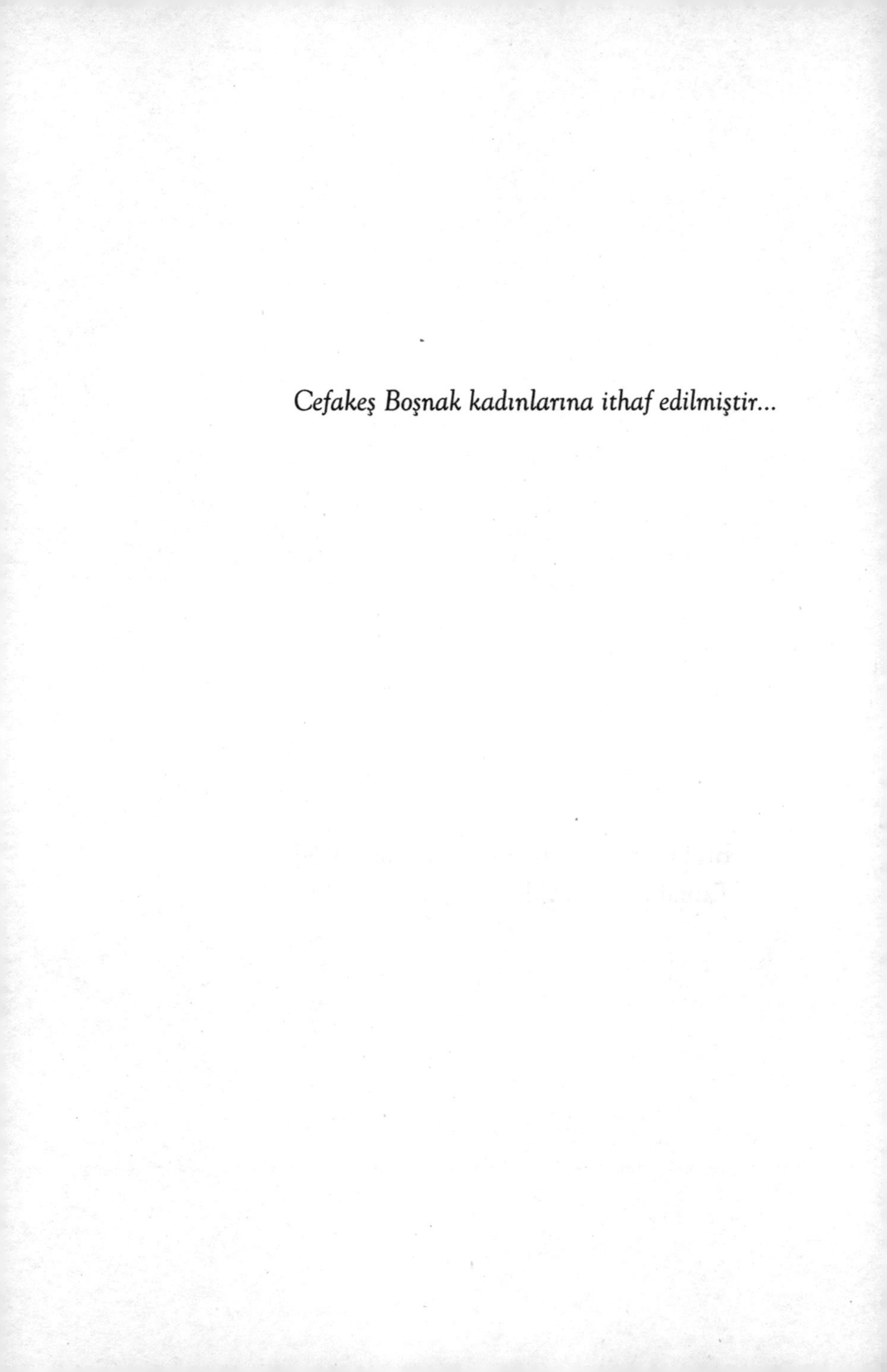

Cefakeş Boşnak kadınlarına ithaf edilmiştir...

Bu kitap hayal ürünü bir roman değildir.
Tamamen gerçeklere dayanmaktadır.

Bir gün...
Sıradan bir insanın başına sıra dışı bir olay geldi.
Ve böylece başkarakterimizin yolculuğu başladı...

KAÇIŞ

Hızla daldım nehrin sularına. Suyun berraklığında kayboldum âdeta. Utanç verici günlerin lekesini bedenimden silip atmak istercesine başımı bir süre sudan çıkarmadım.

Sonra, sudan dışarı çıktığımda, bir dünya dolusu kirden arınmış gibiydim. *Dimiyemi*[1] çabucak giyindim, arkama bakmadan koşmaya başladım. Koştukça bütün hayatı, yaşadığım kâbus dolu günleri sanki arkamda bırakıyordum.

Ormanın derinliklerinde hiç durmadan koştum, koştum, koştum... En sonunda durdum. Boynum, omuzlarım, göğsüm ter içinde kalmıştı. Bacaklarım yorgun bedenimi daha fazla taşıyamadı ve olduğum yere yığılıp kaldım. Uzun süre soluklanmaya çalıştım.

Daha sonra çaresizlik içinde etrafımda dönüp durdum. Ansızın bir el silah sesi duydum. Yüzümü ellerimle kapaya-

---

1 Genellikle köylerde yaşayan Boşnak kadınların giydiği bir tür şalvar.

rak kendimi hemen yere attım. "Beni öldürmeniz için size yalvarıyorum," diye yakarmaya başladım.

Yakarışlarım cevapsız kaldı. Çevremde bir süre sessizlik hüküm sürdü. Elimi yüzümden çektim, korkarak etrafa bakındım. Ortalıkta, ağaçların dışında bir Allah'ın kulu gözükmüyordu. İçimi büyük bir sevinç kapladı. Ayağa kalktım, tekrar koşmaya başladım. Epey süre koştuktan sonra dizlerimin üzerine çöküp kaldım. Acıktığımı ve susadığımı hissettim; aynı zamanda üşüyordum da. Bir ağacın gövdesine sığındım ve başımı kaldırıp gökyüzüne baktım. Gökyüzüne bir nefes ışık üflenmişti sanki. Çiçek ve ot kokuları çoktan havaya karışmış, mis gibi kokan bu hava açlığımı iyiden iyiye kamçılamıştı.

İçimde fırtınalar koptu. Ağlamaya başladım. Neden Allahım? Bu genç yaşta neden bu kadar şiddetli bir kederi içime üfledin? Oysa ben kendimi çok inançlı ve cesur sanırdım. Beni hiçbir şey korkutamaz derdim. Şimdi şu halime bak! Bilmediğim bir yerde, gözleri dönmüş, aç hayvanlar gibi kudurmuş insanların ellerinden kaçıp kurtulmaya çalışıyorum. Neden Allahım, neden bana bu genç yaşımda hayatı erken öğrettin?

Baştan aşağı titriyordum. Yaşlı gözlerimi ellerimin arasına gömüp bir an ölümü düşündüm. Kim bilir, şimdi ne kadar da güzeldir ölüm. Kahverengi toprakta huzur içinde uyumak, başının üzerinde hafifçe esen yelin kuru otlar arasında çıkardığı hışırtıyı dinleyip hoş bir seda bulmak... Ve her şeyden önemlisi içinde bulunduğun anı unutmak, hayatı ve bu hayatta yaşayan günahkâr insanları bağışlamak...

O an kendimi son derece yorgun ve tükenmiş hissediyordum. İçimi sise benzeyen puslu bir keder kaplamıştı. Bir baykuş tepemde ötüp duruyordu. Ayın parlayan yüzüne baktım. Kendi hayallerime, düşüncelerime daldım...

KONSERVATUVAR

Saraybosna, 2 Eylül 1991

Konservatuvarın müdürü Profesör Duşanka Seratliç'in çalışma odasının önünde büyük bir heyecanla bekliyordum. Koridorda kimi öğrenciler enstrümanlarını akort ediyor, kimileri de arya mırıldanıyordu.

Kapı açıldı. Elli-elli beş yaşlarında, yuvarlak yüzüne uygun kesilmiş kahverengi saçlara ve ince bir fiziğe sahip olan Profesör Duşanka kestane rengi gözleriyle dikkatlice beni inceledi. Sonra eliyle içeri gelmemi işaret etti.

Odaya girdiğimde içeriye göz attım. Sol tarafta, kapının hemen yanında gri bir dolap, tam karşısında koyu kahverengi bir çalışma masası ve iki sandalye vardı. Masanın üzeri kitaplar ve nota defterleriyle doluydu. Köşede küçük odayı aydınlatan ayaklı bir lamba duruyordu. Odanın büyüklüğüyle orantılı olan pencerenin altına ise bir saksı çiçeği konmuştu. Geçip sandalyelerden birine oturdum. Kahverengi çantamı yere koyar koymaz, "Çantanı yerden kaldır," dedi Profesör Duşanka. "Bereketi kaçar."

Yüzüme tatlı bir tebessüm yayıldı. "Öğrencinin parası olmaz derlermiş hocam," dedim eğilip çantamı yerden alırken. Sonra da ekledim: "Çantamda paradan çok notalarım var."

Profesör Duşanka dudaklarını alaycı bir gülümsemeyle büzdü. Hızla ayağa kalkıp camı açtı. Sonra da masasının başına tekrar geçip oturdu. Soğuk ama ciddi bir ses tonuyla, "Acaba size yanlış bir söz mü söyledim?" dedim.

Profesör Duşanka'nın gözlerinde küçümseme belirdi. "Kaç yaşındasın sen?" diye sordu.

"On sekiz," dedim kuru bir ses tonuyla.

"Buraya nereden geldin?"

"Foça'dan. Daha doğrusu ailem orada yaşıyor. Ben burada teyzemle birlikte kalıyorum."

"Baban ne iş yapıyor?"

"İmam."

"Yani din adamı."

"Evet. Biz Müslüman Boşnakız."

"Olabilir," dedi Profesör Duşanka. "Ben de bir Sırpım, Hıristiyanım, aynı zamanda Ortodoksum. Bu çatı altında bunların hiçbir önemi yok. Bu konservatuvarda dinler değil, evrensel olan müzik saygı görür. Chopin'in sırf Polonyalı bir Katolik olduğu ya da Beethoven'ın Alman Protestanı olduğu için bu konservatuvardan kovulduğunu düşünebiliyor musun? O zaman ne büyük bir insanlık suçu işlenirdi..."

Profesör Duşanka'nın sözleri o sırada kapının çalışıyla kesildi. İçeri uzun boylu, mavi gözlü genç bir adam girdi. "Rahatsız ettiğim için özür dilerim profesör," dedi tebessüm ederek.

Profesör Duşanka elinde tuttuğu kalemi masaya fırlattı. "Derhal dışarı çık," dedi. "Özel bir görüşmem var."

Genç adamın buğday renkli teni sanki bir anda aydınlandı. "Özür dilerim," dedi hınzırca bir bakış atarken bana. "Müsait bir zamanınızda tekrar uğrarım profesör."

"Bana bugün hiç uğrama Tarık. Sinirlerim yeterince tepemde zaten. Şimdi dışarı çık, kapıyı kapat."

"Öyleyse yarın gelirim," dedi genç adam.

"Yarın sabah onda burada ol."

Kapı kapandı. "Deli çocuk," dedi Profesör Duşanka gülümseyerek. "Nerede kalmıştık? Ha! Bu konservatuarda dinler değil, evrensel olan müzik saygı görür..."

Artık profesörü dinlemiyordum. Aklım az önce odadan kovulan, çıkık elmacık kemiklere sahip, güzel sesli genç adama takılmıştı. Küçükken sık sık gördüğüm rüyaları hatırladım. O rüyalarda akşam güneşinin kızıllığı buğday başaklarının üzerine çökerdi. Ateş gibi yanan başakların arasından yelesini dalgalandırarak yemyeşil ağaçlarla kaplı dağlara tırmanan, şahane beyaz bir at görürdüm. Atın üzerinde de az önce gördüğüm adam vardı. Artık şunu biliyordum ki, ilk görüşte aşka inanmayanların aksine ben, rüyalarımda âşık olduğum genç adamı nihayet bulmuştum. "Sen beni dinliyor musun?" dedi profesör gür bir ses tonuyla.

Profesörün sesiyle dalıp gittiğim düşüncelerden uyandım. "Özür dilerim," dedim. "Bir an için dalmışım."

Profesör Duşanka hışımla ayağa kalktı. Parmağıyla kapıyı işaret etti. "Şimdi dışarı çık," dedi büyük bir öfkeyle. "Anlaşılan sana müziğin yanında saygıyı da öğretmem gerekecek."

Şaşkınlıkla ayağa kalktım. "Ben ailemden büyüklerime karşı nasıl saygılı olmam gerektiğini öğrendim," dedim Boşnak gururuyla. "Siz bana sadece müziği öğretin yeter. Şimdi size iyi günler dilerim hocam."

Kapıyı hafifçe çarparak odadan dışarı çıktım. "Yarın sabah dokuzda burada ol," diye arkamdan bağırdı.

Kapının önünde âdeta donakalmıştım. Aslında ağlamanın bir zayıflık belirtisi olduğunu bilmeme rağmen gözyaşlarıma engel olamadım. Şaşkın ve çaresizdim. O an bir el omzuma dokundu. "Üzgün üzgün durmayın öyle," dedi. "Az önce ne kadar da tatlıydınız."

Kendimi geriye doğru çektim. Çabucak gözyaşlarımı sildim. Profesör Duşanka'nın odasına giren genç adamı karşımda görünce afalladım. Bakışlarında bana karşı bir acıma vardı sanki. "Buradan hemen gidelim," dedi. "Profesöre görünmesek iyi olur."

Yan yana yürümeye başladık. Neredeyse aynı boydaydık. Konservatuarın ana kapısından dışarı çıktığımızda rüzgâr esiyor, sokaktaki ağaçların yaprakları başımızın üstünde hışırtılar çıkarıyordu. Ilık bir damlacığın elimi ıslattığını hissettim. İkincisi de yüzüme düştü. Başımı kaldırdım, gökyüzüne baktım. "Yağmur başlıyor," dedim.

"Evet," dedi tatlı tatlı tebessüm ederken. "Bir kahve içmek için biraz zamanınız var mı?"

Yağmur damlaları gittikçe daha düzenli ve daha hızlı düşmeye başlamıştı. Genç adam elinde tuttuğu siyah şemsiyesini açtı, yanıma sokuldu. Vücudunun sıcaklığını tenimde hissedince birden garip bir güven duygusu oluştu içimde. "Biraz zamanım var," dedim.

Konservatuvarın hemen yanındaki kafenin kapısından içeri girdik. Sokağa bakan masalardan birine geçip oturmadan, kahverengi montumu çıkarıp sandalyenin arkalığına astım. Birden beyaz bir şimşek çaktı. Bunu hızlı bir gök gürültüsü kovaladı. Ve az önceki şimşek yerini sağanak yağan yağmura bıraktı. "Adım Tarık Begiç," dedi elini uzatırken bana.

Sanki bedenimi ateş topu sarmış, heyecandan titriyordum. Bakışlarımı kısa bir süre için ondan kaçırdım. "Benim adım da Suada Hatiboviç," dedim.

Büyük hayranlık içinde ela gözlerime bakıyordu. Belli ki o da benim gibi çok heyecanlıydı. "Ne içersiniz?" diye sordu titreyen sesiyle.

"Boşnak kahvesi lütfen."

O sırada garson kız yanımıza geldi. Kıza dönüp, "İki Boşnak kahvesi istiyoruz," dedi.

Garson kız hızla yanımızdan uzaklaşınca bana sevecen bir şekilde tekrar baktı. "Demek Boşnaksınız."

"Evet."

"Öyleyse hem iyi kalplisiniz, hem de inatçı, doğru mu?"

Güldüm. "Doğru," dedim. "Aynı zamanda hayalperestim."

Sağ yanağında gamzesi belirdi. "Gerçekten hayalperest misiniz?" diye sordu şaşkınlıkla.

"Biraz öyleyim," dedim. "Bana göre hayallerin olmadığı bir dünya, çiçeksiz bir bahçe gibidir. Ayrıca biz müzisyeniz. Hayallerim olmadan piyano çalamam ki ben. Yoksa siz hayalperest değil misiniz?"

Güldü. "Ben hayalperest değil, sayende aşkperest oldum. Alev renkli kızıl saçlarından ve su perisi güzelliğinden gözlerimi bir türlü alamıyorum."

Yüreğim, bana bu güzel sözleri söyleyen genç adama karşı duyduğum derin bir sevgiyle dolup taştı. O anda yüreğime dolan bu sevgi öyle sıcak, öyle kuvvetliydi ki, genç adam bunu bilse herhalde hayretler içinde kalırdı.

Onu ilk günden daha fazla şımartmak istemedim. Masadan hemen ayağa kalktım. Montumla çantamı aldım. "Nereye gidiyorsunuz?" dedi şaşkın şaşkın bana bakarken. "Daha kahvemizi bile içmedik."

"Seni kendinle baş başa bırakıyorum," dedim içimden gülerek. "Artık yalnız oturup kahveni içersin."

Oturduğu yerde öylece kalakaldı. Kafeden çabucak dışarı çıktım, kendimi sokaklara attım. Sokaklarda bir başıma yürürken, sağanak halinde yağan yağmurda akış hızını arttıran bir nehir gibiydim. O anda yüreğim, bir zamanlar rüyalarımda gördüğüm genç adamın aşkıyla coşuyor, coştukça da sağanak yağmurun altında mutluluktan gözyaşlarım akıyordu.

TARIK

Bir ay sonra...

O sabah her zamanki gibi saat tam dokuzda Profesör Duşanka'nın odasının önündeydim. Kapı hafif aralıktı. Başımı içeriye uzattım. Profesör masasının başında oturmuş bir şeyler yazıyordu.

"Günaydın Profesör Duşanka. İçeri girebilir miyim?"

Profesör kolundaki saate baktı, sonra da ayağa kalktı. "Sana da günaydın," dedi. "Şimdi ders yapılan sınıfa geçelim."

Profesörün peşine takıldım. Merdivenlerden alt kata indik. "Sen içeri gir," dedi. "Ben kendime bir kahve alıp geleceğim."

Kapıyı açıp içeri girdim. Ders yapılan oda bayağı bir küçüktü. Odada bir piyano ve siyah bir sandalye vardı. Piyanonun üzerine, lime lime olmuş beyaz tül perdenin arasından ışık süzülüyordu. Çantamı askıya astım. Tabureyi çekip piyanonun başına oturdum. Profesör içeri girdi. "Bir aydır senden bu zamana kadar bildiğin her şeyi unutmanı istedim," dedi bir çırpıda. "Bak! Yine yanlış oturuyorsun. Şimdi omuzlarını dik tut."

Tül perdeyi çekip camı açtı. Zarif elleriyle tuttuğu kahve fincanını pencerenin önüne koydu, yanıma geldi. Omuzlarımı düzeltti. "Sana dik otur diyorum. Bir piyanistin vücudunun en önemli bölümleri elleri, kolları ve omuzlarıdır."

"Biliyorum hocam."

"Bir halt bilmiyorsun," diye çıkıştı. "Her gün sana ne söylüyorum ben? Bu zamana kadar bildiğin her şeyi unutmanı, doğru mu? Şimdi *Do majör gamıyla*[2] başla bakalım."

Sabah sabah sinirlerim yine altüst olmuştu. Ellerim titremeye başladı. "O da ne?" diye bağırdı Profesör Duşanka. "Bileklerini aşağıda tutman gerektiğini sana hangi zavallı söyledi? Bileklerini yukarı kaldır... Kaldır yukarı."

Elim ayağım birbirine dolaştı. Neyi, nasıl çalacağımı şaşırmıştım. "Ayağa kalk," dedi profesör, piyanonun tuşlarına sinirli sinirli basarken. "Sana şimdi göstereyim. Do majör gamı şu şekilde çalınır: DO___RE___Mİ_FA___SOL___ LA___Sİ_DO. Ya sen bana ne çalıyorsun? *La majör gamını.*[3] Müzik lisesinde sana böyle mi öğrettiler?"

Kendimi daha fazla tutamayıp ağlamaya başladım. Profesör Duşanka pencerenin önüne koyduğu fincanı eline alıp

---

2 Do notasından başlayıp, Do notasında biten, iki tam, bir yarım, üç tam bir yarım aralıktan oluşan dizi.

3 La notasından başlayıp, La notasında biten, iki tam, bir yarım, üç tam bir yarım aralıktan oluşan dizi.

yürümeye başladı. Kapıyı açarken de, "Bir zamanlar piyano hocam bana şöyle demişti: 'Yeteri kadar sabrı olan taşları bile eritir.' Yarın sabah aynı saatte burada ol," dedi.

Odada bir başıma öylece kalakaldım. Ansızın kapının arkasından bir ses duydum: "Bir zamanlar tanıdığım biri bana şöyle demişti: 'Tam zamanında içilen sigara, dünyanın en keyifli şeyidir.' Şimdi sigara yakmak ister misin?"

Tarık içeri girdi. Ona tek kelime etmiyor, susuyordum. Elini omzuma atıp beni sımsıkı sardı. "Bu sabah seni görebilmek için biraz erken geldim," dedi mahcup ses tonuyla.

Başımı omzuna yaslayıp ağlamaya başladım. Gözyaşlarımı silmem için bir mendil uzattı. "Artık piyano çalmak istemiyorum," dedim gözyaşlarımı silerken. "Konservatuvarı bırakacağım."

Başımı avucunun içine aldı, gözlerime baktı. "Ela gözlerindeki yeşil harelerine âşık olduğum güzel," dedi tebessüm ederek. "Alev renkli saçlarının ateşi sanki bugün daha fazla yüreğimi yakıyor. Bana müzikten değil aşkımızdan bahset."

"Sen benimle geç dalganı," dedim.

"Ben ciddiyim," dedi.

Heyecandan ne söyleyeceğimi bilemedim. Sustum. "Neden susuyorsun?" diye sordu.

O anda teyzemin, eski nişanlısıyla ilk tanıştıkları günlerde ona telefonda söylediği sözleri hatırladım. Tarık'ın mavi gözlerine baktım. "Kadınlara daima dolaylı yoldan yaklaşacaksın. Âşık olan bir kadının bazen susması, güzel aşk sözleri söylemesinden daha güçlüdür," dedim, sonra da ekledim: "Bugün senin o cadaloz Duşanka'la görüşmen yok muydu?"

Kolundaki saate baktı. "Hay Allah! Unutmuşum," dedi panikleyerek. "Daha sonra kantinde buluşalım, olur mu? Sakın başka yere gideyim deme."

***

Bir saat sonra Tarık koşarak kantine girdi. Etrafına şaşkın şaşkın bakındı. Kalabalığın arasında beni görür görmez hemen yanıma geldi. Elimden tutup ince bedenimi kaldırdı. "Haydi şimdi gidelim," dedi.

"Nereye gidiyoruz?"

"Sürpriz olsun," dedi merdivenleri çıkarken. "*Barçarşı*[4] tarafına gideceğiz."

İnsanın kalbindeki gerçek aşk, dörtnala giden bir at gibiymiş. Ne dizginden anlarmış, ne de bir söz dinlermiş. Çocukken sık sık gördüğüm o rüyaların etkisinden olsa gerek, bu romantik aşka hesapsızca yelken açmıştım. Küçüklüğümden beri erkekler hep peşimden koşmuş, ama ben rüyalarımda gördüğüm erkeğin karşıma çıkmasını beklemiştim. Bir aydan beri de küreklerimi kaldırıp suya atmış, aşk hayatımı kendi akışına bırakmıştım...

"Geldik," dedi Tarık dalıp gittiğim düşünceden uyandırırken beni.

Tramvaydan aşağı indik. "Şimdi nereye?" diye sordum.

Elini havaya kaldırıp yoldan geçen bir taksiyi durdurdu. "Âşıklar Tepesi'ne gidelim lütfen," dedi şoföre.

Şoför dikiz aynasından bana bakıp hafifçe gülümsedi. Sonra da arabayı Âşıklar Tepesi'ne doğru sürdü.

---

4 Saraybosna'nın en eski semti.

Saraybosna'nın dar sokaklarından geçerek Âşıklar Tepesi'ne vardık. Tarık şoföre parasını ödedi. "Artık gidebiliriz," dedi taksinin kapısını açarken.

Âşıklar Tepesi'nin çürümeye yüz tutmuş mavi demir kapısından içeri girdik. Gökyüzü bulutlarla kaplanıyordu. "Galiba yağmur yağacak," dedim.

Elini yavaşça belime doladı. "Bak," dedi parmağıyla işaret ederek. "Şu manzaranın güzelliğini görüyor musun?"

Önümde duran eşsiz manzaraya uzun uzun baktım. Saraybosna'nın ortasından geçen Milyatska Nehri'nin güzelliği âdeta başımı döndürdü. Şehrin çevresini saran dağlar yemyeşildi. Müslüman Boşnakların camileri, Katolik Hırvatların katedralleri, Ortodoks Sırpların kiliseleri neredeyse iç içe geçmişti.

"Bak," dedim sevinçle. "Şu Saraybosna Milli Kütüphanesi değil mi?"

"Evet," dedi Tarık beni kendine doğru çekerken. "Gördüğün manzara hoşuna gitti mi?"

Yüzümü ona çevirdim. Sesinin tonunda insanı yatıştırıcı bir hava vardı. Onun yanındayken derin bir heyecana kapılıyordum. Dudakları dudaklarıma değecek kadar yakındık. Elinin sıcaklığını tenimde hissettim. Yüzüm alev gibi yanmaya başladı. Küçük buselerin ardından beni öptü. O andan itibaren daha fazla düşünemez oldum. Aşkın böyle tuhaf, ateşli, sis gibi bir şey olduğunu, insanın gözlerini bürüyüp her şeyi silikleştirdiğini hiç tahmin etmemiştim. Bir erkeğe bu kadar yakınlık duymamıştım. Kimse beni böyle kucaklamamış, saçlarımı okşamamış, dudaklarımdan öpmemişti. Bulutların üzerinde uçuyordum âdeta. Dudaklarımı dudaklarından çektim, gözlerini açtı. Daldığı düşten onu uyandırmıştım. Yanağımı onun yanağına dayadım. "Sana söz veriyorum," dedim kısık bir sesle. "Sana ebediyen sadık kalacağım. Sen yaşadığın müddetçe ömrümü sana adayacağım."

Yanağını yanağımdan çekip gözlerime derin derin baktı. Karşımda bir çocuk gibi ağlayacaktı neredeyse. Ağzını açmış tam bana bir şeyler söyleyecekti ki, parmaklarımı dudaklarına bastırdım. "Şşşt," dedim. "Sadece rüzgârın tatlı fısıltısını dinle."

Yaklaşık bir saat sonra gün ortasında gece olmuştu sanki. Gökyüzü siyah örtüsüne bürünmüştü. Yeryüzü mateme boğulmuştu gri renkli bulutlarla. Tarık'la aramıza giren sessizliğin yerini yalnızca rüzgârın tatlı fısıltısı almıştı. Düşüncelerim çoktan altüst olmuştu bile. Tarık'ın varlığı sanki ta ruhumun en derin köşelerine dek işliyordu. "Artık gidelim mi?" dedim sessizliği aramızdan kovarcasına.

"Olur," dedi düşünceli bir ses tonuyla.

"Rica etsem, beni eve kadar bırakabilir misin?"

"Tabii ki," dedi tebessüm ederek.

Teyzemle birlikte Grbavitsa semtinde oturuyorduk. Teyzem Koşevo Hastanesi'nde hemşireydi. Kırk yaşında, minyon tipliydi.

Sokağın başına geldiğimizde durdum. "Şu ev," dedim parmağımla göstererek. "İçeri gelmek ister misin?"

"Bilmem ki," dedi tereddüt ederek.

Kolundan tutup çektim. "Hadi gel!" dedim. "Teyzemle tanış. Son derece eğlenceli bir kadındır."

"Pekâlâ."

Dört katlı apartmanda asansör yoktu. Saraybosna'da inşa edilen binaların birçoğu *Tito*[5] döneminin yapılarıydı. Çoğu kırkar metrekarelik, kibrit kutusu gibi evlerdi. Merdivenlerden üçüncü kata çıktık, kapının ziline bastım. Kısa bir süre sonra kapı açıldı. Teyzem bizi karşısında görünce şaşırdı. "Merhaba," dedim. "Seni arkadaşımla tanıştırmak istiyorum."

Teyzem Tarık'a baktı. "Adım İfeta," dedi afallayarak. "İçeri buyurun."

Salona geçtik. "Eee," dedi teyzem. "Tanışma faslına geçmeden önce kahve ister miydiniz?"

"Şey," dedi Tarık çekinerek. "Nasıl isterseniz."

"Hadi öyleyse Suada," dedi. "Mutfakta kahveleri pişirmeme yardım et."

Mutfağa geçtik. Teyzem beni çimdikledi. "Çabuk söyle," dedi kısık bir sesle. "Bu çocuk yoksa bahsettiğin Tarık mı?"

Foça'nın küçük bir kasabası olan Milyevina'dan Saraybosna'ya, teyzemin yanına taşınalı neredeyse dört yıl olmuştu. Teyzemle artık iki kız kardeş gibiydik. Birbirimizle birçok şeyimizi paylaşırdık. Hatta iki ay önce nişanı bozduğunda, onu sabahlara kadar teselli etme görevi bana düşmüştü. "O aşk diyarımın prensi," dedim sessizce gülerek. "Tarık'ı nasıl buldun teyze? Çok yakışıklı değil mi?"

---

5 Gerçek adı Josip Broz Tito'dur. Yugoslav eski devlet ve siyaset adamı.

Cezvede pişen kahvenin kokusuna, gitardan bir anda yükselen duygu yüklü müziğin sesi karıştı. "Bu da ne?" dedim şaşkınlıkla.

"Sus," dedi teyzem. "Sakın sesini çıkarma. Bırak çalsın."

Mutfak kapısına yaslandım. Salona baktım. Aşk diyarımın prensi, teyzemin gitarıyla Joaquin Rodrigo'nun concierto de aranjuez'ini çalıyordu. Başımı çevirip teyzeme baktım. Siyah gözleri dolmuş, kumral tenli yüzü gözyaşlarıyla yıkanmıştı. Eliyle çabucak gözyaşlarını sildi. Kulplu cezveleri tepsiye koydu. Cezvelerin yanına da beyaz kulpsuz fincanları, küçük kaşıkları ve kesme şekeri koymayı ihmal etmedi. Tepsileri bana uzattı. "İçeri götür," dedi telaşlı bir ses tonuyla.

Teyzemle birlikte salona geçtik. Tarık elinde tuttuğu gitarı yere koydu. "Güzel bir gitar," dedi bana bakarak.

Kahve tepsisini uzattım. "Gitar benim değil," dedim. "Teyzemin."

"Gerçekten mi?" dedi teyzeme dönüp.

Teyzem kahvesinden bir yudum aldı. "Sizin az önceki performansınızdan sonra kendimi iyice amatör hissettim."

Tarık kahkahayı bastı. "Eminim ki benden daha iyi çalıyorsunuzdur," dedi. "Ben piyanistim."

"Suada'yla aynı sınıfta mısınız?"

"Hayır. Ben ondan iki sınıf üstteyim."

"Yaşınız kaç?" diye sordu teyzem.

"Yirmi bir."

"Ya aileniz?"

Boşnak aile geleneklerinde genç bir kızın hoyrat, soysuz, cahil ve sonradan görme insanların çocuklarıyla arkadaşlık etmesi pek hoş karşılanmazdı. Kız tarafı erkek tarafını genelde taşıdıkları soyadlarına göre değerlendirirdi. Teyzem de aslında o anda bu gelenekçi yapının gereğini yerine getiriyordu. Tarık teyzeme baktı. "Yıllar önce annemle babam ayrıldılar," dedi. "Ben ailemin tek çocuğuyum. Babam Boşnak, Almanya'da yaşıyor. Orada mühendis olarak çalışıyor. Annem de bir Sırp."

"Anneniz ne işle meşgul?"

Kahvemden bir yudum aldım. "Konservatuarda piyano hocası," dedi Tarık. "Adı da Duşanka Seratliç."

Bir anda boğazım düğümlendi. Ağzımdaki kahveyi halının üstüne doğru püskürttüm. Duyduğum sözler karşısında afallamıştım. "Ne?" dedim şaşkınlıkla. "Profesör Duşanka senin annen mi? Bunu bana neden daha önce söylemedin?"

Teyzem bana baktı. Kinayeli bir biçimde, "Hani şu Profesör Duşanka, bir aydır sana kafayı takan cadaloz kadın değil miydi?" diye sordu.

Ne diyeceğimi bilemez haldeydim. Utancımdan yerin dibine girmiştim. "Aşk böyle bir şey işte," dedi teyzem katıla katıla gülerken. "Hayatında ilk kez gördüğün birine ömrünü adarsın; içine düştüğün bu komik durumu yıllar geçse bile anarsın."

Tarık tebessüm ederek ayağa kalktı. "Ben en iyisi müsaadenizi isteyeyim," dedi. "Amacım seni utandırmak değildi, Suada. Annemle sürekli çatışma içinde olduğunuz için bu gerçeği sana söyleyemedim. Yarın okulda görüşürüz. Şimdilik Allah'a emanet."

Tarık'a boş gözlerle baktım. "Allah'a emanet," diyebildim sadece.

PROFESÖR DUŞANKA

Ertesi gün sabah saat tam dokuzda Profesör Duşanka'yı derslikte beklemeye koyuldum. Beş dakika sonra profesör dersliğin kapısını açıp içeri girdi. Yüzü her zamanki gibi asıktı. O anda bu kadının Tarık'ın annesi olacağına ihtimal bile vermek istemedim. "Günaydın hocam," dedim tebessüm ederek. "Bu sabah nasılsınız?"

Sözlerimi duymazdan geldi. Gidip camı açtı. Elinde tuttuğu kahve fincanını pencerenin önüne koydu. "Bugün saat birde büyük sınıfta ol. *Solfej*[6] dersiniz var," dedi.

Başımı 'tamam' anlamında salladım. "Şimdi derse başlayalım. Bundan sonra daha sıkı bir şekilde çalışmanı istiyorum senden. Bol bol teknik egzersizler yapacaksın. Piyano, sürekli egzersiz yapmanı gerektiren bir enstrümandır. Hem de her gün, saatlerce. Ara verdin mi körelirsin, gerilersin.

---

6 Konservatuvarlarda okutulan müzik teorisi dersi.

Ayrıca unutma! Bir çalışmada önemli olan sonuçtur, ne kadar çalıştığın değil. Bu yüzden zamanını çok iyi kullanmalısın. Piyanoyla o kadar bütünleşmelisin ki, tuşlar parmaklarının ucundaki bir uzuv olmalı âdeta."

"Zamanı çok iyi bir şekilde kullanmaya çalışırım," dedim.

Elinde tuttuğu nota kâğıdını bana uzattı. "Bugün ilk olarak barok kompozisyonların ustası Sebastian Bach'la dersimize başlayalım. *Well-Tempered Clavier* adlı eserinden alınmış Praeludium bölümünü çalmanı istiyorum."

Nota kâğıdını aldım. İnce, uzun parmaklarımla sehpaya yerleştirdim ve büyük bir heyecanla çalmaya başladım. "Kes," dedi sesini yükselterek. "Çok hızlı çalıyorsun. Oysa bu eserin temposu moderatodur. Şimdi baştan al bakalım."

Sinirlerim bozulmaya başlamıştı. Tekrar çalmaya başladım. "Olmadı," dedi bağırarak. "Yine olmadı, olmadı... Sen bu kadar gerginken müzik vücudundan nasıl akabilir ki? Sana dik oturmanı söylemiştim. Deve gibi hörgücün çıkıyor. Parmaklarını unut gitsin. On küçük solucanı boş ver şimdi. Müzik karından gelir ve ruhunun derinliklerinden yukarıya doğru sürekli çıkar. En derin içgüdülerinden, aklın seviyesine, beyne ulaşana kadar yükselir. Anladın mı beni? Şimdi bırak çalsın parmakların."

Sinirlerimi kontrol altına almaya çalıştım. Profesör Duşanka'nın varlığını bir an için unutup Tarık'ı düşündüm. Bach'ın eserini yeniden çalmaya başladım. "İşte böyle," dedi Profesör Duşanka. "Bırak parmakların çalsın. Sağ eldeki kırık akorların bir ırmak gibi şırıl şırıl aktığını hayal et şimdi. Suyun ritmi eşittir, bunu hiçbir zaman unutma. Sol eldeki tonik seslerin sağ ele yön verdiğini aklından çıkarma sakın. Evet, evet... İşte şimdi çalmaya başladın. Kendini serbest bırak. Müzik ruhunun derinliklerinden yukarı doğru fışkırsın. Ayağını gereksiz yere pedalın üzerinde tutma. Çalınan her notanın çok net bir şekilde duyulması gerekir. Evet, evet... İşte böyle..."

Profesör Duşanka kulağımda bir sivrisinek gibi vızıldayıp duruyordu. Aslında haklıydı da. Bir sanatçının hassas olma lüksü yoktu. Sabırlı ve dayanıklı olmalıydım. Hayatımın bu döneminde ya Profesör Duşanka'ya katlanacaktım ya da çok sevdiğim piyanomdan vazgeçecektim. Ama benim piyanodan vazgeçme gibi bir niyetim yoktu. Piyanosuz bir yaşamı asla düşünemiyordum. Müzik benim için nefes almak gibiydi. Boşnak inatçılığıyla bu işi başaracaktım. Kim bilir, belki bir gün Profesör Duşanka önümde saygıyla eğilecek, büyük bir konser salonunda beni ayakta alkışlayacaktı.

"Evet, bayan *virtüöz*,[7]" diyen Profesör Duşanka, daldığım düşüncelerden uyandırdı beni. "Bugünlük bu kadar çalışma yeterli. Saat birde büyük sınıfta olmayı unutma. Size önemli bir şey söyleyeceğim."

Kan ter içinde kalmıştım. "Bach yorumumu nasıl buldunuz?" diye sordum büyük bir heyecanla.

Profesör Duşanka soğumuş kahvesinden bir yudum aldı. Her zamanki gibi beni duymazdan geldi. "Sıradaki," diye yüksek bir sesle bağırdı.

---

7 Herhangi bir müzik enstrümanını büyük bir ustalıkla çalabilen sanatçı.

Kapı açıldı. İçeri sarı saçlı ve yüzünün sol tarafında yara izi olan sınıf arkadaşım girdi. Profesör ona baktı. "Bay Vukadin Milunoviç."

"Evet," dedi Vukadin.

"Sizi piyanonun başına alayım. Bir an önce dersimize başlayalım."

Askıda asılı duran çantamı hışımla alıp yürüdüm. Kapının önünde duran Vukadin bana yol verdi. Sınıf arkadaşım yakışıklı değildi, ama son derece etkileyici yüz hatlarına sahipti. Göz göze geldiğimizde, "Sana iyi dersler," dedim ve sınıftan olabildiğince hızla çıktım.

Tarık koridorda beni bekliyordu. "Günaydın su perim," dedi ve sonra da beni kucaklayıp yanaklarımdan öptü.

"Annene sinir oluyorum," dedim soğuk bir ses tonuyla. "Beni daha ne zamana kadar görmezden gelecek?"

Tarık gülümsedi.

"Karşıma geçip sırıtma öyle," dedim. "Çok öfkeliyim. Bana neden böyle davranıyor?"

Tarık'ın bir anda yüz ifadesi değişti. "Bak," dedi. "Annem yetenekli gördüğü öğrencilerine her zaman takar böyle. Sen, annemin kafasına taktığı bu yetenekli öğrencilerin ne ilki oldun, ne de sonuncusu olacaksın. Annem gururlu ve kibirli bir kadındır. Öğrencilerine biraz tepeden bakmayı sever. Sen aldırma onun bu tavırlarına. O iyi bir öğretmendir, müziğe âşık bir müzisyendir. Bu yüzden kendini sadece çalışmalarına vermelisin. Gerisini de boş ver gitsin."

Boğazım düğümlendi. "Elimde değil," dedim.

Tarık elimden tuttu. Yanağıma küçük bir buse kondurdu. "Senin üzülmeni asla istemem. İstersen bu konuyu annemle konuşabilirim."

Kalbim hızlı hızlı çarptı. "Hayır," dedim. "Kesinlikle olmaz. Hem zaten sanırım zamanla alışırım."

"Tamam," dedi. "Nasıl istersen öyle olsun."

"Şey," dedim çekinerek. "Merak ettim. Annenin seninle ilişkisi nasıl?"

Tarık bana anlamlı anlamlı baktı. "Beni şefkatle öptüğünü hiçbir zaman hatırlamıyorum," dedi.

Sorduğuma pişman olmuştum. "Kusura bakma. Başkalarının hayatına burnumu sokmamalıyım. En iyisi bu aptalca sorumu unut gitsin."

"Ben senin için başkası değilim," dedi Tarık. "Bazı şeyleri öğrenmeye tabii ki hakkın var. Bugün öğrenmezsen yarın öğreneceksin. Annemi çok seviyorum. Onun da beni çok çok sevdiğini biliyorum. Bana karşı olan sevgisini dışavuramıyor sadece. O son derece içine kapanık biri. Pek fazla konuşmayı sevmez. Gerektiğinde sözünü kimseden sakınmayan, sinirlendiğinde ise gözü hiçbir şeyi görmeyen bir kadındır."

"Ben de biraz öyleyim," dedim hafifçe tebessüm ederek.

Tarık sevecen bir şekilde bana baktı. "Aslında annemin içe kapanık bir kadın olmasının en büyük sorumlusu ne yazık ki babam."

"Baban mı? Nasıl?"

"Yıllar önce annemi aldattı."

"Aldattı mı?"

"Evet. Hem de annemin bir öğrencisiyle."

Ağzım bir karış açık kalmıştı. "İnanmıyorum sana," dedim. "Peki, annen aldatıldığını nasıl öğrendi?"

"Bir gün babam ile öğrencisini kendi yatak odasında basmış."

Tüylerim diken diken oldu. "Bu, korkunç bir şey," dedim.

"Annem o günden sonra hayata küstü. Kendisini sadece, ama sadece işine adadı."

Tarık'a baktım. Öyle ızdıraplı, öyle yalnız bir hali vardı ki. "Peki, senin babanla aran nasıl?"

"Babamla sadece arada sırada telefonla görüşüyoruz."

"Sonra evlendi mi?"

"Annem, babamla ilişkiye giren öğrencisini konservatuvardan kovdurdu. O kız daha sonra babamla evlendi. Çok istemelerine rağmen hiç çocukları olmadı."

"Babana kızgın mısın?"

"Bu soruyu ben de kendime birçok kez sordum. Ama hiçbir zaman net bir cevap bulamadım zihnimde. Doğrusu, bilmiyorum. Erkekler galiba çocuklarının annesiyle evli oldukları sürece babalık görevini üstleniyor. Bir gün gelip çocuklarının annesinden ayrıldıklarında ise aslında çocuklarından da ayrılıyorlar."

Tarık'ın bu sözleri karşısında içim parçalandı. "Neden böyle düşünüyorsun?" dedim çatallaşan sesimle. "Bence her erkek aynı değildir."

"İstisnalar kuralları bozmaz; ama her zaman tekrarlanan istisnalar da genel bir kural halini alır. Bence bir babayı öz evladına yabancılaştıran şey, sonradan gelen yabancı bir kadından başkası değildir."

"Erkekler bu kadar zayıf mı sence?"

"Zayıf kelimesi bence bu gerçeğin karşısında hafif kalır. Bir yerde okumuştum. Erkekler tarlada güçlüdür, kadınlar ise yatakta. Sen hiç, 'Bu gece başım ağrıyor. Sevişmek istemiyorum' diyen bir erkek gördün mü? Göremezsin, çünkü bu söz kadınlara aittir. Bu sözler kadının erkek üzerindeki hâkimiyetidir. Yatakta erkek üzerinde bu şekilde hâkimiyet kuran bir kadın, o erkeğin önceki kadından olan çocuklarına karşı da aslında hâkimiyet kurmuş oluyor. Diri ve güzel göğüslere sahip bir kadınla, bir erkek evlat olarak ben kesinlikle aşık atamam. Bilirim ki, o kadın her zaman galip gelecektir."

İliklerime kadar sarsılmıştım. Tarık pek de aşina olmadığım konulardan bahsediyordu. Yıllar önce babam ile annem birbirlerini severek evlenmişlerdi. Bu evlilikten de üç kız çocukları olmuştu. Evin en küçüğü bendim. Annem babama hep 'Emin Efendi' diye seslenirdi. Babam da anneme 'Fadila Hanım' derdi. Bir gün bile birbirlerine karşı yüksek sesle konuştuklarına şahit olmadım. Tarık'a hüzünlü bir şekilde baktım. "Anneannen ya da babaannen yaşıyor mu?"

Sorularım karşısında pek mahcup olmuş gibiydi. "Şey," dedi sıkılarak. "Aslında ayrılıklarda olan çocuklara oluyor. Babam küçükken gizlice sünnet ettirmişti beni. Annem pek önemsemedi bu olayı, ama anneannem ortalığı velveleye verdi. Bir gün anneannem ve dedem elimden tutup beni kiliseye götürdüler, vaftiz ettirdiler. Sonra da bir kaşık domuz yağı yedirdiler. Bu olayı duyan babaannem ve dedem neredeyse sinir krizleri geçiriyordu."

"Desene," dedim gülerek. "Olan sana olmuş."

"Hiç sorma. Anneannem ile babaannem çok fena kadınlardı. Sürekli birbirlerinin ırkları hakkında ileri geri konuşup duruyorlardı. Halbuki ikisi de aynı ırktandı. Sadece dinleri farklıydı."

"Peki, sen hangi dine inanıyorsun?"

"Evelallah Müslümanım ben," dedi hiç tereddüt etmeden. "Ramazanda oruç tutarım, arada sırada da namaz kılarım."

"Ben de aynen senin gibiyim. İnancımı kimseyle paylaşmam. Çünkü inancım benim mahremimdir. Peki, ya annen ne diyor bu işe?"

"Annem son derece değişik bir kadındır. Onun tek bir tanrısı değil, birden fazla tanrısı var. O Bach'a, Mozart'a, Beethoven'a, Schubert'e, Schumann'a, Brahms'a, Chopin'e, Clementi'ye âdeta ölürcesine tapıyor."

"Yani annen ateist mi?"

"Yalnızca ateist değil, ırkçılığa da karşı biri. Dinlerin ve ırkların müziğin düşmanı olduğunu söyler."

"Sence de öyle mi?"

"Din için hiçbir fikrim yok; ama ırkçılığa ben de karşıyım. Bir halkı yok etmek isteyen faşistler, o halkın müziğini ve kültürünü de yok etmiş olmazlar mı sence?"

"Bence de ederler."

"Açık söylemem gerekirse," dedi Tarık. "Annemin ailesini hiç sevemedim. Çünkü onlar dindar değil, birçok Sırp gibi ırkçılar."

Tarık'la ayaküstü yaptığımız sohbetle bir an derin konulara dalmıştık. Kasvetli ortamın havasını biraz dağıtmak istedim. Eğilip yanağına küçük bir öpücük kondurdum. "Unutma," dedim gülerek. "Biz sanatçıyız. Irkçılık tohumlarından değil notalardan besleniriz."

"Haklısın," dedi gülerek. "Şimdi derse gitmem gerekiyor. Seninle daha sonra görüşürüz."

"Tamam," dedim. "Benim de saat birde solfej dersim var."

Yanağımdan öptü. "Beni ders bitiminde derslikte bekle," dedi hızla yanımdan uzaklaşırken.

***

Saat birde, beş öğrenciyle birlikte solfej dersine girdim. Solfej dersi grup derslerimizden sadece biriydi. Profesör Duşanka içeriye girdi. Siyah deri çantasını masanın üstüne koydu. "Bugünkü dersimizi ne yazık ki yapamayacağız. Yarın sabah erkenden Almanya'ya uçuyorum. Berlin'de bir konser vereceğim. Yaklaşık on gün derslerinize giremeyeceğim. Bu süre içinde derslerinize başka hocalarınız girecek. O hocalarınızı üzmezseniz sevinirim. Şimdilik hoşça kalın."

Profesör Duşanka çantasını aldığı gibi sınıfı terk etti. Yanımda oturan Mirna tebessüm ederek, "Bu kadın beni öldürecek," dedi.

"Bir tek seni değil," dedi Zdenko gülerek. "Beni de öldürecek. Ne yazık ki ben de Profesör Duşanka'nın eline düşen zavallı öğrencilerden biriyim."

Zdenko'nun yaptığı espriye hepimiz güldük. Bir başka arkadaşımız Jivka başını arkaya doğru çevirdi. En arka sıralardan birinde sivri çeneli, iri siyah gözlü arkadaşımız Vukadin oturuyordu. "Gelsene yanımıza oğlum," dedi Jivka. "Öyle uzak durma. Seni yemeyiz, korkma."

Vukadin arka sıradan kalkıp yanımıza geldi. "Merhaba," dedi anlamlı anlamlı bakarken bana. "Profesör Duşanka bu sabah senden sonra benim de canıma okudu. Hâlâ kendime gelebilmiş değilim."

Vukadin'in bakışları sertti ve bir anda bana çok katmanlı Renoir portelerini çağrıştırmıştı. Ona hafifçe tebessüm ettim. "Ne yazık ki bu kadından hepimizin çekeceği var," dedim.

Sanki o an bana bir şeyler söylemek istiyor, ama söyleyemiyor gibiydi. Birden başını Jivka'ya çevirdi. "Demek sen de Sırpsın," dedi. "Ailen Saraybosna'da mı yaşıyor?"

"Evet," dedi Jivka. "Sen nereliydin?"

"Karadağlıyım."

"Offf! Sıkıldım," dedi Mirna ayağa kalkarken. "Şimdi kim benimle kahve içmeye geliyor?"

Herkes aynı anda ayağa kalktı. "Sen neden oturuyorsun hâlâ? Bizimle gelmiyor musun?" diye sordu Zdenko.

"Siz gidin," dedim. "Ben arkadaşımı bekliyorum."

"Yoksa erkek arkadaşını mı?" dedi Mirna gülerek.

Başımı sallayarak gülümsedim. "Anlaşıldı," dedi Mirna. "Daha ilk ayda satışa geldik. Hadi biz gidelim. Âşıkları baş başa bırakalım."

Vukadin'le bir anda göz göze geldik. Bakışları âdeta buz kesti, yüzü kireç gibi bembeyaz oldu. "Sen iyi misin Vukadin?" diye sordu Jivka.

"İyiyim," dedi heyecanlı bir ses tonuyla. "Haydi, gidelim."

Herkes çıktı, ben de Tarık'ı beklemeye koyuldum. On dakika sonra Tarık kapıyı açıp içeri girdi. "Nasılsın?" dedi keyifsiz bir ses tonuyla. "Umarım seni çok fazla bekletmedim."

"Hayır," dedim. "Senin neden keyfin yok? Bir şey mi oldu?"

"Bunu sana nasıl söyleyeceğimi bilemiyorum; ama annem Berlin'e birlikte gitmemizi istiyor. Ben de onu kıramadım."

"Git tabii sevgilim," dedim büyük bir heyecanla.

Tarık'ın yüzü bir anda aydınlandı. "Seni bırakıp gittiğim için yoksa bana kızmadın mı?"

"Sen deli misin? Sana neden kızacakmışım? Annenin Berlin'de vereceği konseri izlemek tabii ki senin en doğal hakkın. İnan ki senin adına çok sevindim. Berlin'in keyfini çıkarmaya bak derim sana."

"Aklım burada, sende kalmışken Berlin'in keyfini nasıl çıkarayım?"

"Aklın bende neden kalsın ki?"

"Sen güzelliğinin farkında değilsin galiba? Konservatuvara geldiğin günden beri herkes senin güzelliğini konuşuyor."

Kahkahayı bastım. "Yoksa şimdi de beni kıskanmaya mı başladın?" dedim.

Yüzü ciddileşti ansızın. Sonra bana sımsıkı sarıldı. "Bu gidişle aşkın beni deli edecek," dedi tatlı tatlı gülümserken. "Seni kıskanmamak elimde değil. O kadar güzelsin ki, tıpkı masallardaki prensesler gibisin."

"Aşırı kıskançlık aşkın hastalıklı halidir," dedim gülerek. "Beni deliler gibi sev; ama sevginden asla delirme."

Gözlerime baktı. Az kalsın mutluluktan uçacak gibiydi. "Senden benim gururum olmanı istiyorum," dedim. "Ben de her zaman senin varlığın olacağım. Şimdi gidelim. Beni tramvay durağına kadar bırak. Sen de bugün eve erken git, biraz dinlen. Yarın heyecanlı bir gün sizi bekliyor."

VUKADİN

Tarık gideli tam tamına bir hafta olmuştu. Onsuz kendimi yapayalnız hissediyordum. O gün yine sabahtan akşam beşe kadar dersliğe kapanmış teknik egzersiz çalışmıştım. Başım kazan gibiydi. Sınıfa saçtığım nota kâğıtlarını toplayıp çantama sıkıştırdım. Tam dışarı çıkacağım sırada Vukadin kapının önünde belirdi. Gözleri kıpkırmızı kesilmişti. "Sen iyi misin?" diye sordum.

Kapıyı usulca kapattı. "Zamanın var mı?" diye sordu.

Gergindi. Belli ki biraz da içmişti. Dudaklarının titrediğini fark ettiğimde hayretler içinde kaldım. "Tabii ki var," dedim. "Hayrola! Yoksa canını sıkan bir şey mi oldu?"

"Vida gibi kafama takılmış durumdasın," dedi bir çırpıda.

O anda yegâne düşüncesini belli etmişti. Çok şaşırmıştım. "Kalbimin sahibi var," dedim çatallaşan sesimle.

"Seni gördüğüm o günden beri unutamıyorum. Ne yapayım elimde değil," dedi.

Bana yaklaştı, elimi tutmaya çalıştı. Eli, demir bir metal gibi soğuk ve kaskatıydı. Elimi hızla geri çektim. Ona karşı birden nefret duydum. Bütün vücudum öfkeden titremeye başladı. "Bir daha sakın bana dokunayım deme," dedim sinirli sinirli. "Şimdi defol git buradan."

Önümde diz çöküp kollarını belime doladı. Ne bir söz söylüyor, ne de hareket ediyordu. Güçlü kollarının arasında debelenmeye başladım. "Allah aşkına bırak beni," dedim ağlarken.

"O kadar güzelsin ki," dedi. "Kaç zamandır gözlerimin hapsindesin. Sana sevgimi söylemeyi hak etmiyor muyum?"

"Ama ben başkasını seviyorum. Sırf sen beni istiyorsun diye benim de seni isteyeceğimi nereden çıkardın Vukadin? Kalbimde iki kişiye yer yok. N'olur şimdi bırak da gideyim."

"Bana bir şans ver."

"Saçmalama. Seni sevmiyorum ki sana bir şans vereyim."

Başını kaldırıp bana baktı. Kıpkırmızı gözlerinde bir matem havası var gibiydi. Sesi tuhaf ve peltek çıktı: "Aşkıma karşılık ver. Yoksa..."

Bu tehditkâr sözleri beni çoktan öfkelendirmeye yetmişti. "Bana bak," dedim dişlerimi sıkarak. "Senin gibi sefil bir erkeğin hayatımı mahvetmesine asla müsaade etmem. Ben Tarık'ı seviyorum. Senin gibi zavallı bir sürüngeni değil. Şu haline bir bak. Diz çökmüş, yerlerde sümüklü böcek gibi kıvranıp duruyorsun. Seni sevmiyorum."

"Dudaklarından dökülen sözlerden kan damlıyor," dedi cılız bir sesle. "Bu kadar zalim olamazsın."

Öfkeden kan beynime sıçradı, yüzüm kapkara kesildi. "Kaz kafalı erkekleri terbiye etmek gerektiğinde bir anda zalim oluveririm. Şunu aklına koy bir kere. Tarık sevgilim olmasaydı yine de seninle çıkmazdım. Kendi inancımdan olmayan biriyle sevgili olup aile şerefimizi beş paralık edemezdim. Duydun mu beni?"

Ansızın sessizlik oldu. Ellerini, belimden çözüp ayağa kalktı. Gözlerinde öfke ve kinden başka bir şey yoktu. "Bir gün seni hiç kimse elimden kurtaramayacak," dedi kupkuru ve tehditkâr ses tonuyla, sonra da arkasını dönüp sessizce odayı terk etti.

Olduğum yere yığılıp kaldım. Dışarıda esen sonbahar rüzgârının ince ıslığı kasvetli odanın içinde yankılanıp duruyordu.

***

O akşam sinirlerim bozuk eve döndüm. Teyzem beni o halde görünce şaşkın şaşkın yüzüme baktı. "Ne oldu sana?" diye sordu. "Bu halin de ne böyle?"

Teyzemin boynuna sarılıp hüngür hüngür ağlamaya başladım. "Hiç sorma teyzeciğim," dedim cılız bir sesle. "Bugün başıma gelenlere inanamazsın."

"Ne oldu? Çabuk anlat."

"Sınıf arkadaşlarımdan biri bana kör kütük âşık olmuş," dedim. "Bugün de aşkını ilan etti."

Teyzem kahkahayı bastı. "Bunda ağlayacak ne var? Birçok erkeğin canını yakacağın ta küçüklüğünden belliydi. Senin gibi güzel bir kıza tek bir erkek âşık olmaz. Eminim ki birçok erkeğin başını döndürüyorsundur. Bu defaki kim?"

"Bir Hıristiyan."

"Ne?" dedi teyzem çığlık atarak. "Emin eniştem Hıristiyan biriyle çıktığını duysa adamcağıza inme iner."

"Sen de bana çok iyi destek oluyorsun teyze," dedim sinirli sinirli. "Hiç merak etme. Bugün bu meseleyi kökünden hallettim."

"Nasıl?"

"Ona kalbimde iki erkeğe yer olmadığını söyledim."

Teyzem bir anda gülme krizine girdi. "Ah hayat!" dedi. "Sen nelere kadirsin. Ah ne güldüm, ne güldüm... Sen bu sözleri kimden öğrendin bakalım?"

"Kimden öğreneceğim, tabii ki senden."

Teyzem tek kelime söylemeden durdu. Bana birkaç saniye dikkatlice baktı. "Benden mi?" dedi hayretler içinde kalarak.

"Evet, senden öğrendim. Her gece telefonda nişanlın Asım'a bu tür sözleri sarf edip duran sen değil miydin?"

Teyzem koltuğun üstünde duran küçük bordo yastığı alıp kafama fırlattı. "Yoksa sen her gece bizi mi dinliyordun?"

"Tito'nun kibrit kutusu evlerinde yaşadığımızı unuttun galiba teyzeciğim. Eee, haliyle ister istemez konuşmalarınızı duyuyordum. Yaptığınız başka şeyleri de duymadım değil."

Teyzemin yüzü pancar gibi kızardı. Hemen konuyu değiştirdi. "Söyle bakalım. Hıristiyan oğlan bu sözlerin üzerine sana ne cevap verdi?"

"Ona bir şans vermemi söyledi."

"Ah aptal erkekler!" dedi teyzem. "Bu kokuşmuş türlerin hepsi böyle işte. Bir kadını elde edene kadar ağız ishali, o kadını elde ettikten sonra da kabız herifin teki olurlar. Dil şaklabanı bu oğlan tehlikeli arzularını, aşk zannediyor galiba. Halbuki kadınlar kime âşık olacaklarını, kime âşık olmayacaklarını çok iyi bilirler."

"Teyze," dedim usulca.

"Ne var?"

"Hazır konu ilişkilerden açılmışken, ilk nişanlınla neden ayrılmıştın?"

Gözleri bir anda uzaklara dalıp gitti. Sonra da, "Aşk ne yazık ki duyarlı bir his değil. Öyle kaba, öyle hoyrattır ki eline diken batması gibi yüreğini acıtır. İlk nişanlım Enez de benim yüreğime batan bir dikendi. Yüreğimi kanatıp gitti. Halbuki onu ne kadar çok sevmiştim. Ah, saf yürekli gençlik işte!" dedi.

"Ne oldu da gitti?"

"Unutma! Erkekler bir kadını başka bir kadın için terk eder. Bizim ilişkimizde de olan buydu."

"Geçen gün buna benzer sözleri Tarık da söylemişti bana."

"Erkekler nankördür Suada. Onlar için boş yere ışıklarımızı harcıyoruz. Gündüz onların yanında yanan bir ışık olduğumuzu göremiyorlar. İlla ki gece yatakta yanıp sönen fosforlu orospuların ışıklarını görecekler. Erkekler iyi niyetimizi hep kullandılar. Kullanmaya da devam ediyorlar. Sen de kendine dikkat et, daha toysun."

"Öyleyse ne yapmam gerekiyor?"

"Bir an önce bir kırbaç edinmeye bak," dedi gülerek.

"Ne kırbacı?" dedim şaşkınlıkla.

"Sırtına bindiğin tayı şimdiden kırbaçlamazsan, günü geldiğinde seni sırtından kaldırıp atabilir. Erkeklerin tercih ettiği öteki kadınlara bir bak Suada. Hiç kendine sordun mu? Erkekler bu tür kadınları neden el üstünde tutuyorlar? Ben bu sorunun cevabını buldum. Çünkü erkekler hayatı yokuşa süren kadınlara tapıyor. Onlar için âdeta deliriyorlar."

"Tarık'ı nasıl buldun teyze? Sence o da tehlikeli erkeklerden biri mi?"

"İyi, hoş çocuk, ama şimdiden ne söylesem boş. Onunla tanıştığım gün bende çok iyi bir izlenim bıraktı. Sahi, onlar Berlin'den ne zaman dönüyorlar?"

"Birkaç güne kadar."

"Ha! Bu arada sana söylemeyi unuttum. Yarın sabah ablan nişanlısıyla birlikte buraya geliyor. Düğün için öteberi alacaklarmış."

"Gelsinler," dedim. "Hazır aklımdayken sana bir şey daha sorabilir miyim teyze?"

"Ne var yine?"

"Tarık döndüğünde acaba ona şu Sırp çocuktan bahsetsem mi?"

Teyzemin yüzünde buz gibi soğuk bir öfke belirdi. "Sen delirdin mi?" dedi. "Her zamanki gibi ketum ol. Yoksa erkekleri birbirine mi düşüreceksin? Sakın böyle bir şey yapma, sakın ha! Şimdi kalk sofrayı hazırla bakalım. Çok yorgunum ve açlıktan neredeyse ölüyorum."

EDİNA

Ertesi gün sabah sekiz sularında uyandım. Odanın kapısı açıldı. "Uyandın mı?" dedi teyzem.

Gözlerimi ovuşturdum. "Günaydın teyze," dedim. "Şimdi uyandım. Hayrola! Sabah sabah hazırlanmış nereye gidiyorsun böyle?"

"Hastaneye."

"Bugün günlerden cumartesi, öyle değil mi?"

"Yine nöbetçiyim. Hadi! Sen de kalk, bir an önce evi toparla. Ablan neredeyse gelmek üzeredir."

"Tamam," dedim. "Sen çık, ben de şimdi kalkıyorum."

Saraybosna ile Milyevina arası altmış sekiz kilometre, Milyevina ile Foça arası da on iki kilometreydi. Yollar oldukça virajlıydı. Bu yüzden otobüsler Milyevina'dan Saraybosna'ya yaklaşık bir saatte gelirdi.

Edina ablam yirmi altı yaşındaydı. Pembe yanaklı, tombul yüzlüydü. Ancak liseye kadar okuyabilmişti. Liseden sonra üniversiteye gitmek istememişti. Milyevina'dayken ablamla sürekli tartışırdık. Annem ve babam tarafından sürekli kayırıldığımı iddia ederdi. Aslında pek de haksız sayılmazdı. Ben de o zamanlar şımarık bir kız çocuğuydum. Ablalarımı kızdırmak için babamın yanına sokulup, "Baba, kızlarının arasında en çok beni seviyorsun, öyle değil mi?" diye sorardım. Babam da ablalarıma göz kırpıp, "Tabii ki kızım, sen benim en değerlimsin," derdi. Allah var, ablam bir gün bile beni hiç kıskanmadı. Onun benimle olan derdi bambaşkaydı. Bana sürekli iş yaptırmak istiyordu. Ben de iş yapmaktan her defasında kaçıyordum. Ayrıca şöyle bir gerçek vardı: Evin küçüğüyseniz her zaman paranız vardır.

Çocukluğumda ablamla para yüzünden de sık sık kavga ederdik. Bana verilen harçlıkları cam bir kavanozda biriktirir, kavanozu saklardım. Ablam da sakladığım paraları sanki kendi eliyle koymuş gibi her defasında bulur, kavanozun içinde ne var ne yoksa boşaltırdı.

Küçük ablam yirmi iki yaşındaydı. Ayşa'nın kumral saçları her zaman bir eşarpla bağlıydı. Garibin ağzı var dili yoktu. Özellikle köylü Boşnak kadınların giydiği hafif kumaştan yapılmış kırmızılı, yeşilli dimiye giymeyi çok severdi. Bir gün ani bir kararla lise ikinci sınıftayken okulu terk etti. Bir daha okula geri dönmedi. Eli hamur işlerine çok yatkın olduğu için mutfaktan dışarı pek çıkmazdı. Her gün bir çeşit *pita*[8] açardı. Bir gün *sirnitsa pita,*[9] başka bir gün *krompiruşa*

---

8 İnce açılmış yufkayla yapılan, böreğe çok benzer bir yiyecektir. Boşnak kadınlar önce yufkayı elle inceltirler, sonra yuvarlak bir tahtanın üzerinde yufkayı ince ince çekerler. Bu incelik pitaya lezzetini verir.

9 Peynirli pita.

pita,[10] diğer günler de *maslenitsa,*[11] *tikvenitsa*[12] veya *zelyanitsa pita,*[13] bazen de *Boşnak burek*[14] yapardı. Aslında ben de pita ve kek yapmayı Ayşa ablamdan öğrenmiştim. İkimizin ortak yanı ise çikolataya karşı olan zaafımızdı...

O sırada telefon çaldı. Dalıp gittiğim düşüncelerden sıyrıldım, sonra da yataktan fırlayıp salona koştum. Telefonun ahizesini kaldırıp kulağıma dayadım. "Alo."

"Çabuk televizyonu aç," dedi teyzem.

"Ne oldu?"

"Soru sorma. Çabuk televizyonu aç."

Heyecandan elim ayağıma dolaştı. Hemen televizyonu açtım, haberleri sunan spikeri dinlemeye koyuldum: "Sırpların kontrolü altındaki Yugoslavya Federal Ordusu'nun, Hırvatların yaşadığı kentleri bombalayacağı haberleri bize az önce ulaşan bilgiler arasında. Bugün de Vukovar'a doğru yola çıkan Yugoslavya Federal Ordusu'na ait zırhlı araç konvoyunun yolları kesildi. Vişegrad bölgesinden geçmeye çalışırken Müslüman ve Hırvat siviller tarafından yola devam etmeleri engellendi. Bunun üzerine konvoydaki askerler sivil halkın üzerine ateş açtılar..."

Televizyonun sesini kıstım. "Bu çok korkunç bir şey teyze," dedim kalbim küt küt atarken.

"Artık savaş kapıya dayandı," dedi teyzem.

"Savaş kapıya nasıl dayanır? 20. yüzyılda Avrupa'nın orta yerinde savaş mı çıkarmış? Söylediklerini aklım almıyor."

---

10 Patatesli pita.
11 Yağlı boş pita.
12 Kabaklı pita.
13 Ispanaklı pita.
14 Sadece et ile yapılana Boşnak Böreği denir.

"Bu hayatta her şey olabilir," dedi teyzem. "Sen tarih kitapları nasıl yazılır bilmiyorsun. Tarih kitapları insanoğlunun aklının almadığı savaşlarla doludur."

İfeta teyzem hemşirelik yüksekokulunu bitirdikten sonra tarih fakültesinden de mezun olmuştu. Daha sonra aynı fakültede dünya tarihi üzerine master yapmıştı. "Peki, bundan sonra ne olacak?" diye sordum meraklı bir şekilde.

"Bence ok yaydan çıktı artık. Ne yazık ki tarih yeniden tekerrür edecek."

"Tekerrür edecek olan şey ne?"

"Savaş, kan ve gözyaşı," dedi teyzem buruk bir ses tonuyla. "Telefonu şimdi kapatıyorum. Bir an önce işe koyulsan iyi edersin. Akşama görüşürüz."

Telefonu kapattım. Büyük bir moral bozukluğuyla mutfağa girip işe koyuldum.

***

Bir-iki saat sonra kapı zili çaldı. Kapıyı açtığımda Edina ablam ve nişanlısı Fikret ağabey karşımda duruyorlardı. Hemen ablamın boynuna sarılıp onu büyük bir özlemle yanaklarından öptüm. "Ağlama," dedi gözyaşlarını silerken. "Bizi yeniden kavuşturan Allah'a şükürler olsun."

Bu sefer de Fikret ağabeyin yanaklarından öptüm. "Siz de hoş geldiniz," dedim. "Umarım yolculuğunuz iyi geçmiştir."

Fikret ağabey ablamdan tam üç yaş büyüktü. Oldukça da sempatik bir insandı. Kıvırcık siyah saçları bana her zaman komik gelmişti. "Hoş bulduk," dedi. "Yolculuğumuz son derece keyifli geçti."

"Kapının önünde durmayın," dedim. "İçeri girin."

Fikret ağabey elinde tuttuğu küçük gri valizi içeri koydu. "Ben ne yazık ki izninizi istiyorum," dedi. "Halletmem gereken acil işlerim var."

"Bari bir kahve içtikten sonra gitseydiniz," diye üsteledim.

"Bırak gitsin," dedi ablam. "Yapılması gereken bir sürü iş var. ağabeyine benden selam söylemeyi unutma Fikret. Bir şey olursa mutlaka beni ara."

Fikret ağabey basamakları birer ikişer inerken, biz de kapıyı kapatıp içeri geçtik. "Adamcağıza bir kahve bile içirtmedin abla," dedim sitemkâr ses tonuyla.

"Bırak kahveyi," dedi ablam yanağımı sıkarken. "Sanki hayatında hiç mi kahve içmemiş! Şimdi anlat bakalım. Benim dünyalar güzeli kız kardeşim nasılmış?"

"Sen hiç değişmeyecek misin abla?" dedim gülerek. "Vallahi bu adamın senden çekeceği var."

"Amaaan!"dedi bir elini havada sallarken. "Ben ondan çekeceğime, o benden çeksin. İfeta teyzemi görmüyor musun? İki kez nişanlandı. İkisinde de erkekler onu yüzüstü bırakıp gittiler. Sen aşktan ne anlarsın ki zaten. Şimdi bunları bir kenara bırak. Anlat bakalım, neler yapıyorsun?"

"Âşık oldum," dedim bir çırpıda.

Ablam öksürüp tıksırmaya başladı. Mutfağa koştum, bir bardak su getirdim. "Al şu suyu iç," dedim.

Sudan bir yudum aldı. Sonra da, "Az önce ne dedin sen? Âşık mı oldun? Çabuk söyle bakalım, kim bu çocuk?"

"Konservatuvardan biri."

"Kimlerden?"

"Amaaan abla! Sanki kimlerden olduğunu söylesem tanıyacaksın."

"Bu çocuğun anası, babası yok mu?"

"Var; ama ayrılar. Babası Boşnak, annesi de Sırp. Hatta annesi konservatuarda benim piyano hocam."

"Annesi Sırp mı dedin sen?"

"Ne var bunda abla? Annesi Hıristiyan olabilir; ama babası Müslüman. Hiç merak etme sen, çocuk sünnetli zaten."

Ablam tekrar öksürüp tıksırmaya başladı. Su bardağını hemen eline tutuşturdum. Bu sefer sudan büyük bir yudum aldı. "Yoksa gördün mü?" dedi nefes nefese.

Kahkahayı bastım. "Saçmalama be abla," dedim. "Ne görmesi? Bir gün konuşurken sünnetli olduğunu söylemişti."

Ablam kuşku dolu gözlerle bana baktı. Bu bakışın altında yatan nedeni çoktan anlamıştım. "Düşündüğün şey aramızda hiç olmadı," dedim. "Hâlâ bakireyim."

Derin bir nefes aldı. "Evlenene kadar da olmasın zaten," dedi. "Biz gelenekçi bir aileyiz. Ailemizin itibarını ayaklar altına alamayız."

"Sen hiç merak etme abla. Namusumuza halel getirmem."

Ablam koluma girdi. "Şimdi biraz ondan bahset bakalım," dedi meraklı bir şekilde. "Nasıl bir çocuk?"

"O tek kelimeyle inanılmaz biri abla. Keşke burada olsaydı da sizi tanıştırsaydım."

"Nerede şimdi?"

"Geçen hafta annesiyle birlikte Berlin'e gitti. Hâlâ da dönmediler."

"Çocuğun ismi ne?"

"Tarık."

"Yakışıklı mı bari?"

"Hem de çoook."

"Belli," dedi ablam hınzır hınzır gülerken. "Oğlana abayı fena yakmışsın sen."

"Buna gönlüm kaymış desek daha doğru olmaz mı abla?"

O sırada ablam şefkat dolu gözlerle bana bakıp içini çekti. "Senin bir gün büyüyüp de âşık olacağın hiç aklıma gelmezdi," dedi.

Ona sımsıkı sarıldım. "Şu dünyaya gözlerini açan her bebek zaman içinde büyüyor. Bir tek ben değil, hepimiz büyüdük abla."

Bütün gün ablamla ordan burdan konuşup hasret giderdik. Akşama doğru teyzem işten yorgun argın eve döndü. "Hoş geldin Edina," dedi teyzem ablamın boynuna sarılırken. "Evdekiler nasıllar?"

"Çok iyiler," dedi ablam. "Size selam söylediler."

"Eksik olmasınlar. Sen nasılsın? Düğün hazırlıkları nasıl gidiyor?"

"Allah nasip ederse düğüne pek bir şey kalmadı. Bu ayın sonuna doğru evleniyoruz."

"Allah sizi bir yastıkta kocatsın. Hayırlı çocuklar doğurmanı nasip eylesin."

"Âmin," dedi ablam. "Beni boş ver şimdi. Sen nasılsın teyze? Seni pek bir yorgun gördüm."

"İdare ediyorum işte," dedi canı sıkkın bir tavırla.

"Nişan attığın için üzülmüyorsun, değil mi? Sakın üzme kendini. Varımız yoğumuz bir tek sensin."

Teyzem acı acı güldü. "Seciyesi bozuk, ince hisleri olmayan kazma adamlar için üzülmeyi bir kenara bıraktım artık," dedi.

Teyzemin bu umutsuz hali kalbime bir bıçak gibi saplandı. Hemen konuyu değiştirmek istedim. "Eee teyze," dedim tebessüm ederek. "Savaş ne zaman başlıyor?"

"Ne savaşı?" dedi ablam şaşkın şaşkın bakarak.

"Bu soruyu bana değil, teyzeme sor. Çok yakın bir zamanda savaşın çıkacağını iddia ediyor."

"Şimdi çıkmasın da," dedi ablam endişeli bir şekilde. "Düğünüm var."

Teyzem bana anlamlı anlamlı baktı. "Benimle geç dalganı afacan şey," dedi. "Unutma ki Tito, çok uluslu Yugoslav halkına hem dinlerini hem de gerçek tarihlerini bilerek yasakladı. Bu yüzden okullarda siyasi tarih namına bir halt öğretmediler size. Her Boşnak gibi sen de Tito'dan önce ve Tito'dan sonra yazılan resmi tarih yalanlarını okudunuz okulda. Ben savaş çıkacak diyorsam inanın."

Kahkahayı bastım. "Görüyor musun abla? Teyzem eskiden ilişki uzmanıydı, şimdi de başımıza savaş stratejisti kesildi. Aşksız kalmak ne yazık ki teyzeme hiç yaramıyor."

"Sus," dedi ablam kaşlarını çatarak. "Savaşı kim çıkaracakmış teyze?"

"Sırplar ve Hırvatlar."

"Neden ama?"

Teyzem içini çekti. "Şimdi susun! Beni dinleyin o zaman," dedi. "Ayrıntıya pek fazla girmeyeceğim. Sadece ana hatlarıyla anlatacağım size. Yugoslavya'yı bir arada tutan Tito'dan başkası değildi. İkiniz de biliyorsunuz, onun kurduğu komünist rejim bundan tam iki sene önce, Doğu Bloğu ülkelerinin yıkılmaya başlamasıyla birlikte çözülmeye başladı. Artık hiç kimse Hırvatları, Sırpları, Boşnakları, Slovenleri, Makedonları ve Kosovalıları tek bir ülkenin bayrağı altında bir arada tutamaz. Muhtemelen çıkacak bir savaşta yok olan taraf da Boşnak halkı olacak..."

Tüylerim diken diken oldu. Teyzemin konuşmasını böldüm. "Neden biz?" diye sordum korku dolu bir sesle.

"Çünkü," dedi teyzem. "Çıkacak bir savaşta *Çetnikler*[15] ve *Ustaşaların*[16] çekici ile örsü arasında kalacak tek millet, Bosnalı Müslümanlardır."

"Söylediklerinden hiçbir şey anlamadım teyze. Müslüman olduğumuz için mi bizi yok etmek isteyecekler?"

"Sadece Müslüman olduğumuz için değil."

"Başka ne sebeple?"

"Katolik Macar ya da Alman göçmenlerin soyundan gelenler kendilerini Hırvat olarak tanımlıyor. Koca Alman devleti kendi ırkından gelen Hırvatları Sırplara kırdırmaz. Zaten Vatikan, Avusturya ve Almanya söz birliği etmişçesine Hırvatları ve Slovenleri Yugoslavya'dan ayırmak istiyor. Ortodoks Rumen Çingenelerin soyundan gelenler ise ken-

15 Radikal milliyetçi, monarşist Sırp gerillaları.

16 II. Dünya Savaşı'nda Yugoslavya topraklarında etkinlik gösteren Hırvat faşist hareketi üyeleri.

dilerini Sırp olarak tanımlıyor. Koca Sovyetler Birliği de Ortodoks inancına sahip Sırpları, Hırvatlara ezdirmez. Yani sizin anlayacağınız Sırpların ve Hırvatların başlarında birer hamisi var."

"Boşnakların hamisi kim peki?"

"Bir zamanlar Osmanlı Türkleriydi. Bizleri yıllar yıllar önce yüzüstü bırakıp gittiler. Onlar bu topraklardan çekip gittikten sonra da Boşnak halkının hamisi diyeceği kimsesi olmadı."

"O zaman din tek etken değilse," dedi ablam, "bize düşman olmalarının asıl sebebi ne?"

"Ezeli kin," dedi teyzem boğuk bir sesle. "Çok yakın bir gelecekte Yugoslavya'nın dağılacak olmasıyla birlikte, yıllar önce bu topraklara ekilmiş ezeli kinler de yeniden filizlenecek. Sırplar, I. Kosova Savaşı'nın intikamını Boşnaklardan almak isteyecekler. Yıllardır bunun hayaliyle yanıp tutuşuyorlar."

"I. Kosova Savaşı mı? Bizimle ne alakası var?"

"O savaşta Sultan I. Murat'ın önderliğindeki Osmanlı ordusu, Sırp Kumandanı Lazar önderliğindeki Balkan Ordusunu yenerek perişan etmiş. Hatta Osmanlı Sultanı I. Murat iki tarafın da büyük kayıplar verdiği bu muhabere sonrasında, 'Allah bana bir daha böyle zafer göstermesin' demiş. I. Kosova Savaşı tarihte Sırp milliyetçiliğinin yeşerdiği ilk savaş olmuş. Bu savaşın intikamını da Boşnak Türklerinden alacaklarını yüzyıllardır söyleyip durur Sırplar."

"Ne saçma?" dedim. "Biz Türk değiliz ki! Biz Müslüman Boşnaklarız."

Teyzem güldü. "Bu söylediklerini sen gel de Sırplara anlat, tabii anlatabilirsen. Sırplar bizi Slav ırkından değil de Türk ırkından türediğimize inandırmaya çalışıyorlar."

"Peki, Sırplar Hırvatlardan ne istiyor?" dedi ablam. "Onların aralarındaki husumet ne?"

"Aralarındaki husumet II. Dünya Savaşı'na dayanıyor. II. Dünya Savaşı'nda Hırvatlar Almanların, Sırplar da Rusların saflarında yer aldı. Almanların büyük desteğiyle Ustaşalar birçok Sırbı öldürdü. Hatta Ustaşalar öldürdükleri Sırpları, Müslümanların başına taktığı takkelerden giydirip Goriça çukuruna attı. İşte o gün bugündür Sırplar Hırvatlara kin güdüyor."

"Korkunç bir şey bu," dedim.

"Dur," dedi teyzem. "Anlatacaklarım daha bitmedi. Geçen sene Aralık ayında Slovenler, cumhuriyetlerinin bağımsız ve özerk bir devlet haline gelip gelmemesi için bir referandum yaptı."

"Hatırlıyorum," dedim. "Slovenlerin yüzde doksanından fazlası sandık başına gitmişti."

"Doğru," dedi teyzem. "O referandumda lehte oy verenlerin oranı yüzde seksen dokuzdu. Slovenlerin bağımsızlık yönünde atmış olduğu bu adımın arka perdesinde ise Almanya vardı. Bunun üzerine bu yılın başında, Sırp Komünistlerin yeni lideri Slobodan Miloşeviç, eğer Yugoslavya'nın federe devlet yapısı yerine daha serbest bir konfedere düzen getirmeye yönelik herhangi bir girişim olursa, Hırvatistan ve Bosna'nın bütün bölgelerini ilhak etmeye teşebbüs edeceğini açıkça söyledi..."

"Pardon teyze," dedim. "Sözünü yine böldüm, ama benim kafama bir şey takıldı. Sırplar gerçekten I. Kosova Savaşı yenilgisinin faturasını bize mi kestiler?"

"Evet," dedi teyzem. "Sırplar Kosova yenilgisini hiçbir zaman unutmadılar. Hatta iki sene önce yüz binlerce Sırp, I. Kosova Meydan Muharebesi'nin altı yüzüncü yıldönümünü anmak için, Kosova'nın başkenti Piriştina dışındaki Gazimestan muharebe alanında toplandı. O günlerde Sırpların milli duyguları galeyana getirilmişti. Söz konusu muharebede ölen Prens Lazar'ın kemikleri elden ele dolaştırılmış, Piriştina'nın güneyindeki Graçanitsa'da bulunan manastırın avlusunda toplanan Sırplar ibadet etmek için kuyruklar oluşturmuşlardı. Hz. İsa'nın, Prens Lazar'ın ve Slobodan Miloşeviç'in ikona tarzında hazırlanmış posterleri de satışa sunulmuştu. O gün muharebe alanındaki törende Sırp lider Miloşeviç de vardı. Miloşeviç'e, Ortodoks kilisesinin siyah cüppeli metropolitleri ile ünlü Sırp şarkıcılar da eşlik ediyordu. O gün Miloşeviç oradaki yüz binlerce Sırba şöyle seslenmişti: 'Altı yüzyıl sonra, yine savaşlara ve kavgalara giriştik. Elbette silahlı mücadeleler değil bunlar, ancak günün birinde yine silahlar bu mücadelenin dışında bırakılamayacaktır.' Miloşeviç bu konuşmasını bitirdiğinde yer yerinden oynamıştı âdeta. Sırplar hep bir ağızdan savaş şarkıları söylemeye başlamışlardı."

"Şimdi korkmaya başladım," dedim. "Baksanıza, tüylerim diken diken oldu."

"Başka sormak istediğiniz bir şey var mı?" dedi teyzem gülerek.

"Anlattığın şeylerden korkmadım desem yalan söylemiş olurum," dedi ablam. "Böyle bir savaş bizin sonumuzu getirmez mi?"

Teyzem korkudan sararıp solmuş yüzümüze baktı. Sonra da bizi yatıştırmaya çalıştı. "Siz gerçekten korkmuşsunuz," dedi. "Hiç korkmayın. Birleşmiş Milletler geçen ay Yugoslavya topraklarının tümü üzerinde geçerli olacak bir silah ambargosu koydu."

"Teyze," dedi ablam. "Biz Boşnakların lideri Aliya İzzetbegoviç nasıl bir insan? Babam onu öve öve bitiremiyor."

"İkisi de aynı kafadalar," dedi gülerek. "Eniştemin İzzetbegoviç'i öve öve bitirememesi son derece normal bir şey. Eniştem imam, İzzetbegoviç de dini yönleri ağır basan bir siyaset adamı."

"İzzetbegoviç iyi bir lider mi sence? Bizi çıkacak olası bir savaştan koruyabilir mi?"

"Bence Aliya İzzetbegoviç iyi bir lider değil, ama çok iyi bir bilge. Aliya İzzetbegoviç'in Boşnakları çıkacak olası bir savaştan koruyabileceğine doğrusu pek ihtimal vermiyorum."

"Neden böyle düşünüyorsun?" dedim bir anda panikleyerek. "O zaman bizi kim koruyacak?"

"Yugoslavya Federal Ordusu muazzam silah stoklarına ve gelişmiş bir silah sanayisine sahip. Bu silahlar federal orduda etkin bir konumda bulunan Sırpların elinde bulunuyor. Bence Allah Boşnakların yardımcısı olsun. Boşnakların bugünden sonra ayakta durabilmesi için bilge bir krala değil, silaha ihtiyacı var."

Edina ablamın canı fena halde sıkılmıştı. "İçim bayıldı," dedi ayağa kalkarken. "Bir şeyler yemeğe ne dersiniz?"

Teyzemin gözlerinin içine baktım. "Haydi teyze," dedim. "Sırplar ve Hırvatlarla arkadaş olmamız, düşman olmamızdan çok daha iyidir. Edina ablamı daha fazla üzmeyelim. Kızcağız yakında evleniyor. Saraybosna'ya düğün alışverişine geldiğini de unutmayalım."

Teyzem ayağa kalktı. "Haklısın Suada," dedi. "Sen de kusura bakma Edina. Senin de içini kararttım. Siz en iyisi söylediklerimi boş verin. Ben çok acıktım. Milyevina'dan getirdiğin şu lezzetli pitaları ısıtın da yiyelim."

"Ayşa özellikle senin için yaptı teyzeciğim," dedi ablam.

"Kuzucuğumun elleri dert görmesin. O nasıl?"

"Her zamanki gibi içe kapanık yaşıyor. Babam galiba ona Foça'da küçük bir pita salonu açacak."

"Vallahi eniştemi takdir ediyorum," dedi teyzem. "İmam olmasına rağmen bayağı ileri görüşlü bir adam. Sahi, bu arada sormayı unuttum. Fikret ne yapıyor?"

"Ne yapsın teyze? Başında ana yok, baba yok. Bir tek ağabeyi var. Zavallı her işe kendi koşturuyor."

"Teyze," dedim hınzırca gülerek. "Bil bakalım, eniştem bugün yine ne giymişti?"

"Yoksa kumaş pantolon mu?"

"Eveeet," dedim kahkaha atarken. "Pantolonu hem de jilet gibi ütülüydü."

Edina ablam elinde tuttuğu peçeteyi bana fırlattı. "Siz geçin dalganızı," dedi. "Sizin nişanlımla alıp veremediğiniz ne?"

O anda İfeta teyzem gülme krizine girmişti. "Maşallah ütüsü de iyi," dedi. "Onun yaptığı ütüyü ben kadın halimle bile yapamıyorum."

Ablam âdeta burnundan soluyordu. "Siz benim aşkımdan ne istiyorsunuz?" dedi.

"Ütüsünü," dedi teyzem katıla katıla gülerken.

"Akşam akşam ikinizle de uğraşamayacağım," dedi ablam elindeki pitayı masanın üstüne koyarken. "Hadi, buyurun."

Teyzem ablama sarılıp pembe yanaklarından öptü. "Sakın alınma," dedi. "Şaka yapıyoruz. Şimdi sofraya oturup karnımızı bir güzel doyuralım."

KUŞATMA

Pazartesi sabahı erkenden uyandım, salona geçtim. Teyzem ve ablam oturmuş kahve içiyorlardı. "Günaydın," dedi ablam.

"Size de günaydın. Fikret ağabey daha gelmedi mi?"

"Neredeyse gelmek üzeredir."

"Ben hazırlanayım artık. Siz de bu arada rahat rahat kahvenizi için."

Gözlerimi ovuşturarak banyoya gittim, musluğu açtım. O sırada teyzemin sesi banyoda yankılandı. "Bak Edina," dedi. "Kadın süslenip püslenmez, giyinip kuşanmazsa erkeği elde tutamaz. Evlendiğin zaman sakın ola ki birçok evli kadın gibi kendini salıverme. Her zaman bakımlı bir kadın ol."

Elimi, yüzümü havluyla kuruladım. Banyodan katıla katıla gülerek dışarı çıktım. "Sabah sabah yine döktürüyorsun teyzeciğim," dedim. "Hafta sonu siyaset; bugün aşk terapisi."

"Sen gül," dedi teyzem. "Bir erkeğin tatlı bakışlarına kanan tecrübesiz genç kızlardan birisin sen."

"Ne yaparsın teyze? Ben âşığım. Hatta ne demişler? Âşık kısmının kusuruna bakılmazmış."

Teyzem sinirden köpürmeye başladı. "Görüyor musun Edina? Bacak kadar kız karşıma geçmiş benimle dalga geçiyor. Görülmüş şey mi bu?"

"Ah teyze!" dedi ablam gülerek. "Sen onun kusuruna bakma. Aşk gözünü kör etmiş."

"Laf senin bu söyledikleri Edina. Aşk onun sadece gözlerini kör etmemiş, dilini de pabuç kadar uzatmış."

Teyzemin yanına gidip boynuna sarıldım, yanaklarından öptüm. "Ben seni hiç üzer miyim güzel teyzeciğim. Canımsın sen benim."

O sırada kapı zili çaldı. "Galiba kumaş pantolonlu geldi," dedim teyzemin kulağına fısıldayarak.

Teyzem kahkahayı bastı. "Pantolonu ütülü mü bari?"

Edina ablam bir hışımla ayağa kalktı. "İkiniz de delisiniz," dedi işaret parmağını dudağına götürürken. "Susun! Sizi duyacak. Adamcağıza ayıp olacak."

Ablam kapıya doğru hızla yürüdü.

"Tarık bugün mü dönüyor?" dedi teyzem.

"Evet," dedim büyük bir heyecanla. "Öğlene doğru buluşacağız inşallah."

Ablam kapıyı açtı. "Gel, içeri gir," diye seslendi.

Fikret ağabey içeri girdi. "Günaydın," dedi canı sıkkın bir şekilde.

Ablam, Fikret ağabeye baktı. "Neyin var senin?" dedi. "Yüzün sirke satıyor."

Teyzem hemen ayağa kalktı. "Gel otur Fikretçiğim. Bir kahve iç, soluklan biraz."

Fikret ağabey geçip koltuğa oturdu. "Eniştene bir kahve yap Suada," dedi teyzem.

Fikret ağabeye boş gözlerle bakıyordum. "Sana söyledim Suada," dedi teyzem gür bir ses tonuyla.

"Pardon," dedim. "Hemen yapıyorum."

Mutfağa geçtim; ama kulağım içerideydi. "Bir şey mi oldu?" dedi ablam kuru bir sesle. "Sabah sabah bu surat da neyin nesi?"

"Yugoslavya Federal Ordusu, Dubrovnik'i kuşatma altına almış," dedi bir çırpıda.

Sanki bir anda etraf buz kesti. İçeride derin bir sessizlik oldu. Taşmak üzere olan cezveyi ocaktan aldım, tepsiye koydum. Tepsinin içine de kulpsuz fincanı, şekeri ve kaşığı bıraktım. Sonra da salona geri döndüm. Kahve tepsisini üstü dolu sehpanın kenarına koydum.

"Allah Sırpların belasını versin," dedi teyzem sinirli sinirli.

Ablama baktım. Gözleri çoktan buğulanmıştı. "Şimdi ne olacak?" dedi ağlamaklı bir sesle. "Tito'nun kurduğu bu düzenin sonu nereye varacak?"

"Yıkıma," dedi Fikret ağabey lafı hiç uzatmadan.

Ablam donup kaldı. "Yıkıma mı?" dedi kekeleyerek.

"Evet. Önce Tito öldü. Şimdi de onun kurduğu Yugoslavya ölüyor."

"Ya biz Boşnaklar," dedim kalbim küt küt atarken. "Biz hangi tarafta yerimizi alacağız?"

Fikret ağabey acı acı gülümsedi. "İşin en kötü tarafı da bu zaten," dedi. "Hırvat lider Tudjman ile Sırp lider Miloşeviç arasında bir seçim yapmak, kan kanseriyle beyin tümörü arasında seçim yapmaya benziyor."

"Ne yani şimdi?" dedim. "Boşnaklar ortada mı kalacak?"

"Bence bir an evvel vatansever Boşnaklardan bir ordu kurulmalı."

"Çok haklısın Fikretçiğim," dedi teyzem. "Ben de aynen senin gibi düşünüyorum. İçişleri Bakanı Mihaly Kertes, daha çok Arkan olarak tanınan Zeljko Raznatoviç'e el altından Sırp Gönüllü Muhafız Alayı'nı kurdurmuş bile. Hatta kurdurmakla kalmamış, onlara bir de eğitim kampı açmış."

"Şu Arkan denen adam," dedi Fikret ağabey, "interpol tarafından çeşitli suçlardan dolayı aranan mafya adamı değil miydi?"

"Ta kendisi," dedi teyzem. "Ayrıca Miloşeviç, Arkan'la yetinmemiş olacak ki, aşırı sağ görüşlü Sırp Voyislav Şeşely'e de kendine Çetnik adını veren bir ordu kurdurdu. Şeşely aynı zamanda Sırp Radikal Partisi'nin de lideri."

"Şimdi hatırlıyorum," dedi Fikret ağabey. "Ağustos ayı başlarında, *Der Spiegel* dergisinde Şeşely'le yapılan bir röportajı okumuştum. Bütün Bosna, Makedonya, Karadağ topraklarının ve Hırvatların elinde yalnızca Zagreb Katedrali'nin tepesinden görülebilen manzara kadarını bırakarak, Hırvatistan'ın çoğunun Sırbistan'a aktarılmasını içeren planın son şeklinden bahsetmişti. O gün onunla röportajı yapan gazetecinin Bosna'yı sorması üzerineyse, 'Bosna'daki Müslümanlar şayet millet statüsünde direnecek olurlarsa, öyle bir durumda, onları Bosna topraklarından kovarız. Nereye? Anadolu'ya,' yanıtını vermişti. Anlaşılan Sırplar tepeden tırnağa silahlı durumdalar. Bu topraklarda kendilerine devlet içinde devlet yaratmışlar. Günün birinde de bu topraklar üstünde Sırplar ile Müslüman Boşnaklar arasında bir çatışmanın çıkması mümkün bence."

Moralim son derece bozulmuştu. Duvardaki saate baktım, sekize geliyordu. "Ben derse geç kalıyorum," dedim ayağa kalkarken. "Hemen çıkmam lazım."

Fikret ağabey elinde tuttuğu kahve fincanını tepsiye koyup ayağa kalktı. "Her neyse," dedi. "Derin konular bunlar. Biz de müsaadenizi isteyelim. Yoksa otobüsü kaçıracağız."

"Sıkmayın canınızı," dedi teyzem ortamın olumsuz havasını dağıtmak istercesine. "Gün doğmadan neler doğarmış. Allah Boşnak halkını kötülüklerden korusun. Çok yakında düğününüzde görüşürüz artık. Şimdi sağlıcakla gidin. Bizden evdekilere çok çok selam söyleyin."

Edina ablam gözyaşlarını sildi, Fikret ağabeye ters ters baktı. "Bana neden öyle bakıyorsun?" dedi Fikret ağabey kısık bir sesle.

"Düş önüme," dedi ablam sinirli sinirli. "Sabah sabah felaket habercisi gibisin. Buraya düğün alışverişine mi geldim, yoksa savaş haberleri dinlemeye mi, anlamış değilim. Kuracağınız ordunun komutanları da inşallah teyzem ile sen olursun."

O anda kahkahayı bastım. "Sence beni de emir eri yaparlar mı abla?" dedim.

Fikret ağabey ablama bayağı bozulmuştu. Yüzü asık bir halde kapıya doğru yürüdü. "Kusura bakma Edina," dedi teyzem. "En mutlu olman gereken zamanda konuştuğumuz şeylere bak. Sen takma kafanı bunlara. Her şey çok güzel olacak. Hadi, şimdi sağlıcakla gidin."

***

O sabah hep birlikte evden çıktık. Edina ablam ve Fikret ağabey Milyevina'ya geri dönmek için yola koyuldular. Teyzem çalıştığı hastaneye gitti, ben ise derse geç kalmamak için koştura koştura konservatuvarın yolunu tuttum. Konservatuvarın kapısından içeriye girdiğim sırada sınıf arkadaşım Zdenko'yla burun buruna geldim. "Günaydın," dedim nefes nefese. "*Armoni*[17] dersi başlamadı mı henüz?"

"Bırak dersi," dedi bir çırpıda. "Bu sabah olanları duydun mu sen?"

"Duydum," dedim. "İnan ki ne diyeceğimi bilemiyorum. Sen ne yapacaksın?"

Zdenko şaşkın şaşkın baktı. "Ben mi? Olanların benimle ne ilgisi var?"

Bu sefer şaşırma sırası bendeydi. "Sen, Yugoslavya Federal Ordusu'nun Dubrovnik'i kuşatma altına almasından söz etmiyor musun?"

"Hayır."

---

17 Kelime anlamı 'uyum' olan armoni müzikte seslerin dikey olarak hareket etmesidir. Armoni dersinin içeriğini bu dikey hareketlerin kuralları oluşturur.

"Öyleyse sen neden söz ediyorsun?"

"Vukadin'in babasından."

O anda kalbimin hızla çarptığını hissettim. "Vukadin'in babası mı? Ne oldu ki?"

Zdenko güldü. "Ooo!" dedi sağ elini havada sallarken. "Bu sabah neler olmadı ki. Vukadin'in general olan babası Borislav Milunoviç konservatuarı bastı. Ağzına gelen küfürleri ortalığa savurdu."

Şaşkınlığım büsbütün artmıştı. "Koskoca general neden yapsın ki bunu?"

"Doğrusu biz de ilk başta anlamadık. Fakat sonra öğrendik ki, Vukadin birkaç gündür büyük bir bunalımın içine düşmüş."

"Ne bunalımı?"

"Gönlünde derin bir aşk yarası varmış. Hem de öyle ucuza iyileşecek türden değilmiş."

Heyecandan neredeyse bayılmak üzereydim. "Peki, âşık olduğu kız kimmiş? Kız konservatuvardan mıymış?"

"Bilmiyoruz," dedi Zdenko.

"Vukadin nerede şimdi? Bu sabah gördünüz mü onu?"

"Konservatuvarı bırakmış, artık gelmeyecekmiş. Babası da burayı bu yüzden basmış."

"Deli mi babası? Bunun için konservatuvar mı basılırmış?"

"Bence adam delinin teki. Bu sabah öyle sözler sarf etti ki, duyanların ağzı bir karış açık kaldı."

"Neler söyledi?"

"Neler söylemedi ki Suada! Güya burada sanat zırvalıklarıyla Sırpların beyni yıkanıyormuş. Sırp gençleri sanatı değil savaşı öğrenmeliymiş. Bir de..."

Hemen lafını kestim. "Bir de ne?" diye sordum heyecanla.

"Bir de Büyük Sırbistan'dan bahsetti. Çok yakında Katolikler ve Müslümanlar Sırpların kölesi olacakmış. Zavallı adamcağız hayal dünyasında yaşıyor. Sence de öyle değil mi?"

Kafam çok karışmıştı. Düşüncelerimi bir türlü toparlayamıyordum. Vukadin'in gönlünde açılan aşk yarasının nedeni benden başkası değildi elbette. Benim Tarık'ı görür görmez âşık olmam gibi, o da bana âşık olmuştu demek. Ama onun için ne yapabilirdim ki? Gönlüm Tarık'ı istiyordu. Onun aşkıyla dolmuştu. Başkaları gibi yosma gönüle sahip değildim ki ben. Vukadin beni ne sandı? Kaldırım yosması mı? Ayrıca Tarık olmasaydı da bu iş olmazdı zaten.

"Sen beni dinliyor musun?" dedi Zdenko düşüncelerimi bölerken.

"Kusura bakma. Duyduklarım karşısında şoke oldum. Hâlâ kendime gelebilmiş değilim. Bence Vukadin'in babasının bugün söylediği sözleri hafife almamak gerekir."

Zdenko bu sözlerime şaşırmıştı. "Sen ciddi misin?" diye sordu.

"Ne yazık ki son derece ciddiyim. Unutma! Başkalarının yaptığı delilik kaderlerimizi mühürlermiş. Hitler'e baksana. Bu adamın yaptığı delilik hem Almanların, hem de Yahudilerin kaderini mühürlememiş miydi sence?"

Zdenko kısa bir süre dalıp gitti. "Galiba haklısın," dedi. "Hiç böyle düşünmemiştim."

Onun omzuna dokundum. "Hadi," dedim tebessüm ederek. "Burada durmuş, vaktimizi boşa harcamayalım. Armoni dersi bizi bekliyor."

***

İki saat sonra ders bitip dışarı çıktığımda, Tarık'ı bir anda karşımda buldum. Hemen koşup boynuna sarıldım. "Neden geç kaldın?" dedim ağlarken. "Sakın bir daha beni bırakma."

Yüzümü iki avucunun arasına aldı. Büyük bir özlemle yaşlı gözlerime baktı. "Sana söz veriyorum," dedi. "Seni bir daha asla yalnız bırakmayacağım."

"Hadi!" dedim. "Hemen gidelim buradan."

Dışarı çıkıp kendimizi sokaklara attık. Tarık elimden tuttu, sonra da alnına götürüp koydu. "Bak," dedi tatlı tatlı gülümserken. "Bu soğuk havada bile ateşler içinde yanıyorum. Âşık olmak ne ateşli bir şeymiş yarabbim."

Elimi alnından çekip omzuna hafifçe vurdum. "Sen delisin," dedim. "Şimdi anlat bakalım, Berlin nasıldı?"

Koluyla bedenimi sımsıkı sardı. "Berlin altın bir kafesti," dedi. "Özgürlüğüne düşkün bir kuş gibi öfkelendim, çıldırdım neredeyse. Her gün yalnızca seni düşündüm. Ayrılığın bana bu kadar koyacağı aklımın ucundan bile geçmezdi. Berlin'de bir kez daha anladım ki, sen benim özgürce nefes aldığım Saraybosnam gibisin."

Tarık'ın içten gelen bu sözleri karşısında yüreğimin burkulduğunu hissettim. Sonra bir an Vukadin'i düşündüm. Kaba saba adam hiç utanmadan benden onun âşığı olmamı istiyordu. O an düşüncesi bile içimi ürpertmeye yetmişti. Tüylerim diken diken oldu. "Sen iyi misin?" dedi Tarık. "Üşüdün mü?"

"Sımsıkı sarıl bana," dedim ona sokulurken. "Hiç bırakma beni."

"Geldik," dedi beni kollarıyla sararken. "Şimdi sıcak bir kahve içini ısıtır."

İkimiz de aradan ne kadar zaman geçtiğinin farkında değildik. Uzun bir sessizlik olmuş, hasret dolu bakışlarımızda dillenmiştik âdeta. Sonunda, aramızdaki bu sessizliği Tarık'ın hapşırması bozdu. "İyi yaşa," dedim tebessüm ederken.

"Sen de benimle birlikte yaşa," dedi gülerek. "Şimdi anlat bakalım, ben yokken sen neler yaptın?"

"Seni özlemekle geçti günlerim. Onun dışında aslında pek bir şey yapmadım. Biriktirdiğim harçlıklarımla birkaç eski plak aldım. Teyzemle bir akşam tiyatroya gittik. Margaret Mitchell'in bir zamanlar yazdığı *Rüzgâr Gibi Geçti* romanını tekrar okudum. Ha! Birkaç gündür de Edina ablam bizdeydi. Bu ay sonu düğünü var."

"Nişanlısı nasıl biri?"

"Fikret ağabey mi? O, dünya tatlısı bir insandır. Tıpkı senin gibi sevecen biri."

Tarık güldü. "Ne iş yapıyor?"

"Öğretmen."

"Ne öğretmeni?"

"Matematik."

"Düğüne gittiğinizde Milyevina'da çok kalacak mısınız?"

"Hayır. Sen de biliyorsun ki derslerim var. Herhalde teyzemle birkaç gün kalıp döneriz. Bu arada senden bir şey isteyebilir miyim Tarık?"

"Elbette."

"Babam piyano almam için ablamla biraz para göndermiş. Bu konuda bana yardımcı olur musun?"

"Tabii olurum. Senin aklında satın almak istediğin bir marka var mı?"

"Bilmem," dedim dudağımı büzerek. "Nihayetinde parama göre bir şey satın alacağım."

"Bence sana Belarus marka bir piyano satın alalım. Annem de genelde öğrencilerine Belarus'u tavsiye ediyor."

"Sahi, annenin konseri nasıl geçti?"

"Tek kelimeyle muhteşemdi. Dakikalarca ayakta alkışlandı. Bu arada, sabah konservatuvarda olanları duydun mu sen?"

"Duydum," dedim kısık bir sesle. "İnanır mısın, hâlâ şoktayım."

"Şu Vukadin denen oğlan sizin sınıftaymış, doğru mu?"

"Evet," dedim. "Bizim sınıftaydı."

"Peki, senin onunla aran nasıldı?"

Heyecandan avucumun içi terlemeye başladı. "Şey," dedim kekeleyerek. "Diğer sınıf arkadaşlarım gibi ben de onunla solfej dersimizde tanışmıştım. Doğrusu o gün bana biraz tuhaf gelmişti."

"Konservatuvardan bir kıza âşıkmış ha! Güya kız onun aşkına karşılık vermemiş. Acaba kimmiş o şanssız kız?"

Sustum. Ona gerçekleri bir çırpıda söylemek istememe rağmen sustum. Geçen gün teyzemin bana söylediği sözleri hatırladım. "Bilmiyorum," dedim yalan söyleyerek.

"O kız her kimse," dedi Tarık. "Aşk yüzünden bir düşman kazandı."

"Neden böyle düşünüyorsun Tarık?" dedim sinirli sinirli. "Ya o kızın gerçekten bir sevgilisi varsa... Ayrıca o kız, onu arzulayan her erkeğe boyun eğmek zorunda mı? Bu sözlerimi kızı temize çıkarmak için söylemiyorum; ama bence Vukadin'in teklifini kabul etmeyerek kendince en doğru olan şeyi yapmış olabilir. Fakat sizin gibi kuş beyinli erkekler bunu anlayamaz."

Tarık karşımda afalladı. "Ben sana ne söyledim ki," dedi şaşkınlıkla. "Bana neden kızıyorsun?"

Kendimi hemen toparladım. "Ben sana bir şey söylemiyorum," dedim. "Kusura bakma."

Tarık elimden tuttu. "Şimdi bunları boş ver," dedi. "Çok haklısın. Bize ne elalemin ilişkisinden. Biz kendi ilişkimize bakalım."

Tarık'a sokuldum. "Haklısın," dedim. "Bizim aşk hayallerimizin içinde başkalarının fırtınası esmesin. Seni herkesten daha çok seviyorum."

SAVAŞ

Artık her şey değişmişti. Ölüler ve yaralılarla dolu savaş alanının iç parçalayıcı görüntüleri, savaş haberleri başlığı altında televizyon kanallarının ekranlarını çoktan süslemeye başlamıştı bile.

Hırvatların yaşadığı Vukovar şehri, Yugoslavya Federal Ordusu tarafından toplarla hallaç pamuğu gibi dövülüyordu. Tuna boyundaki bu güzelim şehir âdeta kan gölüne dönmüştü. Sokaklar cesetlerden geçilmiyordu. Binlerce insan, şehre atılan bombaların altında sağa sola koşuşturuyor, askerlerin rastgele açtıkları ateş sonucunda vurulup yere düşüyorlardı.

Yugoslavya Federal Ordusu aynı gün sadece Vukovar şehrine saldırmakla yetinmemiş, daha önce kuşatma altında olan Dubrovnik'i de hem denizden, hem de karadan bombardımana tutmuştu. Ne yazık ki güzelim Dubrovnik şehri artık taş ve tuğla yığınından ibaret kalmıştı.

***

Kapı zili çalınca yerimden sıçradım. Televizyonun karşısından kalkıp kapıyı açtım. "Ne kadar solgun görünüyorsun," dedi teyzem. "Yoksa hasta mısın?"

Kapının girişinde duran aynaya baktım. Sahiden de bitkin görünüyordum. Yüzüm renksiz, ela gözlerim çökük duruyordu. "Yoo, hasta değilim," dedim keyifsiz bir şekilde. "Televizyonda Christiane Amanpour'u seyrediyordum."

"O da kim?" dedi teyzem elindeki çantayı portmantonun üstüne koyarken.

"Felaket habercisi," dedim. "CNN'nin savaş muhabiriymiş."

Teyzem televizyonun karşısına geçip oturdu. "Az sesini aç," dedi.

Televizyonun sesini biraz daha açtım. "Bundan sonra ne olacak teyze?" diye sordum.

Acı acı güldü. "Görmüyor musun? Olanlar olmuş artık. Bundan sonra korkarım ki savaş her tarafa sıçrayacak."

Boğazım kurumuştu. "Bak, bak!" dedi teyzem parmağıyla televizyonu işaret ederek. "Şu şerefsiz Tudjman'ı görüyor musun? Bir Allah'ın kulunun çıkıp da Miloşeviç'e 'dur' demesini büyük bir ümitle bekliyor. Artık ok yaydan çıktı bir kere Tudjman efendi. Sırplar bu saatten sonra durur mu hiç?"

Sesim ağlamaklıydı. "20'inci yüzyılda bütün bunlar nasıl olur? İnanılır gibi değil."

Teyzem bana ters ters baktı. "Sen de hâlâ savaşın çıkmayacağına inananlardansın. Savaş başladı bile. Her asırda güçlü olan ve erken vuran kazanıyor. 20'inci asırda bu niye değişsin?"

Sustum. Sonra da, "Acaba bizimkiler nasıl bir hazırlık yapıyordur şimdi?" dedim cılız bir sesle.

"Aliya İzzetbegoviç'ten mi bahsediyorsun sen?"

"Evet."

"Onun bu aralar ne yaptığını bilmiyorum doğrusu. Ayrıca elinden bir şey geleceğini de sanmıyorum. Bu güçlülerin ve acımasızların dünyası. Miloşeviç gibi bir şeytanın karşısında dindar Aliya'nın hiç şansı yok bence. O da herhâlde kurbanlık koyun gibi boynunun vurulacağı günü bekliyordur."

"Gerçekten durumumuz bu kadar kötü mü teyze?" dedim umutsuz bir şekilde.

"Kötünün kötüsü bir durumdayız Suada. Nasıl ki güneşi balçıkla sıvayamazsın, gerçekleri de saklayamazsın. Geçen gün hastanede konuşurlarken duydum. Kaç zamandan beri Miloşeviç, Bosnalı Sırplara el altından düzenli olarak silah sevkiyatı yapıyormuş. Bosna SDS lideri Radovan Karaciç de bu işi organize ediyormuş. Hatta Bosnalı Sırplar özerk ilan ettikleri bölgelerde meydana gelen ufak çaplı yerel birkaç hadiseyi bahane ederek, federal ordunun kendilerini korumalarını istemişler. Güya silahlı Bosnalı Sırplar silahsız Müslüman Boşnaklardan korkuyormuş. Ne büyük tesadüf ki, federal ordu da askeri birliklerini derhal bu bölgelere sevk etmiş."

"Teyze," dedim boğazım düğümlenirken.

"Efendim."

"Şayet Bosna'da bir savaş çıkarsa, biz ne yapacağız?"

Teyzem elini boynuma attı. Beni kendine doğru çekti, sonra da yanaklarımdan öptü. "Korkma," dedi. "Sana bir şey olmasına asla izin vermem. Öyle bir durumda sana gözüm gibi bakarım."

Teyzemin boynuna sarıldım. Bir anda ağlamaya başladım. "Sen de hiç merak etme," dedim. "Ben de sana bakarım."

***

Yağmurlu, soğuk bir ekim sabahı erkenden uyanıp perdeyi araladım. Dışarıda deli gibi esen rüzgâr tahta pencereyi sarsıyor, gıcırdatıyordu. Bir süre dışarıyı seyrettim. Sonra da kapıyı açıp sessizce teyzemin odasına girdim. Kalın bir yorgana sarılmış mışıl mışıl uyuyordu. Yorganı kaldırdım, usulca yanına girdim. O anda gözlerini açtı, kollarını belime doladı. Alev renkli saçlarımı koklamaya başladı. "Seni uyandırmak istememiştim," dedim mahmur bir ses tonuyla.

"Biliyorsun," dedi hafifçe tebessüm ederek. "Uykum çok hafiftir."

Teyzeme sevgi dolu gözlerle baktım. Yüzümü avucunun içine aldı, okşamaya başladı. "Biliyor musun?" diye sordu.

"Neyi?"

"Bir kadının saf güzelliği, sabah yataktan kalktığında belli olurmuş. Seninle evlenecek olan erkek daha gözünü açar açmaz, su gibi berrak yüzünde dünyanın güzelliğini görecek. Ah, ah! Kim bilir o erkek ne kadar şanslı biri olacak."

Güldüm. "İnşallah o erkek Tarık'tan başkası olmaz," dedim.

"Tarık'ı gerçekten çok mu seviyorsun?"

"Evet. O benim piyanomda çok severek çaldığım bir beste gibi."

Teyzem uykudan şişmiş göz kapaklarını kaldırıp gülmeye başladı. "Ah! Siz sanatçılar yok musunuz?" dedi. "Dudaklarınızdan dökülen sözleriniz bile bir sanat eseri. Sırf bu yüzden sanatçı kadınlara hayranlık duyuyorum."

"Güzel konuştukları için mi?" diye sordum saf saf.

Teyzem kahkahayı bastı. "Hayır," dedi. "Sadece güzel konuştukları için onlara hayran değilim. Siz bizden çok daha farklı yetişiyorsunuz. Benim gibi sıradan kadınların içinde her zaman kontrol edilemez bir ilkellik var. Hayatımızda sadece bir erkek olsun, o erkek de bizi hamile bırakıp anne yapsın istiyoruz."

Tüylerim ürperdi, içim acıdı. Teyzemin bugüne kadar anne olmak isteği gibi bir duygusunun olabileceğini hiç aklıma getirmemiştim nedense. O an başka bir şeyin daha farkına varmıştım. Teyzem erkeklerden o kadar çok ızdırap çekmişti ki, yeni bir aşkın düşüncesi bile onun yüreğini titretmiyor, yüzüne büyük bir keder olarak yansıyordu. "Teyze," dedim meraklı bir şekilde. "Bir kadın kaç kez âşık olur?"

Anlamlı anlamlı baktı. "Durduk yerde böyle bir soruyu neden sordun?"

"Hiç, öylesine sordum işte," dedim. "Özel bir nedeni yok."

Kısa bir süre düşündü. "Bence," dedi. "Bir kere âşık olan kadın da var, birkaç kere âşık olan da. Mesela ben birkaç kere âşık olanlardanım."

"Ben Tarık'tan başkasına âşık olabileceğimi düşünemiyorum."

"Bak," dedi teyzem yatağın içinde doğrulup otururken. "Tabiatın mevsimleri gibi aşkın da mevsimleri var. Bazen yazın ortasında kışı, bazen de kışın ortasında yazı yaşarsan eğer, benim gibi birkaç kere âşık olabilirsin. Sakın unutma! Erkekler bir müzik kaseti gibidir. Onları ilk dinlemeye başladığında seni çok hoş duygular içine sokarlar, ayaklarını yerden keserler. Sonra... Bir gün, bir de bakmışsın ki bant tam orta yerinden kopmuş. Bir başına öylece kalakalırsın. Umarım senin aşk bandın hiç kopmaz. Sen hayatında bir kez âşık olan kadınlardan biri olursun."

"İnşallah," dedim.

"Hadi!" dedi teyzem. "Şimdi kalkıp hazırlanalım. Yoksa otobüsü kaçıracağız."

***

Teyzemle otobüs terminaline geldiğimizde yağmur şiddetini arttırmıştı. Sürekli etrafa bakınıp duruyordum. "Ne o?" dedi teyzem. "Gözlerin sanki birini arar gibi."

"Tarık'ı," dedim üzgün bir sesle. "Belki bizi yolcu etmeye geleceğini söylemişti."

"Bu havada mı? Boşuna bekleme onu."

"İşte geldi," dedim büyük bir sevinçle elimi havaya kaldırıp sallarken.

Tarık beni görür görmez koşarak yanımıza geldi. "Günaydın," dedi yanaklarımdan öperken. "Kusura bakmayın. Kötü hava yüzünden biraz geciktim."

"Bu berbat havada bizi yolcu etmeye gelmen doğrusu büyük bir incelik," dedi teyzem. "Geldiğin için teşekkür ederiz. Otobüs neredeyse kalkmak üzere. Ben, ufak tefek yiyecek bir şeyler alacağım."

Teyzem hızla yanımızdan uzaklaştı. Tarık'a sokuldum. "Bir an gelmeyeceksin diye ödüm koptu," dedim.

Tarık birden beni soluksuz bırakacak şekilde öptü. Onu geriye doğru ittim. "Yapma," dedim. "Teyzem görecek."

"Sensizlikten aşka susamışım," dedi bir çırpıda.

Güldüm. "Susamış mısın? Baksana şu pantolonunun paçasına! Paçaların su içinde ama."

"Sen bakma paçalarımın su içinde kalmasına," dedi gülerek. "Aslında sen bugün gidiyorsun diye paçalarım tutuşmuş vaziyette."

Omzuna vurdum. "Seni işini bilen tatlı şey," dedim. "Bu gönülde bir tek kişiye yer vardı. İyi ki o da sana nasip oldu."

Gözleri buğulandı. Titreyen ellerinden tuttum, sonra da sustum. 'Gönül ağız açınca, dil konuşmaz olur, susarmış,' derler. Ben de sustum o anda. Kısa bir süre sonra bu suskunluğumuzu teyzemin sesi bozdu: "Artık otobüse binelim mi Suada?"

"Hoşça kal," dedim Tarık'ı yanağından öperken. "Kendine çok iyi bak. Birkaç güne kalmaz tekrar görüşürüz."

Elinde sakladığı küçük kâğıt parçasını avucuma sıkıştırdı. "Allah'a emanet," dedi. "Güle güle git, güle güle gel."

O anda içim çok fena oldu. Otobüse binerken kendimi daha fazla tutamayıp ağlamaya başladım. Otobüs köhne otogardan ağır ağır hareket ederken başımı kaldırıp son defa Tarık'a baktım. Otobüsün arkasından koşup, "Seni seviyorum su perim," diye bas bas bağırıyordu.

Ben de ona el salladım, sonra da avucumda tuttuğum küçük kâğıt parçasını açıp yüreğim titreyerek okudum:

Sevgili su perim,

Düşüncelerim, ipliği kopan inci taneleri gibi dağılıveriyor sensiz.

Şimdi gözyaşlarımdan saf inciler yapmak isterdim sana. Sonra da yaptığım bu incileri alımlı boynuna takmak.

Ne zaman aklıma sen düşsen, yüreğim bir şelale gibi kabarıyor, sensizliğin deryasında yüzüyorum sanki.

Sevgili su perim,

Gül olmayan yerde gül kokusu duydun mu hiç? Şarap olmayan yerde şarabın köpürüp coştuğunu gördün mü hiç?

Ben gül olmayan yerde senin gül kokunu duyuyorum.

Ben şarap olmayan yerde senin aşkınla köpürüp coşan yüreğimi görüyorum.

Sevgili su perim,

Şunu iyi bil ki, ben Allah'ın sevdiği temiz yürekli kullardanım. Allah'ın sevdiği kullardan biri olmasaydım, saf bir güzelliği bulur muydum hiç?

Toprak gibi saf olan bu güzelliğini Allah sadece sevdiği kullarına nasip eylermiş. Sen benim saf toprağına çakıl karışmayan aşkımsın.

Sen benim içimi ısıtan güneşim, gözlerimden akan sevinç yaşım, beni aşkla besleyen kadınımsın.

Sevgili su perim,

Şimdi bir rüzgâr beni bir yaprak gibi havaya savursa, sonra da senin ayağını bastığın yere götürüp bıraksa. O anda senin ayaklarına sarılan sarmaşık çiçeği olsam.

Sevgili su perim,

Her an aldığım her nefeste içime dolmaktasın. Gül gibi gülmeni, bana çabucak dönmeni istiyorum senden. Varlığınla değil yokluğunla daha fazla yakma beni...

DÜĞÜN

Otobüsle, toprak yolda etrafı toza dumana katarak sarsıla sarsıla nihayet gelebilmiştik Milyevina'ya. Bizimkiler iki katlı, ufak bir bahçesi olan, küçük ama şirin bir evde yaşıyorlardı. Bahçe kapısının ziline bastım. Birkaç saniye sonra kapıyı annem açtı. Bizi birden karşısında görünce elinde tuttuğu su bidonunu mutluluktan havaya fırlatıp boynuma sımsıkı sarıldı. "Suada'm gelmiş," dedi hıçkırıklarının arasından.

Annem elli bir yaşında, orta boylu, beyaz tenliydi. Ayrıca son derece iyi ve ilgili bir anneydi. Cana yakın yapısıyla herkesin çok sevdiği Fadila ablaydı o. Annemi tanıyan herkes benim ten rengimi ondan aldığımı söylerdi. "Seni çok özledim anneciğim," dedim gözyaşlarımı silerken. "Burnumda tütüyordun."

"Bize hoş geldin demek yok mu?" dedi teyzem sitemkâr bir sesle.

Annem kollarını boynumdan çözdü, teyzemin boynuna doladı. "Sen de hoş geldin canımın içi," dedi. "Ne çok özledim seni de bir bilsen. Senden başka kimim var benim? Ne anne var, ne baba, ne de başka bir kardeş."

Teyzem güldü. "Her zamanki gibi o tatlı dilinden bal damlıyor abla," dedi.

O sırada babam bahçede göründü. Yanına koştum, ak düşmüş sakallarını doyasıya öptüm. "Nasılsın babacığım?" diye sordum. "Yoksa sen yine kilo mu aldın?"

Siyah gözleri buğulandı. Beni kendine doğru çekip saçlarımdan öptü. "Seni gördüm daha iyi oldum güzel kızım," dedi. "Şu Ayşa ablanın pitaları insanı şişmanlatıyor."

Güldüm. "Ablamla gönderdiğin parayla yeni bir piyano satın aldım," dedim. "İnşallah Saraybosna'ya bir gün geldiğinizde size küçük bir konser vereceğim."

"İnşallah," dedi babam. "Derslerin nasıl?"

"Maşallah çok iyi babacığım."

"Derslerinin iyi olmasına sevindim kızım. Oku. Okumuş insandan zarar gelmez. Bir baba olarak üzerime düşen ne varsa yapacağım. Sen de kendi üzerine düşeni yap, başka bir şey istemiyorum."

"Hiç merak etme baba. Bir gün şu kızın dünyaca ünlü bir piyanist olacak. O zaman beni büyük konser salonlarında ayakta alkışlayacaksın."

"İnşallah güzel kızım, inşallah. Allah şansını, bahtını hep açık kılsın."

"Nasılsın enişte?" dedi teyzem elini uzatırken babama.

"Nasıl olalım?" dedi babam tebessüm ederek. "Her gün beş vakit namaz kılıyorum, Tito'nun dinsizleştirdiği bazı Müslüman Boşnaklara da namaz kıldırmaya çalışıyorum."

Teyzem kahkahayı bastı. "O zaman işin çok zor enişte," dedi. "Yıllarca Tito'nun tanrılaştırıldığı bir ülkede yaşadık. Tito'nun yerine gerçek Tanrı'yı koymak pek kolay olmasa gerek, ne dersin?"

"Yavaş, yavaş," dedi babam. "Sen hiç üç ayda bebeğini doğurup kucağına alan bir anne gördün mü? Her şeyin bir zamanı var İfeta. Bir gün gelecek, Boşnaklar da dinlerini tam anlamıyla öğrenecekler."

"İnşallah," dedi teyzem. "Bakalım o günleri biz görebilecek miyiz?"

Evin kapısı açıldı. "Aaa!" dedi Ayşa ablam. "Siz ne zaman geldiniz?"

Hızla koşup ablamın boynuna sarıldım. "Seni çok özlemişim," dedim. "Nasılsın abla?"

"Pita açıyordum," dedi nemli gözlerini elinin tersiyle silerken.

"Ben piyanoyu elimden düşüremiyorum, sen oklavayı," dedim hafifçe tebessüm ederek.

"Daha iyi ya," dedi ablam koluma girerken. "Sen insanların kulağını doyuruyorsun, bense midelerini. Aç mısınız?"

"Hem de çoook."

"O zaman biraz daha bekleyeceksin. Pitaları fırına henüz attım. Şimdi sen içeri gir, ben de teyzeme hoş geldin diyeceğim."

O gün akşamüstü bütün kadınlar bizim evde toplandılar. Edina ablama 'Kadınlar Gecesi' yaptık. Eve gelen davetlilere pastalar, pitalar, çörekler, meyve suları ikram edildi, mumlar yakıldı. Pilli bir pikaba 45'lik bir plak takıp *sevdalinkalar*[18] çalındı, söylendi. O gece Edina ablam âdetlere uygun olarak tam yedi kıyafet giydi. Gecenin ilerleyen saatlerinde ise hepimiz yorgun argın bir halde yataklarımıza uzanıp hemen uyuduk.

***

Ertesi gün hepimiz erkenden uyandık. Günün ilk ışıklarıyla birlikte ev curcuna yerine dönmüş, herkes büyük bir heyecanla koşuşturmaya başlamıştı. "Çantamı gören oldu mu?" diye bağırdı teyzem.

"Görmedim," dedim merdivenlerden yukarı kata çıkarken.

"Çorabımı bulamıyorum," dedi Ayşa ablam. "Dün gece bu çekmeceyi kim karıştırdı?"

Odanın kapısını açtım. "Aaa!" dedim şaşkınlıkla. "Sen burada mıydın baba?"

"Allâhu Ekber," dedi babam yüksek sesle.

"Özür dilerim," dedim kısık bir sesle. "Namaz mı kılıyordun?"

"Allâhu Ekber."

"Tamam, gidiyorum. Sen namazını rahat rahat kıl baba."

"Allâhu Ekber."

18 Aşk şarkıları.

Kapıyı hemen kapattım. "Babanı gördün mü kızım?" diye sordu annem.

"Şu odada namaz kılıyor."

"Ah Emin Efendi!" dedi annem. "Seni bildim bileli hep namaz kılarsın zaten."

"Hayrola anne. Bir şey mi oldu?"

"Yok kızım. Bir şey olduğu yok. Benden çorap istemişti. Şu temiz çorabını verecektim ona."

"Aman anne!" dedim merdivenlerden aşağı inerken. "Ben de bir şey oldu zannettim."

Aşağı kata indim. "Kuaföre geç kalıyoruz," dedi Edina ablam. "Benimle kim geliyor?"

"Off ya!" dedim. "Bu işler ne kadar zormuş."

Edina ablam kolumdan tuttu. "Hadi sen benimle geliyorsun," dedi. "Oflayıp puflamanın sırası değil şimdi."

"Beni de bekleyin," dedi teyzem. "Kambersiz düğün mü olurmuş?"

Hep birlikte kuaföre gittik. Ablama gelin başı yapılırken, biz de saçımızı yaptırmak için koltuğa oturduk. "Hayırlı olsun Edina," dedi kuaför kadın. "Allah bir yastıkta kocatsın sizi."

"Çok sağ ol Besima abla. Darısı senin başına inşallah."

"Âmin," dedi kuaför kadın içli içli. "İnşallah yarabbim tez bir vakitte bize de bir koca verir."

Teyzem kahkahayı bastı. "Aciliyetiniz var galiba," dedi.

Kuaför kadının yüzü kıpkırmızı oldu. "Yok be abla," dedi. "Sen beni yanlış anladın. Artık anne olmak istiyorum. Yoksa bir erkek benim neyime lazım. Allah'a şükür işim gücüm var benim."

Teyzem bana baktı. "Besima Hanım'ı duyuyor musun Suada? Hatırlarsan geçen gün seninle konuşmuştuk. İlkel kadınlık böyle bir şey işte. Önce erkeği istiyorsun, sonra da ondan olacak çocuğu. En sonunda da delicesine sevdiğin adamı, kucağına aldığın çocuğa değişiveriyorsun."

"Vallahi doğru söylüyor abla," dedi kuaför kadın başını sallarken. "İnsanın çocuğu gibisi var mı?"

Teyzem güldü. "Bununla ilgili size bir fıkra anlatmamı ister misiniz?" dedi.

Kuaför kadın ablama baktı. "Abla senin neyin olur Edina?"

"Teyzem."

Kuaför kadın elini teyzeme uzattı. "Sizinle tanıştığıma memnun oldum. Fıkranızı anlatmadan önce size kahvenizi söyleyeyim."

Teyzem kendisine ikram edilen kahveden bir yudum aldı. "Bir gün," dedi. "Muyo ve Sulyo oturmuş dertleşiyorlarmış. Muyo demiş ki: '*Fata* beni artık sevmiyor galiba.' Sulyo arkadaşına bakmış. 'Hiç öyle şey olur mu Muyo? Fata seni seviyordur.' 'Yok, yok,' demiş Muyo. 'Beni artık sevmiyor.' Sulyo düşünmüş, taşınmış. 'Ula Muyo,' demiş. 'Aklıma bir fikir geldi. Sen güya öldün. Bakalım Fata ne yapacak?' Muyo Sulyo'ya bakmış. 'Nasıl olacak bu iş?' demiş. Sulyo gülmüş. 'Sen o işi bana bırak.' Ertesi gün Muyo güya ölmüş. Fata Muyo'nun en yakın arkadaşı Sulyo'yu eve çağırmış. Fata Sulyo'yu karşısında görür görmez başlamış ağıtlar yakmaya. 'Gitti dağ gibi adam, vakitsiz gitti,' demiş. Sulyo Fata'yı teselli etmeye çalışmış. 'Ne yapacaksın Fata

Bacı? Ölüm Allah'ın emri. Muyo öldü artık. Şimdi onu son yolculuğuna en güzel şekilde uğurlamak gerekir. Şimdi sen Fata Bacı, Muyo'nun yeni takım elbisesini bana getir ki, onun cansız bedenine giydireyim.' Fata gözyaşlarını silmiş. 'Takım elbiseye ne gerek var Sulyo kardeş? Takım elbise oğlana kalsın. Ben Muyo'ya eşofman getireyim,' demiş. Sulyo Muyo'ya eşofmanı giydirmiş. 'Fata Bacı,' demiş Sulyo. 'Muyo'nun aldığı yeni ayakkabıları getir, ayaklarına giydireyim.' Fata, 'Yeni ayakkabıya ne gerek var Sulyo kardeş? Yenisi oğlana kalsın. Ben Muyo'ya eski bir spor ayakkabısını getireyim,' demiş. Sulyo mecburen eski spor ayakkabıları Muyo'nun ayağına giydirmiş. Sonra da Muyo'yu tabuta koyup cemaatle birlikte tabutu sırtlamış. Evin yakınındaki mezarlığa götürmek için yola koyulmuşlar. Fata tabutun arkasında hem yürüyor, hem de dövünüyormuş. 'Ah Muyo!' demiş göğsüne pat pat vururken. 'Bizi bırakıp nerelere gidiyorsun?' Muyo yattığı tabuttan doğrulmuş, Fata'ya bakmış. 'Ula be Fata!' demiş. 'Baksana şu halime! Sayende olimpiyatlara gidiyorum, olimpiyatlara.' İşte böyle kızlar."

Herkes neredeyse gülmekten bayılmak üzereydi. "Görüyorsunuz," dedi teyzem. "Biz kadınlar bir âlemiz. Allah kadınları erkeklerin başından eksik etmesin."

"Âmin," dedi kuaför kadın hâlâ gülerken. "Vallahi gülmekten gözlerimden yaşlar geldi."

Kuaförde çalışan genç bir kız televizyonu açtı. Ekranda CNN muhabiri Christiane Amanpour belirdi. "Aaa!" dedim. "Bak teyze! Kim çıktı?"

Sırplar ve Hırvatlar arasında kanlı bir şekilde süren savaşta, CNN muhabiri Christiane Amanpour pek bir ünlenmişti. Bombaların düştüğü Hırvatların evlerine gidiyor, ölen insanların yakınlarıyla röportajlar yapıyordu. "Televizyonu kapat," dedi teyzem sinirli sinirli. "Bu mutlu günde acı haber duymak istemiyorum."

Kuaför kadın yanında çalışan genç kıza ters ters baktı. "Sana televizyonu aç diyen mi oldu? Bilmiyor musun, bugünlerde televizyon kanallarında kan ve gözyaşından başka bir şey yok."

"Özür dilerim," dedi genç kız. "Bir anlık dalgınlığıma geldi."

Kuaför kadın ortamın havasını değiştirmek istedi. "Abla," dedi teyzeme bakıp. "Geçen gün burada iki Boşnak kadın saç saça, baş başa kavga ettiler."

"Neden?" dedi teyzem meraklı meraklı.

"Aslında ortada incir çekirdeğini bile dolduracak bir konu yoktu. Ama kavganın en komik tarafı neydi biliyor musun?"

"Neymiş?"

"Kadınlardan biri diğerine, 'İnşallah Christiane Amanpour evinizin önünde çekim yapar,' diye beddua etti. Bu sözleri duyan diğer kadın, bir anda ağzından alevler saçarak kadının üzerine yürüdü. O da ona, 'İnşallah senin oğlun da gelin yerine evinize damat getirir,' diye bir söz sarf etti. Kadının küçük oğlu da o anda yanındaydı."

Teyzem şaşkınlıktan ne diyeceğini şaşırdı. "Desenize," dedi. "Burası her gün zavallı yaratıcı kadınlarla dolup taşıyor."

O sabah kuaförde kâh eğlendik kâh hüzünlendik. Edina ablam en sonunda beyaz gelinliğini giydiğinde melekler gibi güzel olmuştu. "Gelinlik sana çok yakıştı abla," dedim mutluluktan ağlarken.

"Maşallah," dedi teyzem. "Allah nazarlardan saklasın. Acaba damat nasıl oldu? Sence damatlığını da kumaş pantolonu gibi kendi mi ütülemiştir Suada?"

"Teyzeee," dedi ablam yüksek sesle. "Müstakbel kocamdan ne istiyorsunuz siz?"

"Şaka yaptım," dedi teyzem gülerek. "Allah sizi bir ömür boyu ayırmasın."

Kuaförden dışarı çıktığımızda neredeyse öğle üzeri olmuştu. Hiç zaman kaybetmeden eve döndük. Ev hâlâ bir curcunaydı. Babam ablamı gelinlikler içinde görünce gözleri yaşardı. "Ağlama baba," dedi ablam duygulu bir sesle. "Şimdi beni de ağlatacaksın."

Babam içini çekti, zoraki gülümsemeye çalıştı. "Ne bileyim kızım," dedi kendini daha fazla tutamayıp hüngür hüngür ağlarken. "Seni gelinlikler içinde böyle görünce birden hislendim."

Annem çabucak babamın yanına geldi. "Emin Efendi," dedi annem de ağlarken. "Kendine gel. Kızı ağlatacaksın."

Teyzem babamın yanına sokuldu. "Gel enişte," dedi. "Seninle biraz dışarı çıkalım, temiz hava alalım. Temiz hava sana iyi gelecek."

Teyzem babamı kolundan tutup dışarı çıkarırken ben de gözyaşlarımı silip Ayşa ablama bakındım. "Ayşa ablam nerede anne?" diye sordum.

"En son onu gördüğümde yemek masasını hazırlıyordu kızım," dedi iç çekerek.

Salona geçtim. Ayşa ablam birkaç kadınla birlikte yemek masasının başında duruyordu. "Buraya gel Suada," dedi. "Şu masaya bir de sen bak. Eksik bir şey görüyor musun?"

Yemek masasına baktım. Masada çeşit çeşit pitalar, isli etler, kulak çorbası, bamya, yaprak ve lahana turşusundan yapılmış sarmalar, soğan dolması, komposto... Tatlılardan hurmacık, tulumba, kadayıf... "Bence masada eksik yok," dedim. "Her şey harika görünüyor."

"Güzel," dedi ablam. "O zaman şimdi hazırlanmaya gidiyorum."

Öğlen saat bire doğru kapı çaldığında evdeki telaş yerini sakinliğe bırakmıştı. Kapıyı açtım, karşımda Fikret ağabey duruyordu. Siyah bir damatlık giymiş, damat tıraşı olmuştu. "Hoş geldiniz," dedim. "İçeri buyurun."

Kalabalık grup hemen içeri girdi. Yaşlılar önden başköşeye oturtuldu, gençler ise ayakta bekledi. "Hepiniz hoş geldiniz," dedi babam. "Bu eve gelmekle bize şeref verdiniz."

"O şeref bize aittir," dedi kalabalıktan yaşlı biri. "Buraya gelme sebebimiz bellidir. Allah'ın ve sizin izninizle gelini evden çıkarmaya geldik."

"Allah'ın izniyle gelini size veriyorum," dedi babam çatallaşan bir ses tonuyla. "Ama ondan önce bu gençleri bir kez de Allah'ın huzurunda dini nikâhla birleştirelim. Sonrasında sizin için hazırladığımız ikramlarımızı kabul buyurursanız seviniriz."

Hemen iki tane sandalye getirildi. Edina ablam ve Fikret ağabey yan yana konan sandalyelere oturdular. Dini nikâh merasimi tamamlandıktan sonra babam ayağa kalktı. "Allah'ın huzurunda bu gençlerin dini nikâhlarını da kıymış olduk," dedi. "Birazdan da resmi nikâhları kıyılacak. Allah sizi bir yastıkta kocatsın evlatlarım. Hayırlı evlatlar yetiştirmeyi nasip eylesin inşallah."

Edina ablam yerinden kalktı, gidip babamın boynuna sarıldı. "Bunca zamandır bu evde ekmeğini yedim. Hakkını helal et baba," dedi gözleri dolarken.

"Senin gibi kalbi, yüzü güzel kızıma hakkım helal olsun," dedi babam. "Bu ev her zaman sizin de eviniz olacak."

Misafirler yiyeceklerle donatılmış masaya birden akın ettiler. Bazıları da Edina ablamı ve Fikret ağabeyi daha önceden hazırlanmış bir odanın içine soktular. Ayşa ablam koşarak yanıma geldi. "Çabuk gel Suada," dedi. "Şu tepsideki kahveleri ve şerbeti odaya götür."

"Tamam," dedim.

Ayşa ablam kapıyı çaldı. "Girin," dedi Fikret ağabey.

Elimde tuttuğum tepsiyle içeri girdim. "Size kahveyle şerbet getirdim," dedim utanarak.

Fikret ağabey elini cebine soktu. Sonra da bir miktar parayı çıkarıp tepsiye attı. "Şimdi şerbetimizi içebiliriz," dedi.

Elimde boş tepsiyle bu sefer dışarı çıktım. Ayşa ablam beni kapıda bekliyordu. "Fikret eniştem tepsiye para attı mı?" diye sordu heyecanlı heyecanlı.

"Evet," dedim. "Bu parayı ne yapayım?"

"Cebine at," dedi ablam. "Evin küçüğü kimse parayı o alır."

Boşnak âdetlerine göre kız tarafı ne nikâha, ne de dışarıdaki yemeğe giderdi. Hepimiz gelinle damadı uğurladıktan sonra evde kalıp yakınlarımızın bizi teselli etmesini beklerdik. Teyzem o sırada yanıma geldi. "Biz bu evde misafir sayılırız Suada," dedi gülerek. "Âdetler bizi bağlamaz, öyle değil mi?"

"Bilmem ki," dedim şaşkınlıkla. "Babam sonra ne der bize?"

Teyzem güldü. "Ablan ile enişten şimdi evden çıkıyorlar," dedi. "Hemen çantanı kap, peşime düş. Bugün o kuaförde saatlerimi boşa geçirmedim ben. Bu güzelim saçlarımla beni hiç kimse evde oturtamaz. Hadi! Kimselere çaktırmadan buradan sıvışalım şimdi. En mutlu gününde ablanı yalnız bırakmayalım."

ELMAS YÜZÜK

Saraybosna, 15 Ocak 1992

Karlı, buz gibi bir havanın hüküm sürdüğü ocak ayıydı. Günlerden çarşambaydı. Bütün gün evde oturmuş, yakında başlayacak sınavlara hazırlık yapıyordum. O sırada kapı zili çaldı. Elimdeki ders notlarını sehpaya bırakıp kapıyı açtım. "Hoş geldin teyze," dedim.

Teyzem ellerini yumruk yapmış, avuçlarına sıcak nefesini üflüyordu. "Çabuk kapıyı kapat, ev soğumasın. Dışarısı çok soğuk."

Hemen kapıyı kapattım. Siyah paltosunu çıkartıp portmantoya astı. "Tarhana çorbası yaptım. Sıcak sıcak bir kâse içmek ister misin?" diye sordum.

"İçerim," dedi. "Zaten bugün sinirden boğazımdan tek lokma geçmedi."

"N'oldu teyze? Yoksa hastanede tatsız bir şey mi oldu?"

Teyzem acı acı güldü. "Her gün tadı tuzu olmayan bir ortamda çalışıyorum Suada. Hasta insanların ortamında bulunmaktan benim de ruhum hastalandı artık. Bazen bu mesleği seçtiğim güne lanetler okuyorum. Keşke zamanında imkânım varken tarihçi olsaydım. Neyse, şimdi yine eski meseleleri deşmeyelim. Benim bugün asıl kızgınlığım Aliya'ya."

"Aliya İzzetbegoviç'e mi?

"Evet. Bu adam bir gün beni delirtecek."

"İzzetbegoviç'e çok haksızlık etmiyor musun teyze? Adamcağızdan alıp veremediğin ne senin?"

"Bence iyi bir siyasetçi değil o. Boşnakların, masaya yumruğunu vuran güçlü bir lidere ihtiyaçları var. Bugünlerde her türlü çirkinliğin kaynadığı bir kazandayız. Kazan fokur fokur kaynıyor. Neredeyse taşmak üzere Suada. Boşnakların bu dünyada var olabilmesi için silaha ihtiyaçları var. Peki, bu adam ne yapıyor? Yerel güçlerin sahip olduğu üç-beş tane silahı da onların ellerinden alıp Sırpların kontrolündeki orduya teslim ediyor."

"Savaş artık bitti teyze. Bugün televizyon kanallarını izlemedin mi yoksa? Hırvatistan ve Slovenya'nın bağımsızlıkları Avrupa Topluluğu tarafından resmen tanındı. Barıştan yana olmak, bir lideri kötü kılmaz. Bence Aliya İzzetbegoviç de iyi bir lider."

"Çok yanılıyorsun," dedi teyzem sinirli sinirli. "Bir milletin varlığı ancak güçle kabul ettirilebilir. Biz güçlü olursak, var olabiliriz ancak."

Güldüm. "Allah'tan Boşnakların lideri sen değilsin teyze. Yoksa şimdi Sırplarla savaşıyorduk. Bugün televizyonda izledim. Yugoslavya Federal Ordusu, Sırp çetelerin ellerindeki silahlara da el koymuş."

"Güldürme beni," dedi teyzem. "Bu sözlerine gerçekleri gören kargalar bile güler. Sen yoksa oynanan bu oyunları yuttun mu? Tabii ya! Bosna üzerinde oynanan bu büyük oyunu İzzetbegoviç yutuyorsa, elbette senin yutmana da şaşırmamak gerekiyor. Gözlerini aç, gerçekleri bir an önce gör Suada! Hırvatistan'da işini bitiren Miloşeviç, şimdi Bosna'ya yerleşmeye başlıyor. Tabur tabur asker, topçu birlikleri, ağır silahlar Birleşmiş Milletler'in emriyle Hırvatistan'dan çıkarılıp Bosna'ya sokuluyor ne yazık ki."

"Eee, ne olmuş yani?

"E'si şu: Bugünlerde Bosna'ya sokulan o toplar yakında ölüm kusacak üzerimize."

Bezgin bir ifadeyle içimi çektim. "Valla teyze! Senin kadar hislerini abartan başka birini daha tanımadım."

"Seni şımarık şey," dedi teyzem. "Dilin pabuç gibi uzamış. Bu dünyada hiç kimseye güvenme. Ne İzzetbegoviç'e, ne Miloşeviç'e, ne bana, ne de başka herhangi birine. Güvenip de tutunduğun dallar elinde kalmasın sonra."

Teyzemin yanına gittim. Eğilip onu yanaklarından öptüm. "Çok haklısın teyzeciğim. Bu nasihatini hiç unutmayacağım. Şimdi tarhana çorbanı ısıtayım mı?"

Teyzem bana baktı. Sanki içinden ağlamak geliyordu. Sesinde öfke, çaresizlik, isyan ve yıkım vardı. "Kusura bakma

Suada. Son zamanlarda bu topraklar üstünde yaşanan huzursuzluklar salgın hastalık gibi sirayet etti bana da."

O anda ortamın kasvetli havasını dağıtmak istedim. Teyzeme parmağımı uzattım. "Bak," dedim. "Yüzüğümü beğendin mi?"

Teyzem parmağıma taktığım mavi taşlı elmas yüzüğe baktı. "Bu yüzük de neyin nesi?" diye sordu heyecanla.

"Söz ver bana," dedim.

"Ne sözü?"

"Hiç kimseye söylemeyeceğine dair söz ver."

"Yoksa," dedi teyzem yüreği boğazında atarken.

"Söz ver," dedim gözyaşlarımı bastırırken. "Bizimkilere söylemeyeceğine dair söz ver."

"Ablam beni kesecek," dedi yutkunarak.

"Biz kendi aramızda bugün sözlendik. Gördüğün bu yüzük Tarık'a babaannesinden kalmış."

"Ablam beni kesecek," dedi teyzem sözlerini bir papağan gibi tekrarlayarak. "Ya bir yerlerden duyarlarsa onların yüzüne bir daha nasıl bakarım? Genç bir kızsın. Elbette erkek arkadaşın olacak. Onunla el ele tutuşup gezeceksin, hatta öpüşeceksin; ama bu olay biraz fazla değil mi?"

"Kimden duyacaklar?" dedim teyzemi yatıştırmaya çalışırken.

"Nasıl yaparsın bunu bana? En azından bir fikrimi alabilirdin."

"İnan bana, her şey bir anda oldu teyze. Yüzüğü cebinden çıkardı, parmağıma taktı. Ona hayır diyemedim."

"Ona hayır diyememekle iyi halt etmişsin. Şimdi gel de ayıkla pirincin taşını."

Teyzeme şaşkın şaşkın baktım. Bayağı bir bozulmuştu. "Onun yatağına girmedim ya teyze," dedim. "Bir anda neden karalar bağladın?"

Teyzem bana kötü kötü baktı. "Allah, Allah!" dedi. "Eşeklik ettiğini söylemiyorsun, benim karalar bağladığımı söylüyorsun. Ne söylediğinin, ne yaptığının farkında değilsin sen. Hadi ablamı bir kenara koy. Eniştemin yüzüne nasıl bakacağım?"

Teyzeme sokuldum. "Onlardan gizlice resmi nikâh kıymadım ya teyzeciğim," dedim. "Sence biraz fazla tepki göstermedin mi?"

Bir anda gaipten konuşan insanlar gibi kısa, kesik, irtibatsız cümlelerle konuşmaya başladı: "Suada... Suada... Ne yaptığının farkında mısın sen? Sen... Ne halt ettin sen..."

Teyzemin bu tepkisi karşısında şaşkınlıktan küçük dilimi yutmuştum âdeta. Ansızın gözlerimden yaşlar boşaldı. "Dinle beni teyze," dedim.

Vücudu gergin bir tel gibi titredi. Nefesi tıkanır gibi oldu. "Seni dinlemek istemiyorum. Haberim olmadan böyle bir işe nasıl kalkışırsın?"

O anda ikimiz de tek bir kelime söylemeden durduk. Daha sonra suskunluğu bozan taraf yine ben oldum. "Bu olayı senden saklamış olsaydım bana daha fazla mı saygı duyardın teyze? Hiç değilse seni aldatmamış oldum. Ben sırılsıklam âşığım Tarık'a. Kötü bir şey de yapmadım. Kimsenin metresi olmadım. Kimsenin koynuna girmedim. Sadece delicesine sevdiğim erkekle kendi aramızda sembolik bir tören yaptık. Bugün olan şey sadece bu. Yanlış olan şey ise senin gösterdiğin bu aşırı tepki. Sana iyi akşamlar. Ben odamda olacağım."

Teyzem beni kollarının arasına aldı, ağlamaya başladı. Sonra da yanağını yanağıma dokundurdu. "Kusura bakma," dedi. "Bugün eski nişanlım Asım'ın, hastanedeki sözde en yakın kız arkadaşımla evleneceğini öğrendim. Kafam turşu gibi oldu. Bu yüzden biraz gerginim."

Teyzemin ızdırabı bana da sirayet etmişti. Gözlerim sulandı, yüreğim titredi. "Sen de kusura bakma," dedim. "Böyle bir üzüntü içinde olduğunu bilmiyordum. Bugünkü acının üzerine bir de ben tuz biber ektim desene."

Teyzemin boğazı düğümlendi, daha fazla konuşamadı. Bu sefer ben onu kollarımın arasına aldım. Bir külçe gibi yığılıp kaldığı kollarımın arasında saatlerce bir çocuk gibi hıçkırarak ağladı.

***

Ertesi gün sabah erkenden uyandım, derse gittim. Profesör Duşanka her zamanki gibi dakika sektirmeden saat tam dokuzda odasındaydı. "Günaydın hocam," dedim. "Bu sabah nasılsınız?"

Profesör onu tanıdığım ilk günden beri hiç değişmemişti. İşini her zaman ciddiye alan, öğrencilerini sinirden çatlatan bir hocaydı. Vukadin konservatuarı bana olan karşılıksız aşkı yüzünden nasıl bıraktıysa, sınıf arkadaşım Mirna da konservatuvar eğitimini Profesör Duşanka yüzünden bir ay önce yarıda kesmişti.

"Sana da günaydın," dedi. "Şimdi sınıfa git, ben de kahvemi alıp geliyorum."

Sınıfa gittim. Profesör birkaç dakika sonra arkamdan sınıfa girdi. "Bugün ne çalacaksın?" diye sordu kahvesinden bir yudum alırken.

"Sizin için Brahms'ın Vals'ını çalmayı düşünüyorum."

"Başla o zaman," dedi. "Bakalım bu eseri nasıl yorumlayacaksın? Umarım eseri kötü yorumlayıp Brahms'ı bu kış ayında mezarında ters döndürmezsin."

"Sinirlerine hâkim ol Suada. Sakin ol, sakin ol," diye içimden söylenmeye başladım.

"Evet," dedi. "Seni dinliyorum."

Brahms'ın Vals'ını çalmaya başladım. Bu Vals, Brahms'ın piyano için yazdığı on altı Vals'ın dokuzuncusuydu ve dans parçası olarak yazılmamıştı. Çok kasvetli ve duygusal bir parçaydı. Birinci dolabın sonunda *tonik*[19] sesin *sensible*[20] sese bağlanışı insanda iç çekme duygusu yaratıyordu. Aslında Brahms, bu eserinin başlangıç kısmının zengin bir anlatım içerecek şekilde icra edilmesini istermiş. Eğer bu eser, pedallarla hissiyatını doğru bir şekilde vererek çalınırsa bu besteyi dinleyen herkes gözyaşlarına boğulurdu.

Parçanın en zor kısmı olan bitiş bölümüne geldiğimde ise hiçbir endişeye yer vermeden eseri yorumlamayı bitirdim. "Bravo," dedi Profesör Duşanka alkışlarken beni. "Herhalde böyle Brahms çalan birini alkışlamak çok cesur kaçmayacaktır."

19 Dizinin (tonun) ilk sesi, diziye (tona) adını veren ses.
20 Dizinin (tonun) yedinci derecesi. Duyarlı, hassas nota.

Profesörden bu övgü dolu sözleri ilk kez duyunca utancımdan kıpkırmızı kesildim. "Beni utandırdınız," dedim büyük bir sevinçle. "Sizin tarafınızdan beğenilmek beni tarif edilemez duygular içerisine soktu."

"Hayatta hiçbir şey bedava değildir. Bütün olumsuzluklara rağmen azimle çalıştığını görüyorum. Son derece yetenekli bir öğrencisin. Piyano senin hayatın, bunu unutma sakın. Her geçen gün şu enstrümanın daha çok hakkını vererek çalışmalısın. Ben öğrencilerime, 'Önemli olan piyano çalmak değil, piyanoyu nasıl iyi çalacağınızı bilmektir,' dediğimde bozuluyorlar. Oysa ben bu sözlerimle sadece bir şeye dikkat çekmek isterim. Neden piyano çalmak istiyorsun? Bu soruya anında cevap veremeyen bir öğrenci iyi bir piyanist olamaz. Çünkü müzik onun ruhunda değil sadece aklında var. Müzik sadece akıl işi değil aynı zamanda ruh işidir. Nasıl ağaçlar fırtınaya direnemeyip dallarını onun karşısında eğiyorsa, şu tahta parçası da bu özverili çalışman karşısında bir gün senin önünde eğilip sana reverans yapacak."

O anda heyecandan dona kalmıştım. Profesör Duşanka'nın aylardır buz tutmuş dili aniden çözülmüş, bal damlatmaya başlamıştı. Ona ne diyeceğimi bilemiyordum. "Ben şimdi çıkıyorum," dedi profesör. "Sen kal, çalışmana devam et. Unutma! Önemli olan sonuçtur, saatler değil."

Profesör Duşanka kahve fincanını aldı, kapıya doğru yürümeye başladı. Kapının önüne geldiğinde aniden durdu. Başını hafifçe bana çevirdi. "Ha! Bu arada," dedi. "Yıllar önce bir öğrencim kocamı benden almıştı. Şimdi ise bir öğrencim oğlumu benden alıyor. Ama bu sefer o öğrencime kırılmayacağım. Umarım oğlumla mutlu olursun."

Ansızın içim sarsıldı. Kendime geldiğimde ise Profesör Duşanka sınıfı çoktan terk etmişti. "Bu halin de ne böyle?" dedi Tarık açık kapıdan içeri girerken.

"Şey," dedim duraksayarak. "Doğrusu neyim var bilmiyorum. Annenin yüzüne utancımdan bakamadım."

Tarık elimden tuttu. "Yine ne oldu?"

"Annen... Annen ilişkimizi biliyor. Ona çıktığımızı ne zaman söyledin?"

Tarık sözlerimi anlamamış gibi yüzüme baktı bir an. Sonra da, "Ben söylemedim ki," dedi.

"Ama bu nasıl olur? İlişkimizi biliyor."

Tarık kısa bir süre gözlerini benden ayırmadı. "Tabii ya," dedi gülerek. "Parmağındaki yüzükten anlamıştır. Yıllar önce rahmetli babaannem bu yüzüğü annemin yanında bana verirken, 'Benim için değerli olan bu yüzüğü bir gün senin en değerlin olacak kadına tak,' demişti. Annem son derece zeki bir kadındır. Ayrıntıları görmekte üzerine hiç kimseyi tanımam."

Parmağıma taktığım yüzüğe baktım. "Annem sana ne söyledi?" dedi Tarık büyük bir merakla.

"Yıllar önce bir öğrencisinin kocasını, şimdi de yine bir öğrencisinin oğlunu elinden aldığını; ama bu sefer bana kırılmayacağını ve mutluluğumuzu istediğini söyledi," dedim.

Tarık kahkahayı bastı. "Profesör Duşanka'dan da bu sözler beklenirdi zaten. Okkalı sözler söylemekte bir üstattır benim annem. Bu konuda kimse onun eline su dökemez."

"Şimdi ne olacak?" dedim sakin bir sesle.

"Bir şey olacağı yok canımın içi," dedi. "Sen annemin başarılı bir öğrencisi olmaya devam edeceksin, ben de senin aşkından yanıp kavrulan biri olmaya."

"Sen dalganı geç benimle," dedim.

Yanıma sokulup beni yanağımdan öptü. "Her güne seni düşünerek uyanmak, her gece seni hayal ederek uyumak... Ah Suada'm! Ben bir kere ay gibi tutuldum sana. Ben tutuklu sana, sen şaşkın anneme," dedi hınzırca gülerek.

Tarık'a baktım. Birden kıkır kıkır gülmeye başladım. "Ah seni şaşkın âşık!" dedim. "Bana her dokunduğun anda yüreğimin bahçesinde güller açtırıyorsun. Sen de bilesin ki, her geçen gün sana karşı olan aşkım çığ gibi büyüyor."

Tarık büyük bir sevgiyle bana baktı. Tam da ağzını açtığı sırada parmaklarımı uzatıp dudaklarının üstüne koydum. "Sus, konuşma artık," dedim.

BARİKAT

Uyandığımda saat on iki olmuştu. Birkaç gündür aralıksız yağan karın üzerine vuran güneş ışınlarının milyonlarca minik kristaldeki parıltısı, krem rengi tül perdeden süzülerek içeri doluyordu. Yataktan kalkıp pencereden dışarı baktım. Sanki şehir büyük bir özenle çizilmiş bir tablo, bir kartpostal gibiydi.

Sonra mutfağa gidip ilaçlarımı içtim. Neredeyse bir haftadır başımı yastıktan kaldıramamıştım. Çok kötü hastalanmıştım. Bu yüzden evde kalıp dinlenmiş, konservatuvara da gidememiştim. Ayrıca Tarık'ı da sürekli görememiş, içimdeki hasretimi ancak onunla telefonda konuşarak dindirmeye çalışmıştım.

Salona geçip televizyonu açtım. Yine can sıkıcı haberler vardı. Aliya İzzetbegoviç Sırplarla olası bir savaştan kaçmaya çalışırken, Avrupa Birliği'nin baskısı referandumdan kaçıp kurtulamamıştı. Bosna'nın bağımsızlığı için 29 Şubat ve 1

Mart günleri referandum yapıldı. Bugün ise sandıktan çıkan sonuçlar açıklanacaktı.

Bu birkaç gün içinde birtakım siyasi ayak oyunları oynanarak, Bosna'da yaşayan halklar canından bezdirilmişti. Bosna SDS lideri Radovan Karaciç Bosna'daki Sırpların oylamaya katılmalarını yasakladı. Bosna topraklarında özerk ilan ettiği bölgelerin girişlerini abluka altına alarak, o bölgelere oy sandıklarının girmesini engelledi. Federal orduya ait uçaklar ise boykotu destekleyen broşürleri birkaç gündür havadan atıyorlardı. Bütün bu ayak oyunlarına rağmen, aralarında büyük kentlerde yaşayan birkaç bin Sırp vatandaşının da bulunduğu seçmenlerin yaklaşık yüzde altmış dördü, şu sorunun yer aldığı pusula üzerinde oy kullandı: 'Sınırları içinde yaşayan Müslüman, Sırp, Hırvat ve diğer vatandaşların ve milletlerin eşit kabul edildiği bir devlet olarak, egemen ve bağımsız bir Bosna-Hersek devletinden yana mısınız?'

RTV Sarayevo kanalında haberleri sunan spikerin yüzünde bir ışık belirdi. "Evet," dedi haykırarak. "Evet, evet, evet... Sandıktan çıkan sonuç 'evet' sevgili seyircilerimiz. Bosnalıların büyük bir çoğunluğu Bosna-Hersek'in bağımsız bir devlet olması için oy birliğiyle 'evet' cevabını verdiler."

O anda telefon çaldı. Ahizeyi kaldırdım. "Suada," dedi Tarık heyecanlı heyecanlı. "Bugün sakın dışarı çıkma."

"Neden? Bir şey mi oldu?"

"Sırp paramiliter kuvvetleri meclis binası yakınında barikatlar kurmuş ve keskin nişancıları için siperler oluşturmaya başlamışlar."

"Niye böyle bir şeyi yapmışlar ki?" diye sordum ürkek bir sesle.

"Dün gece iki Müslüman genç bir düğün sırasında Sırpların üzerine ateş açmış. Sırp gelinin babası olay yerinde ölmüş. Sırp askerleri de güya Müslüman terörizmine karşı önlem almışlar bugün."

"Bu çok saçma," dedim. "Münferit bir olay için koca şehir abluka altına mı alınırmış?"

"Şu anda binlerce Saraybosnalı sokaklara döküldü. Keskin nişancıların önünde eylem yapmaya başladılar."

"Sırplar bence kafayı yemiş. Kaç zamandır Müslümanları hedef alan sayısız cinayetler işleniyor. Bu olayları protesto etmek için Saraybosna sokaklarında barikatlar kurmak Boşnakların aklına gelmemişti bile."

"Daha kötüsü var," dedi Tarık. "Miloşeviç ve Tudjman, Yugoslavya'yı bölmenin olası yollarını görüşmek için bir araya gelmişler."

"İki düşman şimdi dost mu oldu? Hırvatların yere dökülen kanları henüz kurumamışken."

"Ne bileyim," dedi Tarık. "Allah sonumuzu hayır etsin. Sen nasıl oldun bir tanem?"

Moralim olup bitenlere fena bozulmuştu. "Bugün biraz daha iyiyim," dedim üzüntülü bir sesle. "Seni çok özledim. Akşama bize yemeğe gelir misin?"

"Sahiden mi?" dedi büyük bir heyecanla. "Saat kaçta?"

***

Akşam saat yedi sıralarında kapı zili çaldı. Kapıyı teyzem açtı. "Hoş geldin Tarıkçığım," dedi.

Tarık elinde tuttuğu kasımpatı çiçeğini teyzeme uzattı. "Hoş bulduk," dedi. "Bu çiçekler sizin için."

"Ne zahmet ettin, içeri buyur. Ben de bunları bir vazoya yerleştirip hemen geliyorum."

Tarık öteki elinde tuttuğu kırmızı gülleri bana uzatıp yanağımdan öptü. "Bunlar da senin için," dedi utangaç bir sesle.

"Ne gereği vardı," dedim gülleri koklarken. "Çok teşekkür ederim."

"Acıkmışsındır Tarık. Hadi yemeğe oturalım," dedi teyzem elinde tuttuğu vazoyla yanımıza gelirken.

Sofrada teyzem Tarık'a baktı. "Bu akşam geleceğini önceden bilseydim senin için özel bir akşam yemeği hazırlardım. Artık kusura bakma Tarık. Ne bulursan onu yiyeceksin."

"Bu akşam yemek bahane, esas ben sizi görmek için geldim."

Tarık'ın tabağına peynirli pitadan koydum. "Kompostoyu masaya getirmeyi unutmuşuz Suada," dedi teyzem.

Mutfaktan kuru erik kompostosunu getirdim. "Soğan dolmasından da Tarık'ın tabağına koy."

"Çok az alayım lütfen," dedi Tarık.

"Eee," dedi teyzem. "Nasılsın Tarık? Bugünkü olayları duymuşsundur herhalde. Sen bu olaylar hakkında ne düşünüyorsun?"

Tarık ağzındaki lokmayı yuttu. "Bugün olanlar inanılır gibi değil. Neyse ki halkın güçlü direnişi karşısında barikatları kaldırdılar apar topar."

"Bu olay sadece bir başlangıç, unutma. Bunun devamı çok yakında gelecek."

"Nasıl?"

Teyzeme kısa ve somurtkan bir bakış attım. "Allah aşkına yine komplo teorisi üretmeye kalkma," dedim.

Teyzem kızardı. Çiğnediği lokma sanki boğazında büyüdükçe büyüdü.

"Müdahale etme," dedi Tarık. "Bırak da konuşsun. Doğrusu söyleyeceklerini merak etmiyor değilim."

Teyzem ağzındaki lokmayı zar zor yuttu. Bana suratını ekşiterek baktı. "Ne yazık ki benim sevgili yeğenim de İzzetbegoviç ve bütün Boşnaklar gibi tatlı rüyalara dalmış," dedi sinirli sinirli. "Bunlar mışıl mışıl uyurken, Miloşeviç ve Karaciç hain planlarını nasıl devreye sokacaklarının ince hesaplarını yapıyorlardır şimdi."

Tarık teyzemin düşüncelerini onaylarcasına başını salladı. "Çok haklısınız," dedi. "Daha düne kadar ben de tatlı rüyalar gören Boşnaklardan biriydim. Ama bugün iyice emin oldum ki, savaş çoktan kapımıza dayanmış. Savaşın kıvılcımları bacadan dışarı ha çıktı, ha çıkacak. Bu ateş küllenene kadar da içimizde yanacak."

Tarık'a şaşkınlıkla baktım. "Yaklaşık iki saat önce evimize isimsiz bir mektup geldi," diye konuşmasına devam etti Tarık. "Mektubu büyük bir heyecanla açtım. Mektup anneme yazılmıştı:

Bayan Profesör Duşanka Seratliç,

Sizden derhal aile yakınlarınızı da yanınıza alarak Saraybosna'yı terk edip Sırbistan'a gitmenizi istiyoruz. Şayet Sırbistan'a gitmeyip Müslüman Türklerle yaşamaya devam ederseniz boğazınıza kadar Müslümanların kanına batacaksınız. Sırplıktan çıkarılacak, evnuh [21] ilan edileceksiniz...

O anda annemi görmeliydiniz. Sinirden âdeta köpürdü. 'Ahlaksız köpekler,' diye evin içinde bas bas bağırıp durdu. İşte o anda birden gerçekleri görmeye başladım. Meğerse bugüne kadar benim de gözlerim etrafımda olup bitenlere sımsıkı kapalıymış."

Teyzem kırmızı şarabını eline alırken bana baktı. "Keşke komplo teorisi üretseydim Suada," dedi. "Bu zorbalar kaba kuvvet kullanarak insanları evlerinden, yurtlarından ve canlarından edecekler. Haydi, şimdi kadehlerimizi havaya kaldıralım. Kim bilir belki yakın bir gelecekte şarap içmeye bile hasret kalacağız, şerefe."

Tarık teyzeme baktı. "Kadehimizi neye kaldırıyoruz?" diye sordu.

"Kadehimi benden habersiz bir şekilde sözlenmenize kaldırıyorum," dedi teyzem bozulduğunu belli edercesine.

Tarık yutkundu, başını öne eğdi. Teyzem kahkahayı bastı. "Neden utandınız? Yoksa siz kendi aranızda sözlenmemiş miydiniz?"

---

21 Dağ bölgelerinde yaşayan Sırplar tarafından Müslüman Boşnaklarla beraber yaşayan Sırplar için kullanılan argo bir söz. Osmanlıda hadım edilmiş erkeklere ne gözle bakılıyorsa, Boşnaklarla beraber yaşayan Sırplara da savaş döneminde aynı gözle bakılırdı.

Teyzeme dik dik baktım. "Biz kendi aramızda sözlendik," dedim sinirli bir şekilde. "Bunu da sana daha önce söylemiştim."

"Sizi üzdüğüm için beni bağışlayın," dedi Tarık. "Biliyorum, gençlerin duygusallıkla attıkları adımları büyükler pek hoşgörüyle karşılamazlar. Suada'nın bu olayda hiçbir günahı yok. Onu bu işe ortak eden bendim. Suada'nın parmağına taktığım yüzükle, varlığımı onun bedenine katmak istemiştim sadece."

Teyzem bir anda gülmeye başladı. "Genç arkadaş iyi bir müzisyen olduğu kadar iyi de bir dil cambazıymış."

Bu sefer Tarık güldü. "Dil kalbin aynasıdır derlermiş. Dil cambazlığım kalbimden, bu kalbim de aşk evimin sahibesinden besleniyor."

Teyzem sandalyeyi çekti, ayağa kalktı. "Hadi öyleyse genç âşıklar," dedi. "Bu akşam içimizdeki kasvetli havayı biraz dağıtalım. Felekten bir gece yaşayalım. Aşk şarkıları çalıp söyleyelim. Kim bilir yarınlar bize neler getirecek, bizden neleri alıp götürecek."

ARİFE GÜNÜ

Saraybosna, 3 Nisan 1992

Arife günüydü. Sabah erkenden uyanmış, valizimi hazırlamıştım. "Günaydın," dedi teyzem uyuşuk bir sesle. "Hazır mısın?"

"Ah, teyze! Keşke sen de benimle gelebilseydin Milyevina'ya. Ramazan bayramında hep bir arada olurduk."

"Ah yavrucuğum!" dedi teyzem üzgün bir ses tonuyla. "Ben de seninle gelmek istemez miydim? Ama bu bayramda da hastanede nöbetim var."

Teyzeme sımsıkı sarıldım. "Seninki de nasıl bir iş? Bayram yok, seyran yok."

"Ne yapalım?" dedi tebessüm ederek. "Bir zamanlar tarihçi olma şansım varken ben idealist bir hemşire olmayı yeğledim."

"Seni burada yalnız bırakmak istemiyorum," dedim sesim titrerken. "Bana neredeyse annemden bile daha yakınsın."

"Şşşt! Bu sözleri ablam duymasın. Öldürür beni."

Güldüm. Teyzem saçlarımdan hafifçe çekip beni bağrına bastı. Yüzümü, gözümü öptü, saçlarımı kokladı. "Al şu parayı," dedi. "Cüzdanına koy."

"Param var," dedim utana sıkıla.

"Geleneğimiz... Bayramda küçüklere harçlık verilir."

Teyzemin yanaklarından öptüm. "Hakkını helal et," dedim.

Bir anda kahkahayı bastı. "Yoksa bir daha görüşmemek üzere bana veda mı ediyorsun?" dedi. "Salı sabahı buradasın. Şimdi sağlıcakla git, sağlıcakla dön. Evdekilere de benden selam söyle. Ha! Buraya dönerken de Ayşa'nın o leziz pitalarından getirmeyi unutma sakın."

"Unutmam," dedim gözyaşlarımı silerken. "Şimdilik hoşça kal canım teyzeciğim."

***

Elimde tuttuğum küçük valizimle evden ayrıldım. Dışarıda deli bir rüzgâr esiyordu. Tramvay durağına kadar güçlükle yürüyebildim. Sonra tramvaya binip Başçarşı'ya geldim. Başçarşı camisinden kuzeye doğru giden sokağın bitimine kadar yürüdüm. *Sebil*'in[22] önüne geldiğimde durdum, Tarık'ı beklemeye koyuldum.

---

22 1753 yılında Bosna valisi Hacı Mehmet Paşa tarafından yaptırılan çeşme.

Deli gibi esen rüzgâr yerden havalandırdığı küçük bir kâğıt parçasını yüzüme yapıştırdı. Elimi hafifçe kaldırıp kâğıdı yüzümden çektim; sonra da büyük bir merakla kâğıdın üzerinde yazanları okudum. Okudukça da dehşete kapıldım. Şöyle yazıyordu:

Baliya yebem ti ya mater, [23]
Unutmayın ki, Müslümanlar olarak bu bayramda kanlı baklava yiyeceksiniz...

Tüylerim diken diken oldu. Kâğıdı buruşturup hemen yere attım. "Ne oldu?" dedi Tarık endişeli bir şekilde. "Hortlak görmüş gibisin."

Tarık'ın geldiğini fark etmemiştim. Ona sarılıp ağlamaya başladım. "Sırplar iyice şımardı," dedim.

"Şayet yerdeki şu küçük kâğıtlardan bahsediyorsan," dedi Tarık. "Tüm Bosna bu kâğıtlarla dolu. Gece vakti bunlardan her tarafa dağıtmışlar."

"Ama nasıl olur?"

Tarık acı acı güldü. "Hepimizin gözlerinin önünde oluyor işte. Artık gerçekleri görmeliyiz."

"Sen de tıpkı teyzem gibi konuşmaya başladın."

"Teyzen söylediklerinde yerden göğe kadar haklıydı bence. Savaş çok yakında çıkacak. Bu yüzden Milyevina'ya gitmeni pek istemiyorum. Orada başına bir şeyler gelecek diye ödüm kopuyor."

---

23 Sırplar ve Hırvatlar tarafından Müslüman Boşnakları aşağılamak için kullanılan küfür içerikli bir söz.

Tarık'ı yanağından öptüm, gözlerine baktım. "Hiç meraklanma aşk diyarımın prensi," dedim sımsıkı sarılırken ona. "Sen sanıyorsun ki ölüm bir tek Milyevina'da var. Milyevina'dan başka bir yerde ölüm yok mu sanki?"

Eliyle hemen ağzımı kapattı. "Sus!" dedi sesini ilk kez yükseltirken bana. "Sus! Bu ayrılık gününde ölümden bahsetme bana. Sen benim vazgeçilmezimsin. Ay yüzün giderken ışıklar saçsın içime. Sus! Karabulutların gölgesini düşürme yüreğime."

Sustum. Yol boyunca tıngır mıngır giden eski bir otobüsün içinde, oyuncağını kaybetmiş bir çocuk gibi gözyaşlarımı akıttım içime. Hayallere dalıp umutsuzca etrafımı seyrettim. Her tarafta federal ordunun silahlı askerleri vardı. Buldozerle siperler kazmışlar; briketlerle barikatlar yapmışlar; ardından da tankların namlularını dışarıda bırakacak şekilde toprağa gömmüşlerdi. O an içim parçalandı. Meğerse teyzem ne kadar da haklıymış. Bosna'da bir savaşın çıkması an meselesiymiş. Bosna ne yazık ki bölünüyormuş.

Otobüs, Foça'nın küçük otogarından içeri girdiğinde babamı beni beklerken gördüm. Ona otobüsün içinden heyecanla el salladım. O da beni görür görmez el sallamaya başladı; sevinçten aksakallı yüzü bir anda aydınlandı. Otobüs perona yanaşıp şoför kapıyı açtığında hızla aşağı indim, koşup babamın boynuna sarıldım. "Nasılsın babacığım?" diye sordum ağlarken.

Babam yanaklarımdan öptü. "Seni gördüm daha iyi oldum kızım," dedi. "Hoş geldin evine."

"Hoş bulduk baba. Annemleri göremiyorum, onlar nerde?"

"Biliyorsun kızım, bugün arife günü. Ablanın işleri çok yoğun. Bayram dolayısıyla tepsi tepsi pita yapıp satıyorlar."

Babam Ayşa ablama verdiği sözü aylar öncesinden tutmuş, ona Foça'da küçük bir dükkân açmıştı. "Ablamın işleri nasıl baba?" diye sordum.

Elimden tuttu. "Allah'a binlerce kez şükürler olsun ki çok iyi. İnanır mısın, benim maaşım onun kazancının yanında komik kalmaya başladı. Maşallah pita işini tutturdu. Neredeyse Foça'nın en meşhur pitacısı oldu."

Babamı dinledikçe ablamla gurur duyuyordum. "Gördün mü baba?" dedim gülerek. "Allah size hayırsız erkek evlat vereceğine, hayırlı ve bir o kadar da çalışkan kızlar vermiş."

Babam beni kendine doğru çekip saçlarımdan öptü. "Ben imanlı bir Müslümanım. Allah'ın bana verdiklerini hiçbir zaman sorgulamadım. Üçünüzü de çok seviyorum."

"Baba," dedim endişeli bir sesle.

"Efendim."

"Ben çok korkuyorum."

Babam gözlerini açtı, bana şaşkın şaşkın baktı. "Korkuyor musun? Neden kızım?"

"Savaşın çıkmasından," dedim. "Her yerde federal ordunun askerleri var. Sanki yaşadığımız toprakları kuşatma altına almışlar."

"Korkma güzel kızım. Sırplar birkaç ay önce derslerini aldılar. Bak, Hırvatlar ve Slovenler bağımsız birer devlet oldular artık. Sırplar ne yapabildiler? Savaş çıkardılar, onu da ellerine yüzlerine bulaştırdılar."

"Ama teyzem hiç böyle söylemiyor."

Babam kıs kıs güldü. "Teyzen bu işlerden ne anlar? O kendi işine baksın. Sahi, o nasıl?"

"Size çok çok selam söyledi baba."

"Sağ olsun! Keşke o da gelebilseydi."

"Gelemedi işte. Bu hafta sonu hastanede nöbeti var."

"Allah yardımcısı olsun," dedi babam. "Şimdi seninle bayramlık alışverişine çıkalım. Kendine yeni bir şeyler al."

Her arife günü alışverişe çıkmak, Bosnalı Müslümanların bir geleneğiydi. Babama baktım. "Annem ve ablam bizimle alışverişe gelmeyecek mi?" diye sordum.

"Hayır," dedi babam. "Onlar alışverişlerini dün yaptılar. Bugün de dükkânda kalıp harıl harıl çalışıyorlar."

"Pekâlâ," dedim. "O zaman biz gidelim."

***

Babamla alışverişimizi bitirdikten sonra ablamın dükkânına gittik. İçeride üç-beş tane koyu kahverengi küçük masa, sanayi tipi bir soğutucu, pitaların yapıldığı küçük bir mutfak ve kömür ateşiyle yanan büyük bir fırın vardı. Annem başını beyaz bir tülbentle bağlamıştı. Beni karşısında görür görmez tezgâhın arkasından çıkıp yanıma geldi. Bana sımsıkı sarıldı. "Hoş geldin güzel kızım," dedi ağlarken. "Dur sana şöyle bir bakayım, nasılsın?"

"Gördüğün gibi gayet iyiyim anne," dedim. "Sen nasılsın?"

O sırada Ayşa ablam ellerini yıkayıp yanımıza geldi. "Hoş geldin canım kardeşim," dedi sarılıp öperken beni. "Nasılsın?"

"Ben iyiyim abla. Asıl sen nasılsın? Babamdan az önce güzel haberlerini aldım. Foça'nın en meşhur pitacısı olmuşsun."

Ablamın birden yüzü kızardı. "Babam biraz abartmış," dedi. "Kendi yağımızla kavrulup gidiyoruz işte."

"Yok, yok," dedi annem. "Maşallah işleri çok iyi kızım. Şu küçük dükkân her gün dolup taşıyor."

O sırada kapı açıldı. İçeri müşteri girdi. "Üç kilo börek, iki kilo da patatesli pita alabilir miyim?" dedi.

Anneme baktım. "Dilini ısır anne," dedim. "Nazar değmesin."

"Isırıyorum kızım, hem de günde kaç defa ısırdığımı ben bile unutuyorum. İfeta teyzen nasıl? Neden gelmedi?"

"Neden gelemediğini sana dün telefonda söyledi ya anne. Yine nöbeti var."

"Ne biçim bir iş bu?" dedi annem sinirli sinirli. "Bayramı, seyranı yok. Kızcağız çalışmaktan nişanlılarını dahi elinde tutamadı. İkisini de kaçırdı."

Dükkânın kapısı yine açıldı. İçeri peş peşe müşteriler girdi. "O kaçırmadı anne," dedim. "Adamların kaçacağı varmış zaten. O ne yapsın?"

"Sus," dedi annem. "Bana kız kardeşimi mi anlatıyorsun sen? Ben bilmez miyim onu? Ona yüz kere söyledim, bin kere söyledim."

Ayşa ablam müşteriye torbasını uzatırken, "Ona ne söyledin anne?" diye sordu ablam meraklı bir şekilde.

"Ne mi söyledim? Ona dedim ki; erkekler ilgi ister. Kendini işine vereceğine biraz nişanlın olacak adamlara ver. Adamlar ne yaptı peki? Bundan ilgi göremeyince, biraz ilgi gördükleri oynak kızların peşinden bir keklik gibi seke seke, bir keçi gibi hoplaya zıplaya gittiler."

Müşterilerden bazıları katıla katıla gülmeye başladı. O sırada babam içeri girdi. "Allah neşenizi arttırsın. Neye gülüyorsunuz böyle?" diye sordu.

"Kime olacak?" dedi ablam. "Annem her zamanki gibi yine döktürüyor. Ona gülüyoruz."

Müşteriler pitaları alıp dükkândan gülerek çıktılar. Annem babama baktı. "Emin Bey," dedi. "Siz erkekler kadınlarınızdan ilgi beklemiyor musunuz?"

Babam anneme şaşkın şaşkın baktı. "Şey," dedi duraksayarak. "Allah kadınlarımızı başımızdan eksik etmesin. Çekmecelerdeki çoraplarımızı bile onların yardımıyla buluyoruz."

"Görüyor musunuz?" dedi annem böbürlenerek. "Ben de babanızla sevişerek evlenmiştim. Ama babanızdan ilgiyi, alakayı da hiç eksik etmedim. Öyle değil mi Emin Efendi?"

O anda babamın yüzü kıpkırmızı kesildi. "Fadila Hanım," dedi çabuk bir şekilde. "İsterseniz çocukların yanında kelimelerimizi özenle seçerek konuşalım."

Bir anda annemin yüzünde az önce kırdığı potu anladığını belirten bir ekşilik belirdi. "Şey," dedi dili sürçerek. "Yani şey... Siz beni... Şey... Yanlış anladınız... Ben şey..."

Annemin yanakları alev alev yanıyordu âdeta. Aslında annem pek de haksız sayılmazdı. Boşnak kızları ne görücü usulüyle evlenirlerdi, ne de akraba evliliği yaparlardı. Boşnaklar birbirleriyle severek, sevişerek evlenirlerdi.

RAMAZAN BAYRAMI

Bayram sabahı babam hepimizi erkenden uyandırdı. “Hadi kalkın çocuklar,” dedi yüksek bir sesle. “Bugün bayram. Bayram günü çok uyumak mekruhtur.”

Güçlükle açtığım gözlerimden birini hafif aralık bırakarak ablamın yattığı kanepeye baktım. “Saat kaç abla?” diye sordum.

Ayşa ablam yatağın içinde iyice gerindi. “Henüz sabah namazı kılınmadığına göre, sabahın kör bir vaktinde uyandırıldık yine,” dedi mahmur bir ses tonuyla.

“Sence bu saatte kümesteki horozlar uyanmış mıdır?”

“Emin ol ki babamın çıkardığı gürültüye şimdi onlar da çoktan uyanmıştır.”

O sırada horozlar öttü. Ablamla yatağın içinde kıkırdamaya başladık. “Bu horozları derhal kesmeli,” dedim. “Babamdan sonra uyanıp öten horoza ben horoz demem.”

"Horozlar ne yapsın?" dedi ablam. "Bir sürü tavukla aynı kümeste yaşamak kolay mı? Çok eşli olmak zor olsa gerek."

Bir anda uykum açılmıştı, gülmeye başladım. "Yanıma gelsene biraz," dedim.

Ablam yorganı kaldırıp yatağıma girdi. "Şayet uykun varsa istersen biraz daha uyu," dedi.

"Artık gözüme uyku girmez. Biraz konuşalım mı? Fırsat bulup da birbirimizle hiç konuşamıyoruz."

Ablam saçlarımı okşadı. "Bir türlü baş başa kalamıyoruz ki," dedi sitemkâr bir sesle. "Bu evde tam bir curcuna var."

"Çok haklısın. Kendimi bildim bileli bu ev böyle."

"Suada," dedi ablam. "Hakkında duyduklarım doğru mu?"

O anda içimi bir endişe kapladı. "Benim hakkımda ne duydun ki?" dedim ürpererek.

"Edina ablam söylemişti. Bir oğlana âşık olmuşsun, doğru mu?"

Derin bir nefes aldım. Tarık'la kendi aramızda sözlendiğimizi öğrendiklerini sanmıştım oysa ben. "Doğru," dedim. "Âşık olduğum bir erkek var."

"Okulu bitirince onunla evlenmeyi düşünüyor musun peki?"

"Hayatıma ondan başka bir erkek sokamam artık," dedim. "Beni anlıyor musun abla?"

Ablam biraz şaşkın, biraz da endişeyle bana baktı. "O, o, o!" dedim duruma bir açıklık getirmeye çalışarak. "Sen de Edina ablam gibi beni yanlış anladın. Kesinlikle cinsel bir ilişkim olmadı."

Ablamın içi rahatlamıştı. "Ne bileyim?" dedi. "Öyle bir söyledin ki, şu mübarek günde yüreğim ağzıma geldi. Evlilik hakkında düşünceleri ne peki?"

"O dünden razı."

Ablam gülümsedi. "Tabii ki dünden razı olacak. Senin gibi güzel biri her erkeğin rüyasını süsler. Dün Foça'da erkeklerin sana nasıl baktıklarını görmedin mi?"

"Sen şimdi boş ver beni," dedim. "Bana biraz kendinden bahset. Ya senin âşık olduğun biri var mı?"

"Yok. Aslında var. Yani var, yok."

Başımı yastıktan kaldırıp ablama şaşkın şaşkın baktım. "Bilmece gibi konuşuyorsun. Hayatında biri ya vardır, ya da yoktur."

"Aslında epey bir zamandır müşterim olan biriyle bakışıyoruz. Geçen gün işe doğru yürürken aniden yolumu kesti. Heyecanlıydı. Biraz duraksadıktan sonra, 'Senden hoşlanıyorum,' dedi. Yüzüm kıpkırmızı oldu, kalbim küt küt atmaya başladı. Basiretim bağlandı sanki. Ona ne söyleyeceğimi bilemedim. 'Senin hoşlanmandan bana ne' deyiverdim bir çırpıda. Çocuğun âdeta dili tutuldu. Hiçbir şey söylemeden karşımda dikilip öylece duruyordu. Çok geçmeden anladım ki, bir çuval inciri berbat etmiştim. Hızla arkamı dönüp koşmaya başladım. Ben ondan uzaklaşırken onun sesi kulaklarımda yankılandı: 'Sen kendini ne zannediyorsun ki? Sanki peri padişahının kızı mısın? Bu kadar naz inan ki bende sabır bırakmaz.' Bir anda ilmek ilmek düğüm gibi çözüldüm. Boyun büküp bir köşeye büzüldüm ve birden ağlamaya başladım."

Ablama şaşkın şaşkın baktım. "Senin anlayacağın," dedi. "Âşık olduğum biri var; ama yok."

"Boş ver abla. Bu öküz adamla iyi ki arkadaş olmamışsın. Terbiyesiz herif! Mademki bir kızı seviyorsun, o kızın da sana karşı ilgisi varsa tabii ki onun peşinden koşacaksın."

Ablamın yüzü kederlendi. "Açık söylemek gerekirse Suada," dedi. "Ben de bir ineklik yapıp bu öküz çocukla son günlerde yeniden bakışmaya başladım."

"İnanmıyorum sana. Bunu kendine nasıl yapabilirsin abla?"

"İstersen bunun adını sen koy Suada. Kader mi, aptallık mı veyahut aşk mı bana bunu yaptırıyor, sence hangisi?"

O anda aklım karışmıştı. "Ha bir de!" dedi ablam. "Şu soruma da cevap verebilir misin, bir söz her şeyi silmeli mi?"

Öylece kalakaldım. "Abla," dedim düşünceli bir sesle. "Sen çok haklısın. Bir insan yeteri kadar cesur değilse aşka bulaşmamalı, ağızdan çıkan bir söz de her şeyi silip bir kenara atmamalı."

Ayşa ablamın gözlerinin içi gülüyordu. "Sahi mi?" diye sordu. "Gerçekten böyle mi düşünüyorsun?"

"Evet," dedim sımsıkı sarılırken ona. "Ben de cesur davranıp Tarık'a yıldırım aşkıyla vurulmuştum. İyi ki de cesur davranmışım."

O sırada kapı açıldı. Annem içeri girdi. "Günaydın şeker kızlarım," dedi. "Ne zaman uyandınız?"

"Horozlardan önce," dedim gülerek.

Annem bize bakıp güldü. "Siz bir de benim halimi düşünün artık," dedi. "Babanızla evlendiğim günden beri sabah uykusu nedir bilmem. Siz siz olun, bir imamla sakın evlenmeyin."

"Anne," dedim hınzır bir şekilde. "Çok merak ettim. Gerçekten babamla sevişerek mi evlendiniz?"

Annemin beyaz teni kırmızıya çaldı. "Kalk kız," dedi. "Bu mübarek günde insanı günaha sokmayın."

Ablam gülümsedi. "Sen de az değilmişsin be anne," dedi. "Demek babamla sevişerek evlendiniz, öyle mi?"

Annem ablamın sözlerine aldırış etmedi. "Sabah sabah ikiniz de fesat kumkumaları gibisiniz. Haydi, şimdi kalkın. Bugün çok işimiz var," dedi ve sonra da arkasına bile bakmadan çıkıp gitti.

***

O gün sabah saat on sıralarında bir-iki komşu derken bir anda evimiz bayramlaşmaya gelen misafirlerle dolup taşmaya başlamıştı. Her gelen misafir yaklaşık yirmi dakika oturuyor, kahvesini içiyor, tatlısını yedikten sonra da evden ayrılıyordu. Ayşa ablamla mutfakta harıl harıl iş yaptığımız bir sırada telefon çaldı. "Biriniz şu telefona baksın," diye seslendi annem.

Islak ellerimi havluyla kuruladıktan sonra salona geçtim. Telefonun ahizesini kaldırıp kulağıma dayadım. "Alo," dedim.

O anda sesinden kim olduğunu çıkaramadığım bir kadın panik içinde bir şeyler söylemeye çalışıyordu. "Sizi çok iyi duyamıyorum," diye bağırdım. "Burada çok fazla uğultu var. Yüksek sesle konuşun lütfen."

Birden evdeki uğultu kesildi. Herkes başını çevirmiş, şaşkın gözlerle bana bakıyordu. Utancımdan yerin dibine girdim âdeta. Dudağımı büzdüm, başımı hafifçe salladım. "Kusura bakmayın," dedim evdeki misafirlere.

"Ne kusuru kızım?" dedi telefondaki ses bana. "Hemen televizyonu aç."

"Teyze sen miydin?" dedim. "Seninle konuşmuyordum. Evdeki misafirlere söylüyordum."

"Şimdi bırak misafirleri. Hemen televizyonu aç. Sonra tekrar arayacağım."

Teyzem telefonu suratıma kapattı. "Teyzen ne diyor?" diye sordu sakin bir sesle annem.

"Söylediklerinden hiçbir şey anlamadım. Sadece 'televizyonu açın' gibi bir şey söyledi."

Babam Edina ablama baktı. "Çabuk televizyonu aç," dedi. "Bakalım ne varmış?"

Ablam hemen televizyonu açtı. Bir anda ekranda yığınla ceset belirdi. "Bu ne?" dedi misafirlerden biri.

"Herkes sussun," dedi babam. "Ne olduğunu anlamaya çalışalım."

Yüzlerce kişi ürkmüş bir halde sağa sola kaçışıyordu. Yerde yatan kadınlar bıçakla doğranmış, erkeklerin bağırsakları dışarı dökülmüştü. "Ne olduğuna bir anlam veremedim," dedi babam. "Kapatın şu televizyonu. Bu güzel bayram günümüzü televizyondaki kötü görüntülerle zehir etmeyelim."

Adamın biri ekranda belirip konuşmaya başladığı sırada ablam televizyonu kapattı. "Çabuk televizyonu aç," dedi babam büyük bir heyecanla. "Ben bu adamı tanıyorum. Adı

Fikret Abdiç'tir.[24] Bosna yönetiminin Müslüman bir üyesidir."

Ablam tekrar televizyonu açtı. Babamın az önce televizyonda gördüğü adam gerçekten de Fikret Abdiç'ti. "Kente girmek istediğimde beni silah zoruyla geri çevirdiler," dedi heyecanlı bir sesle. "Biyelyina'da yaşayan Müslüman Boşnaklara az önce izlediğiniz bu katliamları Arkan'ın Kaplanları yaptı..."

Fikret Abdiç'in bu sözleri âdeta hepimizin kanını dondurdu. Neredeyse bayılacak gibi oldum. Başçarşı'da, Sebil'in önünde durmuş Tarık'ı beklerken, deli gibi esen rüzgârın birden yerden havalandırarak yüzüme yapıştırdığı küçük kâğıt parçasında yazan sözleri yüreğim kan ağlayarak hatırladım.

Baliya yebem li ya mater,
Unutmayın ki, Müslümanlar olarak bu bayramda kanlı baklava yiyeceksiniz...

Ne yazık ki Sırplar dediklerini yapmış, bayramımızı kana bulamışlardı ve biz Müslüman Boşnaklar bu mübarek ramazan bayramının birinci gününde evlerimizde oturmuş, kanlı baklavalarımızı yiyorduk.

24 Bosna Savaşı'nda Krayina bölgesinde bulunan Velika Kladuşa kentinde kendisine bağlı birliklerle Saraybosna yönetimine isyan eden ve Sırpların desteğinde özerk bir cumhuriyet kuran hain Müslüman Boşnak siyaset adamı. Savaş zamanında Abdiç'in birliğindeki askerler Sırplarla bir olup birçok esir Boşnak kadına çeşitli işkenceler yapmış ve tecavüz etmişlerdir.

VRBANYA KÖPRÜSÜ

5 Nisan günü, Saraybosna'daki parlamento binasının önünde toplanan iki-üç bin kişilik halk topluluğu, ellerinde 'BOSNA'YI BÖLMEYİN' yazılı pankartlarla sessiz bir protesto gösterisi yapıyordu.

"Ne izliyorsun kızım?" dedi babam salonun kapısından içeri girerken.

"Gel baba," dedim. "Saraybosna'ya dün gece kurulan utanç barikatlarını yıkmak için binlerce insan gösteri yapıyor."

Babam şaşkınlıkla bana baktı. "Barikat mı?" diye sordu. "Ne barikatı? Kim kurmuş?"

"Radovan Karaciç adlı Bosnalı bile olmayan bir Karadağ köylüsü."

Babam salonun karşısındaki çalışma odasına sessizce gitti. Kısa bir süre sonra geri döndüğünde, elinde kütüphaneden aldığı bir kitabı tutuyordu.

"O kitap da neyin nesi baba?" diye sordum meraklı bir şekilde.

"Bu kitap bir çocuk şiirleri kitabı kızım. Kitabın adı da: *Mucizeler Olur, Mucizeler Olmaz*. Peki, sen bu kitabın yazarını biliyor musun?"

Başımı 'hayır' anlamında salladım.

"Bu kitabın yazarı," dedi babam, "Bosnalı bile olmayan bir Karadağ köylüsüdür. Ne yazık ki bu köylü yazarın adı da Radovan Karaciç'tir."

Tüylerim diken diken oldu. "Bu nasıl olur?" dedim hayretler içinde kalarak.

Babam yaşadığı hayal kırıklığını dışa yansıtarak, elinde tuttuğu kitaptan rastgele bir sayfa çevirip bir mısrasını okumaya başladı:

Acımak yok
Haydi gidelim
Şehirdeki soysuzu
Gebertelim...

O anda şoke oldum. Nutkum tutulmuştu. "Bak," dedi babam yüreği boğazında atarken. "Protestocular Grbavitsa girişindeki Vrbanya Köprüsü'nün karşısına kurulmuş barikatlara doğru ilerliyorlar."

Başımı çevirip televizyona baktım. Vrbanya Köprüsü'nün üstü âdeta mahşer yeri gibiydi. Protesto mitingini görüntülemek isteyen televizyon kanallarının kameramanları ve muhabirleri kalabalığın arasında güçlükle yol alıyorlardı.

Kameraman, omzunda taşıdığı kameranın objektifini protestocu bir kadının yüzüne yakınlaştırdı. Muhabir hemen kadının yanına sokuldu ve mikrofonu uzatıp, "Neden buradasınız?" diye sordu.

Protestocu kadın şaşkınlıkla televizyon muhabirine baktı. "Benim adım Olga Suşiç. Otuz dört yaşında ve iki çocuk annesiyim. Onlar adına bu şehri savunacağım bugün," dedi ve sonra da yoluna devam edip yürüdü.

Protestocu kadının bu konuşmasından birkaç dakika sonra etrafı yoğun silah sesleri kapladı. Gözlerini kan bürümüş Sırp militanları Yahudi mezarlığının bulunduğu noktadan protestocuların üzerine ateş açtılar. Bir anda ortalık savaş alanına döndü. Protestocuların çığlıkları, feryatları birbirine karışmaya başlamıştı. Kalabalık korku ve panikle koşuşturup kısa bir sürede dağıldı. Vrbanya Köprüsü'nün üstünde sadece cansız iki beden kalmıştı. Adının Suada Dilberoviç olduğunu daha sonraları öğrendiğim yirmi bir yaşında bir tıp öğrencisi genç kız, kendisine yardıma koşan insanlara son bir gayretle başını kaldırıp baktı. Feri sönen gözleriyle, "Burası Saraybosna mı?" diyerek son nefesini oracıkta verdi.

Ağzım bir karış açık kalmış, nefesimi âdeta tutarak ekranda olup bitenleri şaşkınlıkla izliyordum. Kameraman, kamerasını yerde yatan öteki kadına yakınlaştırdı. "Aman Allahım!" dedim haykırarak. "Sen de benim gördüğüm şeyi görüyor musun baba? Daha demin muhabire konuşan kadın bu. Aman Allahım, Aman Allahım! Ölmüş."

Babamın yüzü ifadesiz ve kaskatı kesilmişti. O sırada annem yanımıza geldi. "Size ne oldu böyle?" diye korkuyla fısıldadı.

Buz tutan kanım ağır ağır çözülmeye başladı. "Az önce Sırp militanları masum, günahsız, silahsız insanları öldürdüler. Biz savaşın eşiğine çoktan geldik anne," dedim korkuyla ağlarken.

Annem de her Boşnak gibi savaşın çıkmayacağına tüm yüreğiyle inanmak istiyordu. "Sen delirdin mi kızım? Sırplarla yüzyıllardan beri aynı topraklar üzerinde yaşıyoruz. Aynı havayı birlikte soluyoruz. Aynı dili konuşuyoruz. Kurban bayramında onlara kurban eti yolluyoruz. Onlar paskalya gününde bize paskalya çöreği gönderiyor. Kapı komşumuz Paula teyzeyle az mı paskalya yumurtası tokuşturduk."

"Susun," dedi babam. "Televizyonun sesini biraz aç. Bakalım bu köylü kadın ne diyor?"

Televizyonun sesini açtım. Reuters Haber Ajansı muhabiri Andrey Gustinçiç tarafından Foça'dan aktarılan bir haber şaşkınlığımızı daha da arttırdı. Yaşlı bir Sırp kadını kendisine mikrofon uzatan muhabirin elinden tuttu. "Şuradaki arsayı görüyor musun?" diye sordu, *Drina Nehri*[25] boyunca uzanan eğimli araziyi işaret ederek. "Cihadın orada başlayacağı düşünülüyordu. Foça kenti yeni Mekke olacaktı. Ölüm listesine alınan Sırplar vardı. Benim iki oğlum da domuzlar

25 Drina Nehri ismini Osmanlılardan almıştır. Osmanlı askerleri nehri ilk gördüklerinde 'derin, derin' demişler. Nehrin etrafında yaşayan halk ise nehre 'Derina' adını vermiş. Fakat daha sonra nehrin adı 'Drina' olarak kalmış.

gibi katledilmek üzere listeye alınmıştı. Ben de tecavüz edilecekler listesindeydim..."

Muhabir, Sırp kadının sözlerini yarıda kesti ve hemen araya başka bir soru sıkıştırıverdi: "Siz söz konusu bu listeleri kendi gözlerinizle gördünüz mü?"

Yaşlı kadın muhabire ters ters baktı. "Her gün görüyoruz evladım," dedi. "Belgrad Televizyonu'nun yapmış olduğu yayınlar sayesinde gerçekleri her gün izliyoruz."

Sırp Komünistlerin lideri Slobodan Miloşeviç savaş ödevini kusursuz hazırlamıştı kuşkusuz. Sırpları, Müslüman komşularına karşı kendilerini korumak zorunda olduklarına inandırmıştı. Bu harekâtın zemini de, Ustaşa katliamları ve köktendinci cihada karşı Sırpları uyaran Belgrad Radyo ve Televizyonu'nun sürekli yayınlarıydı. Geçen dokuz ay boyunca Hırvatistan'daki cesetleri ve yanan köyleri ekranda görmüş olan sıradan Sırp köylüleri ve kentlileri, bu tehditlerin doğru olduğu konusunda kolayca ikna olmuşlardı. Artık Slobodan Miloşeviç ve Radovan Karaciç'e gerekli olan tek şey, savaş tablosundaki eksik parçaları tamamlayacak birkaç yerel ayrıntıydı.

"Gördün mü Fadila Hanım?" dedi babam kederli bir sesle. "Paskalya gününde yumurta tokuşturduğun Paula teyze artık düşman olmuş bize."

Acıyla buruşmuş bir yüzle, "Biz bu noktaya nasıl geldik?" diye sordu annem. "Nasıl?"

"Artık nasılı, niyesi yok," dedi babam. "Bugünlerde yaşanan vahşeti açıklamaya ne yazık ki kelimeler yetmiyor. Etrafımızda olup bitenler için bir sebep arama. Bu trajediler utanç verici kirli bir muamma olarak kalacak. Sadece birkaç çapulcu katilin işi olarak hatırlanacak."

Annem bir an durup düşündü. "Bütün olup bitenlerden nasıl haberimiz olmadı?" dedi kederli bir sesle.

Babam annemin kederine ortak olmak istercesine başını kaldırıp ona uzun uzun baktı. "Türkler," dedi sesi titrerken, "bu topraklardan gittiklerinden beri sahipsiziz. Şimdi sahip olduğumuz tek şey Allahımız. Umarım yüce rabbim bizi korur."

"Ya korumazsa?" dedim ürkerek.

Derin bir nefes aldı, sonra da biraz soluklandı babam. "İnançlı ol kızım," dedi. "Görünen o ki bir tek Allah'a el açacağız ve bizlere merhamet duyması için sabırla dua edeceğiz."

O sırada telefon çaldı. Koştum, ahizeyi kaldırdım. Arayan teyzemdi. "Siz iyi misiniz?" diye sordu panik dolu bir sesle.

Birden ağlamaya başladım. "Bilmiyorum teyze," dedim. "Az önce Vrbanya Köprüsü'nün üstünde yaşanan olayları dehşet içinde izledik. Sinirlerim bozuldu."

"Üzme kendini. Her şey düzelene kadar da orada kal. Sakın salı günü buraya döneyim deme."

Birdenbire kendimi daha kötü hissettim. "Ne yani, bir daha dönemeyecek miyim oraya?" dedim.

"Şaşkın," dedi teyzem. "Tabii ki döneceksin. Ama önceki geceden beri Sırplar Saraybosna'ya giriş ve çıkışları tamamen yasaklamışlar."

"Onlar kim oluyor?" dedim sinirli sinirli. "Saraybosna'ya giriş ve çıkışları nasıl yasaklarlar? Az önce merak edip Tarık'ı da telefonla aradım; ama ona ulaşamadım teyze. Aklım Saraybosna'da, ikinizde kaldı. Nerdeyse çıldırmak üzereyim."

"Tarık'ı hiç merak etme sen," dedi teyzem. "Ona birazdan ulaşmaya çalışırım. Şimdi kulağını dört aç, beni iyi dinle! Savaş çıktı artık Suada. Asla çıkmaz dediğiniz savaş en sonunda çıktı. Belki uzun bir süre buraya dönemeyebilirsin. Keşke seni kendi ellerimle oraya göndermeseydim. Burada, yanımda kalsaydın."

Hüngür hüngür ağlıyordum. Telefonun ahizesi elimden kayıp yere düştü. Olduğum yere yığılıp kaldım. Başımı dizlerimin arasına aldım. "Hayır," diye bağırdım. "Ben Saraybosna'ya ve okuluma geri dönmek istiyorum..."

Annem ve babam koşarak yanıma geldiler. Annem beni omzumdan tutup salladı. "Gözlerimin içine bak kızım," dedi şaşkın bir şekilde. "N'oldu?"

O anda ağzımı bıçak açmadı. Hayatta her şeyini kaybetmiş insanların konuşmaya gerek duymayan ortak sızısıyla, yaşlı gözlerimle uzunca bir süre annemlere boş gözlerle baktım.

SAVAŞ

Milyevina, 6 Nisan 1992

Ramazan bayramının üçüncü günü savaş resmen başladı. Televizyondan izleyebildiğimiz kadarıyla Saraybosna kuşatma altındaydı. Genç kadınların günde üç-beş kez makyaj yapıp, daracık mini etekleriyle ve yüksek topuklu ayakkabılarıyla arşınladıkları Tito Caddesi'nde hayat neredeyse durmuştu. Hemen telefona sarıldım, teyzemi aradım. "Nasılsın teyzeciğim?" diye sordum.

Teyzem sesimi duyar duymaz ağlamaya başladı. "Gerçeği söylemek gerekirse Suada, hiç iyi değilim. Kendimi çok yalnız ve çaresiz hissediyorum."

"Öyle konuşma," dedim yüreğim burkularak. "Seni orda yalnız bıraktığım için suçluluk duygusuna kapılıyorum zaten."

"Doğrusu ne, bilmiyorum Suada. Belki de hakkında hayırlı olan şey buydu. Burada başına bir şey gelseydi, ablama bunun hesabının nasıl verebilirdim?"

"Orada durumlar nasıl?"

"Nasıl olsun? İzzetbegoviç'in yüzünden cehennemin içine düştük. Dünden beri sokaklarda her an tedirgin bir vaziyette ve duvar diplerine sine sine yürüyoruz."

Aklım karışmıştı. "Neden?" diye sordum saf bir düşünceyle.

"Neden olacak? Tabii ki savaş yüzünden. Saraybosna beşik gibi sallanıyor. Şehrin kıyısından patlama sesleri ve dumanlar yükseliyor. Burada durum çok kritik. Her tarafı bombalayıp kurşunlayacaklarmış. Alçaklar Saraybosnamızı yerle bir edeceklermiş."

"Güya yarın sabah oraya dönecektim," dedim ağlamaklı bir sesle.

"Sakın dönme. Zaten gelmeye niyetlensen de nasıl döneceksin?"

"Yollar hep böyle kapalı mı kalacak teyze?"

"İnan ki bilmiyorum. Bugün Bosnalılar için büyük bir gün Suada. Birazdan hepimiz bayraklarımızı kaptığımız gibi, özgürce dolaştığımız sokaklara çıkacağız. Avrupa Birliği ölüm toplarının kan kustuğu bir günde, Bosna'nın bağımsız bir devlet olduğunu kabul etti, ne acı değil mi? Ölürken bağımsız ve özgür olmak..." Birden teyzemin boğazı düğümlendi. Nükteli konuşmasına daha fazla devam edemedi.

"Teyze," dedim üzgün bir sesle. "Tarık'tan bir haber var mı?"

"Daha aramadı mı seni?"

"Hayır. Buraya geldiğim günden beri hiç konuşmadım onunla. Beni hiç aramaması sence de tuhaf değil mi?"

"Dün akşam kısa bir süreliğine de olsa bana uğradı."

"Ne?" dedim şaşkınlıkla. "Sana mı uğradı? Sana uğramasını biliyor da bana neden bir telefon açmasını bilmiyor?"

"Bak Suada! Aslında sana söylemeyecektim; ama şimdi mecbur kaldığım için söylüyorum. Senin Milyevina'ya gittiğin gün, Tarık babasını kaybetti. Almanya'dan aynı gün cenazesi apar topar getirildi. Cumartesi günü de toprağa verildi. Dün akşam senin telefon numaranı almak için kısa bir süreliğine bana uğramıştı. O sevimsiz koşuşturmanın içinde telefon fihristini kaybetmiş. Numaranı ezbere bilmediği için de seni arayamamış. Galiba seni bugün arayacaktı."

Ansızın içime bir acı yayıldı. "Bakalım bu savaşta biz nasıl bir şekilde öleceğiz?" dedi teyzem.

"Hepimiz bir gün, bir şekilde öleceğiz elbette," dedim.

"İşte orada dur!" diye gürledi. "Sen de birçok insan gibi ölüm hakkında bazı gerçekleri bilmiyorsun. Pisi pisine olan ölümler insanların alınyazısı değil. Yıllar önce bu konuyla ilgili bir makale okumuştum. Kur'an-ı Kerim insan ömrünün ne kadar olabileceğine, insanın ne kadar yaşayabileceğine dair hiçbir bilgi vermemiş. Hadislerde de insan bu kadar yaşar veyahut yaşamaz diye bir hatırlatma da yok. Allah tarafından insana bahşedilen ömre ecel-i müsemma denir. İnsanoğlu bedenine gerektiği gibi bakarsa ömrünün sonuna kadar yaşar. Ama bedenini hoyrat kullanıp vaktinden önce ölürse ona da ecel-i muallak denir. Yani senin anlayacağın

Suada, bu savaşta ölmek pisi pisine ölümden başka bir şey değil."

Teyzemin bir din âlimi edası takınarak konuşması, kederli yüzümü biraz da olsa güldürmeye yetmişti. "Seni elinden kaçıran adamlara acıyorum," dedim. "Sen kutsal bir başucu kitabı gibisin. Yürüyen bir bilgi küpüsün."

Teyzem kıkır kıkır güldü. "Sus kız," dedi. "Sen hangi bilgi küpünden bahsediyorsun? Ben olsam olsam sinir küpü olurum bu erkekler yüzünden. Ayrıca şunu unutma ki, erkekler kalın ciltli kitaplardan değil, çerez niyetine alıp okuyabilecekleri kitaplardan hoşlanırlar. Benim gibi ansiklopedik kadınlar sığ düşünceli erkeklere ağır gelir. Bu yüzden de bizi başlarının üstünde taşıyamıyorlar. Aslında bir yandan düşününce pek de haksız sayılmazlar. Çünkü içi boş bir kafanın üzerinde ağırlık taşındığı nerede görülmüş ki?"

"Sen çok yaşa teyze," dedim. "Acı dolu bir günün başlangıcında bile insanı hâlâ güldürebiliyorsun."

"Şimdi telefonu kapatıyorum," dedi teyzem. "Az önce hastaneden arayıp işe çağırdılar. Galiba yaralıları hastaneye sevk ediyorlarmış."

Telefonu kapatırken içim bir tuhaf oldu. O sırada telefon tekrar çaldı. "Alo," dedim ahizeyi kaldırıp kulağıma dayarken.

"Merhaba," dedi Tarık keyifsiz bir ses tonuyla. "Kusura bakma, kaç gündür seni arayamadım."

"Babanın öldüğünü duyduğum andan beri çok üzgünüm," dedim titreyen bir sesle. "Başın sağ olsun. Nasıl olmuş?"

"Teşekkür ederim canım," dedi Tarık. "Kalp krizi sonucu ölmüş."

"Sen nasılsın şimdi? Keşke yanında olup seni avutabilseydim."

"Bunu düşünmen bile büyük bir incelik. Ben de kendimi yeni yeni toparlamaya başladım. Biliyorsun, aslında babamla pek sık görüşmezdim. Onun ölümünden bu kadar etkileneceğim hiç aklıma gelmemişti doğrusu. Yine de insan, ne bileyim bir garip oluyor."

"Anlıyorum seni," dedim üzgün bir sesle. "Annen cenaze törenine katıldı mı peki?"

"Katılmadı. Nasıl katılsın ki? Geçmiş hayatında onu çok üzen bir adama hakkını nasıl helal etsin? Ölene kadar babamı affetmeyeceğini söyleyip duran bir kadın, sence onu son yolculuğuna uğurlamaya gelir mi?"

"Hayır, gelmez. Herhalde ben de onun yerinde olsam aynı şeyi yapardım."

"Daha önce seni arayamadığım için bana kızgın mısın?"

"Yarım saat öncesine kadar sana çok kızgındım. Sonra teyzemden acı gerçeği öğrenince, kızgınlığım yerini üzüntüye bıraktı. Babanın öldüğünü aklımın ucundan bile geçirmemiştim."

"Hem acımdan, hem de sağa sola koşuşturmaktan dolayı seni bir türlü arayamadım. Daha sonra seni aramak istedim; ama bu sefer de telefon fihristimi nereye koyduğumu bulamadım. Sen nasılsın? Biliyorum, çok kötü günlerden geçiyoruz. Teyzen söyleye söyleye en sonunda savaşı çıkarttı."

Yüzüme buruk bir gülümseme yayıldı. "Senden ayrı düşmek," dedim. "Savaşların en büyüğüymüş. Keşke şimdi yanımda olsaydın da ne bu savaştan, ne de ölümden korksaydım."

Tarık sustu. Uzaklara dalıp giden gözlerimle dışarıya baktım. Havada sabahtan beri yapış yapış varlığını hissettiren bir ağırlık vardı. Sanki yağmuru sırtında taşıyan rüzgârın nemli yorgunluğu tül perdenin arasından içeriye süzülüyordu. Ansızın şimşek çaktı. Sonra da gökyüzünü besleyen sırlara fısıldıyormuşçasına tatlı tatlı bir yağmur yağmaya başladı. "Seni seviyorum," dedi Tarık tatlı bir şekilde kulağıma fısıldayarak.

Birden içim ürperdi. "Ben de seni seviyorum. N'olur kendine çok dikkat et. Aklım sende kalmasın."

"Sen beni merak etme. Bırak da ben seni düşüneyim. Tekrar kavuşacağımız günü iple çekiyorum."

Gözyaşlarımı daha fazla tutamayıp ağlamaya başladım. "Benim için bir şey yapar mısın Tarık?" dedim.

"Söyle su perim."

"Her akşam saat tam onda, gitarınla bana Rodrigo'nun concierto de aranjuez parçasını çalar mısın?"

Tarık'ın ses tonunda merakla karışık bir şaşkınlık vardı. "Neden Rodrigo'nun concierto de aranjuez parçası da bir başkası değil?"

"O parçada seni buluyorum," dedim iç çekerken. "O parçada bizi buluyorum. Her akşam saat tam onda kulağım sende olacak. Bu zor zamanlarda her ne kadar birbirimizden ayrı düşsek de gitarınla bir ses gönder bana. Bileyim ki hayattasın ve hâlâ benim için nefes alıyorsun. Şimdi söz ver bana! Her akşam saat tam onda bu parçayı çalacaksın, tamam mı?"

ZOR ZAMANLAR

Nisan ayının ikinci haftasında kanlı savaş hızını arttırarak sürdürdü. Biyelyina'dan sonra Zvornik kenti de artık yok olmuştu. Bosna'nın kuzeydoğusunda bulunan Zvornik'e, Sırp ordusunun topçu birimleri tarafından birkaç gün boyunca bomba yağdırılmıştı. Stratejik konuma sahip bu küçük kent Sırplar için epeyce önemliydi. Çünkü bu kenti ele geçirmeleri bir ayaklarının Bosna'da olması anlamına geliyordu.

Sırbistan'dan Drina Nehri'yle ayrılan bu kentte ağırlıklı olarak Boşnaklar yaşıyordu. Günlerce atılan bombalar kenti hallaç pamuğuna çevirmiş, en sonunda da Boşnaklar teslim olmak zorunda kalmışlardı. Boşnak halkının icabına bakmaları için de Sırp paramiliter kuvvetler derhal bölgeye sevk edilmişti.

Arkan'ın Kaplanları'nın yanı sıra, aralarında Mirko Joviç önderliğindeki Beyaz Kartallar ve Şeşely'in Çetnikleri zaman kaybetmeden işe koyulmuşlardı. Bu paramiliter kuvvetler yıkılan evlere tek tek girmişler, korkularından kaçıp ormana saklanan Boşnakları bir bir ele geçirmişlerdi. Genç erkeklerin tümünü orada kurşuna dizmişler, daha sonra da kadınların ve genç kızların ırzına geçmişlerdi. Bölgeden canhıraş bir şekilde kaçmaya çalışan yaşlıların da, evlerinden hiçbir şey almalarına izin verilmemişti.

Televizyondaki korkunç görüntüler karşısında kanım donmuştu. Nerdeyse bayılacak gibiydim. Yürek paralayıp feryatlar koparan Boşnak kadınlarının sesleri hâlâ kulaklarımda çınlıyordu. Fikret enişteme baktım. Sırplara küfürler, lanetler yağdırıyordu. Sonra gözüm babama takıldı. Yüzüne garip bir durgunluk yayılmıştı. "Sırplar şimdi de etnik bir temizliğe başladılar baba," dedim buz gibi bir sesle. "Biz şimdi ne yapacağız?"

O sırada telefon çaldı. Edina ablam kalkıp telefona baktı. "Bir saniye," dedi. "Kendisini telefona çağırıyorum."

Ablam ahizeyi konsolun üzerine, aile fotoğrafımızın yanına koydu. "Suada," diye seslendi. "Telefon sanaymış. Erkek arkadaşın arıyor."

Annem Edina ablama anlamlı anlamlı baktı. "Bu kızın erkek arkadaşı da mı varmış?" diye sordu.

Babamın yanında yüzüm pancar gibi kızardı. "Sana ne anne?" dedi Edina ablam. "Yine ne karıştırıyorsun ortalığı? O genç bir kız artık."

Annem ablama ters ters baktı. "Kötü bir şey mi söyledim kızım? Sadece şaşırdım. Benim neden haberim yok?"

Ayşa ablam güldü. "Bundan da haberin olmayıversin be anne."

"Tamam," dedi babam sinirli sinirli. "Bu konuyu kapatın artık. Benim yanımda bir daha da böyle şeyler konuşmayın."

Utancımdan yerin dibine girmiştim. Telefonun ahizesini alıp alev alev yanan yanağıma dayadım. "Merhaba Tarık, nasılsın?"

Birden annemin sesi salonun içinde yankılandı: "Hele şükür, oğlan Müslümanmış."

Evdeki herkes bir anda kahkahayı bastı. "Ah anne!" dedi Edina ablam başını sallarken. "Sen yok musun sen."

O an gülmemek için kendimi zor tuttum. Tarık'ın sesi endişeliydi. "Az önce televizyondaki görüntüleri izledim," dedi. "Aklım hep sende. Zvornik hemen yanı başınızda. Sana da bir şey olacak diye ödüm kopuyor."

Kendi hislerimi bastırıp Tarık'ı yatıştırmaya çalıştım. "Bizi hiç merak etme. Biz burada gayet iyiyiz. Konservatuvardan ne haber? Açılmadı mı hâlâ?"

"Hayır, bence uzunca bir süre açılacağa da benzemiyor. Sana şimdi çok önemli bir şey söyleyeceğim."

Kalbim küt küt atmaya başladı. Derin bir nefes aldım.

"Bana hak vermelisin..." dedi Tarık tane tane konuşarak.

"Hangi konuda?" diye sözünü kestim.

"Önce bir dinle, sonra çok iyi düşün, dilersen o zaman yargıla beni. Ben Yeşil Berelilere gönüllü olarak katıldım."

"Neye katıldın?" diye sordum şaşkınlıkla.

"Yeşil Bereliler Birliği'ne katıldım. Bu birlik Sırplara karşı mücadele ediyor. Birliğin başında da Emin Şvrakiç var."

Aniden titremeye başladım. "Sen savaştan değil sanattan anlarsın," dedim. "Sen delirdin mi Tarık? Bu zamana kadar parmakların hep piyanonun tuşlarına bastı. O ince parmaklar bir silahın tetiğine hiç dokunmadı ki. Neden böyle bir işe kalkıştın?"

"Senin için," dedi bir çırpıda.

"Benim için mi?" dedim gözyaşlarımı içime akıtırken.

"Evet, bütün bunlar senin için."

"Bu yaptığını hiç de doğru bulmadım. Benim fikrimi almadan böyle bir işe kalkışmamalıydın. Sana bir şey olursa ben ne yaparım Tarık?"

Telefonda kısa bir sessizlik oldu. "Savaş bir oyun değil," dedim. "Sen oyun oynamak istiyorsan sana söyleyecek sözüm bitmiştir."

"Her şey yoluna girecek," dedi Tarık sakin bir sesle. "Hayatımızı sürekli Sırpların bize neler yapacakları korkusuyla geçiremeyiz. Savaşı artık görmezden gelemeyiz. Bu zamana kadar millet olarak uyuduk, bugünden sonra uyanıp ayağa kalkmamız gerekiyor. Aksi halde yarınlar bizim için yok artık. Ben aptal değilim, ben de biliyorum savaşın bir oyun olmadığını. Ben Sırplara karşı savaşmazsam o zaman ülkem için kim savaşacak, söyler misin bana?"

Sustum.

"Susma," diye haykırdı. "Söyle bana, Bosna için kim savaşacak?"

Tarık'ın sorusu karşısında allak bullak olmuştum. "Pekâlâ," dedim. "Mademki çok istiyorsun, Sırplara karşı savaş öyleyse. Elinizde yeterli silahınız bile yokken sen savaşmaya gidiyorsun."

Tarık ansızın güldü.

"Neden gülüyorsun?" dedim kızgın bir şekilde. "Deminden beri beni çıldırttığın yetmedi mi?"

"Kusura bakma," dedi hâlâ gülerken. "Seni çıldırtmak için gülmüyorum. Geçen gün belediye başkanı silah yapmamız için bize birtakım malzemeler verdi. Bir arkadaşımız da elindeki bu malzemelerden tüfek yaptı. Yaptığı tüfeği denerken de kazayla karısını bacağından vurdu."

Bir anda tüm sinirlerim boşalmıştı. Kendimi tutamayıp gülmeye başladım. "Desene," dedim. "Zavallı kadın hedef tahtası olmuş."

"Dur," dedi Tarık. "Sana anlatacaklarım henüz bitmedi. Elimizde çok az sayıda roket vardı; ama bu roketleri fırlatacak rampamız yoktu. Dün Sırplar tanklarla şehrin içine girmeye kalkışınca, Dedo lakaplı bir yeşil bereli, plastik borudan rampa yaptı. Roketi plastik borudan yaptığı rampanın içine koyup tanka doğru ateşledi. Roket önce tramvaya, sonra da tramvaydan sekip tanka çarptı. İkinci attığı roket de yine büyük bir şans eseri Sırp tankına isabet etti. O anda Sırpları görmeliydin. Tanklara hemen manevra yaptırdılar, şehrin dışına doğru kaçmaya başladılar. Zannettiler ki elimizde dünya kadar cephane var."

"İnanmıyorum sana," dedim şaşkınlıkla. "Gerçekten böyle mi oldu?"

"Sana yemin ederim aynen böyle oldu."

İçime yine bir hüzün çöktü. "Peki," dedim. "Sırpların elinde çok silah var mı?"

"Ne yazık ki," dedi Tarık buruk bir sesle. "Bosna'daki Sırp ordusunun elinde üç yüz tank, iki yüz zırhlı personel taşıyıcısı, sekiz yüz ağır silah parçası ve kırk tane de uçak varmış."

"Bunlar çok korkunç sayılar, sence de öyle değil mi?"

"Evet, maalesef öyle. Boşnakların elinde ise topu topu iki tank, iki de zırhlı personel taşıyıcı var. Silah ambargosunun bir an önce kalkması lazım. Yoksa bu ambargo Boşnakların sonunu getirecek."

"Dikkat et," dedim. "N'olur, kendine çok dikkat et."

"Şimdi kapatmam gerekiyor," dedi Tarık. "Sonra yine görüşürüz. Her akşam saat tam onda kulağın bende olsun. Bilesin ki sana verdiğim sözü o günden beri tutuyorum."

"Sen de bilesin ki," dedim. "Ben de seni her akşam o saatte can kulağıyla dinliyorum."

***

Milyevina'ya geleli tam bir ay olmuştu. O sabah kan ter içinde uyandım. Gördüğüm kâbus beni dehşet içinde bırakmıştı. Hemen aşağı kata indim, televizyonu açtım.

"Yüzün neden solgun?" diye sordu annem.

"Bir kâbus gördüm," dedim. "Kesik başlı atıyla bir kadın, Drina Nehri'nin üzerinde çığlık atarak bana doğru geliyordu."

Annem zeytin karası gözleriyle bana baktı. "Allah hayır etsin."

"Bir saniye," dedim telaşlı telaşlı. "Galiba yine bir şeyler olmuş anne."

Televizyondaki haberlere dikkat kesildim. Haberleri sunan spikerin yüzünde şaşkın bir ifade belirdi. "Sevgili seyirciler," dedi derinden sarsılarak. "Stüdyodaki arkadaşlarım beni kulaklıktan uyarıyor. Sayın Cumhurbaşkanımız telefon hattımızdaymış. Sayın İzzetbegoviç iyi günler."

"İyi günler," dedi İzzetbegoviç sakin bir sesle.

"Efendim, Lizbon'daki görüşmeleriniz hakkındaki sorularıma geçmeden önce, izninizle size farklı konuda bir soru sormak istiyorum. Uçağınız dün Lizbon'dan havalandı. Hiç kimse şu anda nerede olduğunuzu bilmiyor. Siz şu anda tam olarak neredesiniz?"

"Lukavitsa'dayım," dedi İzzetbegoviç.

İzzetbegoviç'in bu sözleri spikerin göğsüne bir hançer gibi saplandı. Anneme baktım, o da benim gibi nefesini tutmuştu âdeta. Bosna'da yaşayan herkes bilirdi ki, Lukavitsa'da Sırpların en önemli savaş karargâhlarından biri bulunuyordu.

"Lukavitsa'da ne yaptığınızı sorabilir miyim?" diye sordu spiker bocalayarak.

"Kaçırıldım," dedi İzzetbegoviç. "Bu telefonu da size tüm güçlüklere rağmen havaalanı müdürünün odasından açıyorum. Ne yazık ki müdür beyi ikna etmem hiç de kolay olmadı."

"Kaçırıldınız mı? Ama bu nasıl olur efendim?"

"Evet, kaçırıldık. Lizbon'dan dönen uçağımız Saraybosna'ya indiğinde maalesef esir alındık. Benimle birlikte Zlatko Lagumciya ve Sabina Berberoviç de tutsak edildi."

İzzetbegoviç'e neler olduğunu herkes yavaş yavaş öğrenmeye başlamıştı. "Efendim," dedi spiker şaşkınlığını üzerinden atarke, "şu anda sağlık durumunuz nasıl?"

"Allah'a şükür iyiyiz. Özgürlüğe kavuşana kadar, sizin aracılığınızla bütün yetkilerimi yardımcım Eyüp Ganiç'e devrettiğimi duyuruyorum," dedi İzzetbegoviç.

O sırada babam içeri girdi. "Gel Emin Bey," dedi annem heyecanlı bir şekilde konuşarak. "Cumhurbaşkanı İzzetbegoviç'i kaçırmışlar."

Babam şaşkınlıktan âdeta küçük dilini yutmuştu. Ne söyleyeceğini bilemiyordu. Birden telefon çaldı. Koşup telefona baktım. "Duydun mu İzzetbegoviç'in başına gelenleri?" dedi teyzem bir çırpıda.

"Evet," dedim ağlamaklı bir sesle. "Şimdi ne olacak teyze?"

"Açık söylemek gerekirse," dedi teyzem. "Aliya İzzetbegoviç'in durumu beni hiç ilgilendirmiyor. Şimdi hastanede konuşurlarken duydum. İzzetbegoviç ve yanındakiler bir değiş tokuşta rehin olarak kullanılacaklarmış."

"Kiminle değiş tokuş edileceklermiş?"

"İskenderiye Meydanı'nda Yugoslavya Halk Ordusu ile Yeşil Bereliler arasında dünden beri kanlı çatışmalar sürüyor. Boşnak güçleri, Sırp komutanı Kukanyats'ın ve kumandasındaki askerlerin etrafını âdeta Çin Seddi gibi etten bir duvarla ördüler. Sırplar İzzetbegoviç ve diğerlerinin karşılığında komutan Kukanyats ile Sırp askerlerinin değiş tokuşunu önereceklermiş. Bu değiş tokuş işini de MacKenzie yapacakmış."

"MacKenzie de kim?"

"General Lewis MacKenzie Bosna'daki Birleşmiş Milletler'in Kanadalı komutanıdır."

"İyi bir insan mı bari?"

"Ne bileyim," dedi teyzem. "Sonuçta o da bir Hıristiyan. Elbette dindaşlarının yanında olma gereğini hissediyor ki, Bosna'ya uygulanan silah ambargosunu kaldırtmıyor."

"Peki, sen nasılsın teyze?"

"Bu savaş ortamında nasıl olayım sence? Savaşla büyümedik ki savaşa alışık olalım. Hayatımda ilk kez yardım kuyruğuna girip başkalarına el açtım. O anda ne kadar çok utandığımı sana anlatamam Suada. Keşke yer yarılsaydı da yerin dibine girseydim. İlk defa kendimi bir dilenci gibi hissettim. Birilerinin artıklarıyla geçinmeye çalışmak çok ağırıma gitti..."

Birden teyzemin boğazı düğümlendi. Hüngür hüngür ağlamaya başladı. "Ağlama," dedim ben de ağlarken. "Ne olursun ağlama teyze. Elbet bu günler de gelip geçecektir."

Teyzem içini çekti. "Biz bu hallere düşecek insanlar mıydık?" diye sordu. "Saraybosna'da şu anda yaşayan Hırvatlara Karitas, Sırplara Dobrotvor ve biz Boşnaklara da Merhamet adlı yardım kuruluşları aracılığıyla birtakım yardımlar yapılıyor. Tabii ki bir de Kızılhaç var. Ama bu yardımlara rağmen Saraybosna'da her şey ateş pahası olmuş. Yugoslav Dinarı tedavülden kalktı. Şimdilerde dinarın yerini Alman Markı aldı. Bir kilo kahve seksen, bir kilo şeker altmış, bir kilo süt kırk, bir kilo patates elli Alman Markından satılıyor."

"Büyük bir rezalet," diye haykırdım. "Televizyondaki haberlerden durumların pek iyi olmadığını duymuştum. Ama bu kadar korkunç olduğunu bilmiyordum. Sen bu durumda ne yiyip içiyorsun teyze? Paran var mı?"

"Bütün paramı bankaya yatırmıştım," dedi teyzem. "Artık o paralar da hiç oldu gitti. Elimde kala kala birkaç yüz Alman Markı kaldı."

"Üzülme," dedim. "Nasıl olsa maaşın var."

Teyzem acı acı güldü. "Maaş mı? Artık o da yok."

"Nasıl?" diye sordum şaşkınlıkla.

"Yok işte," dedi. "Ortada maaşları ödeyecek devlet mi kaldı? Ortada devlet kalmayınca, maaşlar da hiç oldu gitti."

"Maaş almadan mı çalışıyorsunuz?" dedim buz gibi bir ses tonuyla.

"Evet," dedi teyzem bir çırpıda. "Hatta Boşnak askerlere bile maaş yerine ayda otuz paket sigara vereceklermiş."

Düşüncelerim altüst olmuştu. "Nasıl yani?" diye sorabildim.

"Saraybosna'da savaş başladığı günden beri işyerleri ve fabrikalar tek tek kapandı. Paniğe kapılan insanlar da mecbur kalıp her yeri yağmaladılar. Saraybosna'da bir tek kapanmayan sigara fabrikası oldu. Bugünlerde her şey karaborsaya düştü. Satın aldığın bir şeyin parasını ya Alman Markıyla ya da sigara paketiyle ödüyorsun."

Şaşkınlıktan ağzım bir karış açık kalmıştı. "Sana ilginç bir şey daha söyleyeyim mi?" dedi teyzem. "Sigara fabrikası kâğıt yokluğunda her türlü atık malzemeyi değerlendiriyor. Sigara paketinin kâğıt ambalajı tuvalet kâğıdından olduğu gibi, bir gazetenin haber sayfalarından da olabiliyor. İnanır mısın, şu anda içtiğim sigaranın tütünü, birilerinin ölümünü haber olarak veren bir gazetenin kâğıdıyla sarılmış."

"Sen ne zamandan beri sigara içmeye başladın?" diye sordum.

Teyzemin sesi titredi. "Artık önümde çok uzun yıllar yok. Bu yüzden de bütün zamanımı sağlıksız olan şeylere adamak istiyorum."

"Öyle konuşma," dedim ağlamaklı bir sesle. "Savaş bir gün bitecek ve sen çok uzun yaşayacaksın."

"Hiç sanmıyorum," dedi teyzem içindeki hayal kırıklığını sesinin tonuna yansıtırken. "Her gün binalardan kopan cam kırıkları âdeta kristal bir şelale gibi başımıza dökülüyor. Binalara isabet eden yüz yirmi milimetrelik bombalar, binaların cephesinde sanki bir taş kabartma şekillendirmiş gibi insanın gözüne görünüyor. Pencere camlarının parçalarını birbirine tutturarak birleştiren bej renkli ambalaj bantları, Saraybosna'nın içler acısı halini, sokaklara saçılmış cam kırıklarından daha iyi anlatıyor insanlara. Tabii ki bir de *Pazi Sniper*[26] levhalarını unutmamak gerekiyor."

Teyzemin sözleri içimi parçaladı. "Bilmiyorum," dedim çatallaşan bir sesle. "Ben insanların *nasıl bu kadar vahşi olabildiklerini* ya da onları bu noktaya getiren sebepleri düşündüğüm zaman neyin doğru, neyin yanlış olduğunu bilmiyo-

26 Keskin nişancıya dikkat et!

rum. Savaş çığırtkanı Sırpları geçmişte de anlamadım, yarın da anlamayacağım."

Teyzem acı acı güldü. "Ben de," dedi. "Şu Yahudi milletini anlamayacağım."

Birden donup kaldım. "Yahudi milleti mi?" diye sordum şaşkınlıkla. "Yahudilerle alıp vermediğin ne senin teyze?"

"Sırplar şehrin şebeke sularını ve elektriklerini kesmeye başladılar. Bugünlerde en büyük sorunlarımızdan biri susuz kalmamız. Su tankerleri sokak sokak dolaşıp su dağıtıyor. Yüzlerce insan ellerindeki plastik bidonlarla su kuyrukları oluşturuyor..."

"Eee," dedim teyzemin konuşmasını keserek. "Su kuyruklarının Yahudilerle ne alakası var?"

"Hastaneye dün bir Yahudi geldi," dedi teyzem. "Saraybosna'ya soktuğu su arıtma cihazıyla, Milyatska Nehri'nin suyunu arıtarak para karşılığı insanlara satıyordu. Başka kimin aklına gelir, Milyatska Nehri'nin suyunu arıtıp savaş mağduru insanlara satmak?"

Kendimi daha fazla tutamayıp sinirimden güldüm. "Ancak bir Yahudinin aklına gelir," dedim. "Başka da kimsenin aklına gelmez."

Teyzem de güldü. Morali biraz da olsa yerine gelmişti. "Dur," dedi. "Sana bir savaş fıkrası anlatayım mı? Bugünlerde ne de olsa savaş fıkraları moda oldu."

"Anlat," dedim acınacak halimize gülerken.

"Muyo," dedi teyzem. "Sipere yatmış bekliyormuş. Karşı siperde de Sırp askeri varmış. Sırp askeri Muyo'ya seslenmiş: 'Ulan Muyo! Saraybosna'da sular kesik. Bir Müslüman olarak sen kıçını neyle yıkıyorsun?' Muyo karşı siperdeki Sırp askere seslenmiş: 'Sen hiç merak etme beni. Ben kıçımı artık suyla değil Knez Miloş'la yıkıyorum.' Sırp askeri siperde öylece kalakalmış. Muyo'ya tek bir söz bile söyleyememiş."

Gülmekten gözlerimden yaşlar akıyordu. "Knez Miloş'la mı? Muyo kıçını Sırp bir kahramanın adını verdikleri maden suyla mı yıkıyormuş?" dedim.

"Evet," dedi teyzem hâlâ gülerken. "Evdekiler nasıl?"

"Biz şimdilik iyiyiz. Ayşa ablam ne yazık ki dükkânı kapattı."

"Neden?"

"Senin de söylediğin gibi her şey ateş pahası olmuş. Bu ortamda malzeme bulmak kolay değil."

"Doğru ya. Bugünlerde bir çuval un servet değerindedir. Çok üzüldü mü bari?"

"Hem de çok fazla üzüldü. Kaç gündür odasına kapanmış hüngür hüngür ağlıyor."

"Manyak mı o da?" dedi teyzem. "Her gün Saraybosna'da onlarca insan sadece keskin nişancılar tarafından avlanarak öldürülüyor. Yakında Foça'ya da saldıracaklar. Taş üstünde taş bırakmayacaklar."

Yüreğim ağzıma geldi. "Sen ciddi misin teyze?" diye sordum. "Foça hemen şurası. Foça'ya saldırdıkları gün buraya da saldırırlar."

Teyzem kırdığı potun farkına varmıştı. "Öyle söylemek istemedim," dedi bocalayarak. "Sen hiç merak etme. Evvelallah Foça kenti Sırpların eline düşmeyecek. Şimdi kapatmam gerekiyor. Henüz kahvaltımı yapmadım."

"Tamam," dedim soğuk bir sesle. "Yiyecek bir şeylerin var mı bari?"

"Amerika sağ olsun," dedi teyzem alaycı bir sesle. "Vietnam savaşından kalma bisküvileri buraya göndermişler."

"Benimle dalga mı geçiyorsun?"

"Hayır, seninle dalga geçmiyorum. Neredeyse yirmi beş yıllık bayat bisküvileri yardım adı altında bize kakalamışlar."

"Siz de o bayat bisküvileri sokaktaki aç hayvanlara verin," dedim sinirli sinirli.

"Hayvanlar da bir can taşıyor," dedi teyzem. "Ben yemediğim şeyleri onların önüne nasıl koyarım?"

O anda ne diyeceğimi bilemedim. "Haklısın teyze," dedim ve daha sonra da onu çok sevdiğimi söyleyerek telefonu usulca kapatıverdim.

ÖLÜM TOPLARI

Her gün bir öncekinden daha zorlu olduğu halde, her an güzel günlerin beklentisi içinde yaşamak çok güçtü. Bosna'da hayatın normale dönmesini beklemekten başka elden hiçbir şey gelmiyordu... Radyolar, televizyon kanalları ve gazeteler hiç durmadan savaştan söz ediyordu. Çarşaf çarşaf ölüm listeleri yayımlıyorlardı.

Saraybosna'ya su ve elektrik akımının girişi Sırplar tarafından tamamen engellenmiş, savaş mağduru Boşnaklar yakacak bir tane bile mum bulamadıkları için yağ kandilleri yapmışlardı. Sırp General Ratko Mladiç önderliğindeki Sırp ordusu, Sırplara ait olmayan her şeyi yerle bir ediyor ve Sırp olmayan herkesi öldürüyordu. Mitralyöz ateşiyle öldürülen insanların, zavallı masum çocukların görüntüleri ise son derece korkunçtu.

CNN'nin savaş muhabiri Christiane Amanpour da leş kargası gibi dadanmıştı Bosna'ya. Her gün Sırplar tarafından katledilen Boşnakların evlerinin önünde çekimler yapıyor, yaşadığımız trajediyi ballandıra ballandıra seyircilerine aktarıyordu.

Evet... Bosna'da başa çıkılması güç sorunlar vardı. Sanki ölüm Boşnaklara kurtuluş gibi gelmeye başlamıştı; ama Sırplar Boşnaklar için ölümü bile zorlaştırmıştı. Boşnak erkeklerini öldürmeden önce çeşitli işkencelere tabi tutuyorlar, gözlerinin önlerinde kadınlarına tecavüz ediyorlardı. Kimi zaman da bir tabancayı esir Boşnakların ellerine tutuşturup zorla Rus ruleti oynatıyorlardı.

Evet... Bosna'da başa çıkılması güç sorunlar vardı. Yiyecek yoktu. Kızılhaç'ın ve birtakım yardım kuruluşlarının artıklarıyla geçinmeye çalışıyorduk. İfeta teyzem çok haklıydı. İlk kez yardım kuyruğuna girdiğimde, ben de kendimi bir dilenci gibi hissetmiştim. Keşke o anda yer yarılsaydı da yerin dibine girseydim. Yardım paketlerinin içinde un, pirinç, azıcık sıvı yağ, kara bir makarna, yeşil mercimek ve tuzlu mu tuzlu feta peyniri vardı...

***

O sabah yine televizyonun karşısına oturmuş, âdeta taş kesilmiş gibi savaş haberlerini izliyordum. İçimde hiçbir duygu kalmamıştı. Ayşa ablam bir fincan kahveyle odaya girdi. "İç şunu," dedi.

Kahveden bir yudum aldım. "Bu da ne?" diye sordum yüzümü ekşiterek.

Ablam acı acı güldü. "Yeni Boşnak kahvesi," dedi. "Yoksa tadını beğenmedin mi?"

"İğrenç," dedim. "Ekşimsi bir tadı var. Bu kahveyi nerden buldun abla?"

"Yeşil mercimekten kendim yaptım."

Ablama hayretler içinde baktım. "Sen benimle dalga mı geçiyorsun?"

"Hayır. Gerçekten de içtiğin kahveyi mercimekten yaptım."

Güldüm. "Sen kendini aşmışsın be abla," dedim. "Pekâlâ, başka mutfak buluşların var mı?"

"Var," dedi ablam. "Şimdi dışarı çıkıyorsun. Biraz ısırgan otu toplayıp geliyorsun."

"Isırgan otu mu?" dedim şaşkınlıkla. "Isırgan otuyla ne yapacaksın?"

"Isırgan otunu biraz pirinçle karıştırıp ıspanaklı pita yapacağım."

"Ya benim canım peynirli pita isterse o zaman ne yapacaksın?"

"Onun da çaresini buldum," dedi. "Pirince biraz su ilave ettikten sonra, pirinci pakmayayla yoğuruyorsun. Sonra da yufkaya sarıyorsun. Al işte sana yalancı peynir pitası."

O sırada telefon çaldı. Hemen koşarak telefonun ahizesini kaldırdım. "Alo," dedim.

"Nasılsın Suada?" diye sordu teyzem.

"Şimdilik iyiyiz teyzeciğim," dedim. "Sahtekâr Ayşa ablamla oturmuş laflıyorduk."

"Sahtekâr mı?" dedi bocalayarak. "Ayşa mı sahtekârmış?"

"Evet," dedim gülerken. "Yeşil mercimekten sahte kahve, pirinç ve pakmayadan yalancı peynir pitası, ısırgan otundan da ıspanaklı pita yapmayı öğrenmiş..."

Ayşa ablam lafımı kesti. "Ekmek kırıntılarından köfte yaptığımı da söyle teyzeme," diye seslendi.

"Ablamın söylediklerini duydun mu teyze?"

"Duydum," dedi. "Ne yazık ki savaş koşulları yaratıcılığı da beraberinde getiriyor. Hatta geçen gün biz de üzerine bomba düşmüş bir arabanın aküsünü çıkarıp radyomuza bağladık. Senin de malumun olduğu üzere Saraybosna'da çoğu bölgelerde elektrikler kesik. Artık televizyon izleyemiyoruz. Bosna'da olup bitenleri ancak radyolardan öğrenebiliyoruz. Bakalım telefon hatlarını ne zaman kesecekler?"

"Şimdilik burada elektrikler kesik değil. Orada son durumlar nasıl teyze?"

"Sırplar Grbavitsa'yı ele geçirdiler," dedi bir çırpıda.

"Ne? Evimize ne oldu peki?"

"Artık evimiz yok," dedi teyzem çatallaşan bir ses tonuyla. "Grbavitsa'dan kaçanlar canlarını kurtardı, kaçamayanlar ise Sırpların eline esir düştü."

"Ya sen?" dedim korkuyla. "Sen nasıl kaçabildin?"

"Savaş başladığı günden beri doğru düzgün eve gidemiyorum ki," dedi. "Grbavitsa'yı ele geçirdikleri gün yine hastanedeydim."

"Şimdi nerde kalıyorsun?"

"Hastane her gün yaralı insanlarla dolup taşıyor. Her an, her saniye onların başındayız. Ayrıca..."

"Ayrıca ne?" dedim teyzemin lafını bölerek.

"Radovan Karaciç, Koşevo Hastanesi'nin psikiyatri kliniğinde tam on üç yıl çalıştı. Bugünlerde ona köpeklik yapan

General Ratko Mladiç'e güya talimat vermiş. O da hastaneyi havan topu ateşiyle yerle bir edecekmiş."

Yüreğim ağzıma geldi. "Bu adam nasıl nankör biriymiş. İnsan on üç yıl ekmek yediği bir yere böyle mi teşekkür eder?"

"O şerefsizin sütü bozuk," dedi teyzem. "O dönemde Karaciç'in amiri Doktor İsmet Kerim'di. Meğerse o günden beri yarası varmış."

"Kendine çok dikkat et teyze," dedim. "İnşallah böyle bir delilik yapmazlar."

"İnşallah," dedi teyzem. "Zaten yapsalar da onlara karşı koyacak gücümüz ne yazık ki yok."

"Yine de kendine dikkat et."

"Ederim canım," dedi teyzem. "Siz nasılsınız?"

"Biz gayet iyiyiz," diye yalan söyledim.

"Sizi sonra tekrar arayacağım," dedi teyzem heyecanlı heyecanlı. "Telefonu şimdi kapatıyorum. Galiba yeni yaralıları getiriyorlar."

Telefon çat diye suratıma kapandı. "Ne oldu?" dedi Ayşa ablam korku dolu gözlerle bakarken.

"Sırplar Grbavitsa'yı ele geçirmişler," dedim. "Saraybosna'da artık bir evimiz yok."

Ablam allak bullak oldu. Ansızın telefon çaldı. Ahizeyi kaldırıp kulağıma dayadım. "Alo," dedim.

"Benim canım," dedi Tarık yorgun bir ses tonuyla.

Sinirlerim boşalmıştı, birden ağlamaya başladım. "Allah'ın yardımı ne zaman gelecek?" diye sordum Tarık'a.

Tarık beni yatıştırmaya çalıştı. "Ne olur ağlama," dedi.

"Sırplar Grbavitsa'yı da işgal etmiş."

"Biliyorum," dedi sakin sakin konuşarak. "İnşallah en yakın zamanda Sırplardan Grbavitsa'yı geri alacağız."

"Bu savaşa katlanmak gerçekten de çok zor. Bu savaş çabucak bitsin diye her gün Allah'a dua ediyorum. Şu anda yanımda olmana o kadar çok ihtiyacım var ki. Her çalan telefonda yüreğim ağzıma geliyor. Senin ve teyzemin başına kötü şeyler gelmesinden çok korkuyorum."

"Evvelallah bize hiçbir şey olmayacak," dedi Tarık tatlı tatlı konuşarak. "Eğer bizi yanında görmek istiyorsan yüreğinin sesini dinle. Çünkü biz orada saklı olacağız."

Heyecandan sesim titremeye başladı. "Zaten seni yüreğimde eritmişim," dedim.

"Her gün seni düşünüyorum," dedi Tarık duygu dolu bir sesle. "Benim olman için bana hangi iyi talih çarptı bilmiyorum. Sadece bir bakışın yetti bana. O gün o küçük odada bizim için aşkın çarkları dönmeye başlamıştı. Sana söz veriyorum aşkım. Her anımı, her saniyemi sana kavuşmak için harcayacağım."

"Ben de seni bekleyeceğim," dedim ağlarken. "Seni beklerken de hasretinle yanan dudaklarımın arasından senin yüreğine kendi yaşam özümden üfleyeceğim."

"O zaman dinle," dedi Tarık ve sonra da şu sözleri kulağıma tatlı tatlı mırıldandı:

Alev renkli saçların yüreğimi titretiyor
Ela gözlerindeki yeşil hareler başımı döndürüyor

Biliyorum
Aşkımız bugünlerde karanlığa mahkûm bir prenses gibi
Ama varsın olsun
Günü geldiği vakit sevgilim
Orada olacağım
Sen de oradaysan şayet
Senin için yaşamaya devam edeceğim
Geçen zaman içinde her şeyimi kaybedebilirim
Ama seni asla kaybetmeyeceğim
Çünkü aşkımız
Aşkların en doğrusu
Aşkların en güzeli...

Telefon ansızın 'pat' diye kesildi. Tarık yanımdan aniden kayboluvermişti sanki. Tekrar ağlamaya başladım. "Yine n'oldu?" diye sordu Ayşa ablam. "Neden ağlıyorsun?"

"Hiç," dedim gözyaşlarımı elimin tersiyle silerken. "Kendimi şöyle yere uzatıp bedenimi toprağın içine bırakıvermek ve orada sönüp gitmek istiyorum."

Ablam elini omzuma attı, yanaklarımdan öptü. "Böyle karamsar şeyler konuşma," dedi. "Elbet bir gün güzel günler tekrar gelecek."

"Ya o günleri biz göremezsek, ne olacak abla?"

"Deli olma. Bu yaşta ölüm bize yakışmaz."

O sırada kapı zili çaldı. Ayşa ablam koşup kapıyı açtı. Edina ablam ve Fikret Eniştem soluk soluğa içeri girdiler. "Hemen televizyonu açın," dedi Edina ablam.

Ayşa ablam az önce kapattığı televizyonu yeniden açtı. "Ne oldu?" diye sordum dudaklarım titrerken.

O anda Fikret eniştemin solgun yüzündeki kederi gördüm. Donuk bakışlarımı televizyona çevirdiğimde şoka girdim. Saraybosna, savaşın başlangıcından beri gerçekleştirilen en ağır topçu bombardımanlarından birini yaşıyordu. "Bunlar Allahsız," dedi Fikret eniştem bas bas bağırırken.

Edina ablam çığlık atarak ayağa fırladı. "Bakın," dedi. "Sırp köpekleri Koşevo Hastanesi'ni de bombalıyorlar. Teyzem... Acaba teyzeme bir şey oldu mu?"

O anda kanım çekildi, sonra da donup kaldım âdeta. İfeta teyzemin bana söylediği sözler birden kulaklarımda çınladı: "Bugünlerde Bosna'ya sokulan o toplar yakında ölüm kusacak üzerimize."

Konuşmak tehlikeli...
Susmak günahtır...

İNCİR KUŞLARI

Milyevina, Ağustos 1992

Büyük, gölgeli bir incir ağacıyla çevrilmiş bahçede, yemyeşil çimenlerin üzerinde oturuyordum. Ağustos ayının sıcak güneşiyle birlikte yavaş yavaş olgunlaşmaya başlayan incirler ağacın her bir dalında hafif hafif sallanıyordu. İncir ağacının üstünde açık kahve renkli, narin bedenli, küçücük başlı, siyah gözlü bir kuş gördüm. Küçük midesini gagasıyla kopardığı taze incirle doyuruyordu.

Sonra sabit bakışlarla derin düşüncelere daldım. Gözlerim doldu ansızın. Rahmetli İfeta teyzemin beni küçük bir çocukken, leyleklerin göçünü seyretmem için elimden tutup Trebeviç Tepesi'ne götürdüğü günü hatırladım.

Aylar önce, yalnızca altı saatlik bir zaman dilimi içinde, Saraybosna'ya atılan sekiz yüzden fazla top mermisi ve roketlerden birkaç tanesi ne yazık ki Koşevo Hastanesi'ne de isabet etmişti. Koşevo Hastanesi'nin Travmatoloji Servisi'ne düşen yüz yirmi milimetrelik havan topunun ölüm saçıcı parçaları teyzemi çok genç bir yaşta bizden alıp götürmüştü. Teyzem her zamanki gibi yine yanılmamıştı. Bosna'ya sokulan o toplar günü gelip ateşlendiğinde Boşnakların üzerine ölüm kusmuştu. Ne acı ki, dostları onu son yolculuğuna uğurlarken hiçbirimiz yanında olamamıştık. Kim bilir mezarı nerededir şimdi?

O uğursuz günde sadece teyzemi kaybetmemiştim. Sevdiklerimizden de bir haber alamıyorduk artık. Saraybosna'yla telefon bağlantılarımız tamamen kesilmişti. Ne Tarık beni arayabiliyordu, ne de ben onu. Tarık için endişelenmeden geçirdiğim bir dakikam bile yoktu. Elimden dua etmekten başka bir şey gelmiyordu. Bu yüzden son derece üzüntülüydüm. Tarık'ın yaşayıp yaşamadığından bile habersizdim. Ama ben her akşam saat tam onda, onun bana çaldığı müziği patlayan bombaların korkunç gürültüleri arasında duymaya çalışıyordum.

Çektiğimiz bu acılara dünyanın seyirci kalması beni en çok şaşırtan şeydi. Bu asla normal bir durum değildi. Beni hayretler içinde bırakan bir diğer şey de, birtakım zavallı insanların televizyon kanallarına çıkıp, "Bunlar neden başımıza geliyor?"diye sormalarıydı. Şapşallar savaşın gerçeklerini nasıl olur da hâlâ görmezden gelebiliyorlardı?

11 Haziran kurban bayramının ilk günüydü. Hayatımızda ilk defa bayramda kurban kesmedik. Daha doğrusu kesemedik, çünkü kurban alacak ne paramız vardı, ne de neşe-

miz... O gün Ayşa ablam salonun bir köşesinde, bense diğer bir köşesinde oturmuş saatlerce hüngür hüngür ağlamıştık.

Bugünlerde de yaşantımızda değişen pek bir şey yoktu. Günlerimiz televizyondaki savaş haberlerini izlemekle geçiyor, sıranın bize gelmesinden endişeleniyorduk. Artık çoğu zaman ölülerimizi bile saymıyorduk. Boşnak halkı olarak savaşta ölenlerimizin arkasından ağlamıyorduk. Savaş buydu demek ki! Anormal olan şeyleri nasıl da normalmiş gibi görmeye başlamıştık. Kendimizle, savaşla, kısacası her şeyle alay ediyorduk. Her şey yolundaymış gibi olaylara mizahi bir gözle bakıyor, âdeta başka bir direniş sergiliyorduk. Yaşananlar sanki savaş değil de bir masal gibiydi. Direnişin 'bin bir geceye' sığdırıldığı bir masal. Kadınlar her gün makyaj yapıyor, erkekler ise yolunda gitmeyen her şey için fıkralar uyduruyorlardı. Her yerde, her şeyde gizli bir direnişimiz vardı...

Kapı komşumuz Zineta ablanın sesiyle daldığım düşüncelerden uyandım. "Mutfağa gelsene," diye seslendi. "Bir yerlerden biraz kahve bulduk. Şöyle güzel bir kahve yap da içelim."

Yeşil çimenlerin üzerinden ayağa kalktım, eve doğru yürümeye başladım. "Haydi çocuklar," diye bağırdı Zineta abla. "Ağaçtan biraz incir toplayın da taze taze yiyelim."

Zineta abla otuz beş yaşlarında, dost canlısı, yardımsever ve neşeli bir kadındı. İki oğlu vardı. Emin on iki, Edin de dokuz yaşlarındaydı. "Tamam anne," dedi Edin. "İncirleri koymak için bize bir torba verecek misin?"

"İncir ağacının altında torba olacaktı," dedi Zineta abla.

Kahve kutusunu elime aldım, kapağını açtım. Sonra da burnuma götürüp kokusunu içime çektim. "Gerçek kahvenin kokusunu özlemişim," dedim.

"Durmo dün akşam düğüne gitmişti," dedi Zineta abla. "Ordan getirmiş."

"Düğün kiminmiş abla?"

"Arada sırada görüştüğü bir arkadaşınınmış. Doğrusu ben arkadaşını tanımıyorum, tanımadığım için de düğüne gitmedim zaten."

"Bu zamanda evlenmek para ister. Parayı nerden bulmuşlar acaba?"

Zineta abla kahkahayı bastı. "Ne parası kız," dedi. "Oğlan tarafı gelinin ailesine üç paket sigara, yarım kilo da feta peyniri vermiş."

"Gerçekten mi?" diye sordum şaşkınlıkla.

"Evet, doğru söylüyorum. Şayet bu savaşın sonunu görürsem Suada, evime bir daha ne tuzlu feta peyniri, ne de bir Sırp sokacağım. İkisinden de nefret ediyorum artık."

İfeta teyzemin ölümünden sonra yüzüm ilk kez gülmüştü. "Çok âlemsin Zineta abla," dedim.

"Dur," dedi gülerek. "Sen kahveyi pişirirken ben de sana bir fıkra anlatayım. Malum ya, bu aralar her tarafımızdan komik fıkralar fışkırıyor maşallah. Muyo ölmüş. Karısı Fata kocasının mezarını ziyaret etmiş. 'Ah Muyo!' demiş. 'Şayet beni bu dünyada başka kadınlarla aldattıysan aldattığın kadar mezarında ters dönersin inşallah.' Derken bir gün Fata da ölmüş. Meleklerin huzuruna çıkınca büyük bir merakla sormuş: 'Kocam Muyo nerede?' Melek gülerek Fata'ya bakmış ve demiş ki: 'Bak Muyo şurada! O artık bir vantilatör olmuş!' Nasıl fıkrayı komik buldun mu Suada?"

"Evet," dediğim sırada kulağımı bir çınlama, keskin bir uğultu kapladı. Mutfak penceresinin camı tuzla buz oldu. Pencereden dışarı baktım. İncir ağacının ortadan ikiye yarıldığını gördüm. Zineta abla çığlıklar atarak sesin geldiği yöne doğru koştu. Ardından ben de koştum. Ortalık toz duman ve barut kokuları içindeydi. Neredeyse göz gözü görmüyordu. Zineta abla tozun dumanın arasında kayboldu birden. Bir süre sonra toz duman dağılınca, kaskatı kesilmiş bedenimi hiç kıpırdatamadan, etrafımda olup bitenlere donuk gözlerimle bakıyordum. İki masum çocuk, incir ağacının üstünde can vermişlerdi. Vücutlarından kopan parçalar, incir ağacının her bir dalında yaylanarak sallanıyordu.

Korkunç manzara karşısında şoka girmiştim. Dev bir buz kütlesi gibiydim. Her nedense bir türlü çözülemiyordum. Ansızın Zineta abla gözümün önünde belirdi. Simsiyah saçları birdenbire ağarmış, yaşadığı kederden dolayı ağzı yamulmuştu. İnanılmaz bir soğukkanlılıkla, çocuklarının bedenlerinden koparak incir ağacının dallarına yapışan parçaları ve kuşların cansız bedenlerini tek tek elleriyle topluyor, siyah bir torbaya koyuyordu. "Sen delirdin mi be kadın?" dedi olay yerine koşup gelenlerden biri ağlayarak. "Cansız kuşları neden topluyorsun?"

Zineta abla kısa bir süre boş gözlerle kadına baktı. Sonra elinde tuttuğu cansız kuşu da siyah torbanın içine koydu.

"Öyle söyleme," dedi tuhaf bir bakışla. "İncir kuşları da benim evlatlarım sayılır."

***

O gece kan ter içinde titreyerek uyandım. Gördüğüm rüyalar karmakarışık ve korkunçtu. Emin ve Edin'in vücutlarından koparak incir ağacının dallarına yapışan parçaları, gözlerimin önünden bir türlü gitmek bilmiyordu. Bütün gün Zineta ablayı düşünüp durdum. Kederden siyah saçları bir anda nasıl da bembeyaz olmuştu. İki küçük çocuğu gözlerinin önünde korkunç bir şekilde can vermişti. Bu acıya hangi yürek dayanabilirdi ki acaba?

Mavi çarşaflarla kaplı yatağımın içinde doğrulup oturdum. Karşımda duran aynadan darmadağın olmuş saçlarıma baktığım sırada pencerenin camları şangır şungur kırılıp yere düştü. Bahçedeki köpeğimiz havlamaya başladı. Bütün vücudum titriyordu. Kapıya hızlı hızlı vuruldu. Odadan hemen dışarı çıktım. "Ne oluyor abla?" diye sordum heyecanla.

"Sakin olun," dedi Fikret eniştem. "Korkmayın."

Kapıya bu sefer daha hızlı bir şekilde vuruldu. Hepimiz irkildik. Fikret eniştem herhangi bir tehlikeye karşı bizi korumak düşüncesiyle kendi odasına hızla daldı. Tüfeği kaptığı gibi odadan dışarı çıktı. "O tüfeği aldığın yere koy," dedi babam sakin bir sesle. "İstemediğimiz sorunlara sebebiyet vermesin."

Edina ablam pencerenin perdesini aralayıp dışarı baktı. Bahçede gördüğü manzara karşısında az daha bağıracaktı. Eliyle ağzını kapattı. "Allah kahretsin," dedi kısık bir sesle. "Bunlar iyice azdılar. Dışarısı Sırp yamyamlarla kaynıyor."

O anda hepimizin yüreği ağzına geldi. Eniştem elinde tüfekle aşağı kata indi. "Dikkat et," diye fısıldadı babam. "Dertleri neymiş, öğrenelim."

Hep birlikte aşağı kata indik. Edina ablam herkesten önce fırladı, kapıyı açtı. "Bizden ne istiyorsunuz?" diye bağırdı.

Kafasına siyah tül bir çorap geçirmiş adam, ablamın yüzüne sert bir yumruk attı. Sonra da saçından tutup bahçeye doğru sürükledi.

Fikret eniştem elinde tüfekle dışarı koştu. Ansızın iki el silah patladı. Ayşa ablamla birbirimizin soluk yüzüne baktık. Birden dışarıda bir çığlık koptu. Edina ablam var gücüyle haykırıyor, feryatlarıyla ortalığı inletiyordu.

Hepimiz büyük bir korkuyla dışarı koştuk. Fikret eniştem göğsünden vurulmuş, cansız halde yerde yatıyordu. Acı dalga tüm bedenimi sardı. Bu, o kadar korkunç bir acıydı ki, sanki çığlık atan ben değildim de bir başkasıydı. Edina ablam, Fikret eniştemin cansız bedeninin düştüğü yere yığılıp kalmıştı. "Kocamı öldürdüler," diye ağıtlar yakıp duruyordu.

Annem, kafasına tül çorap geçirmiş katillere doğru hızlıca yürüdü. Delirmiş gibiydi sanki. "Allah'tan korkun," diye bağırdı işaret parmağını havada sallarken. "Size bir zararı dokunmayan masum insanları neden öldürüyorsunuz?"

Adamlardan biri ileri atıldı. "Kes sesini *Balinkura*,[27]" dedi.

---

27 Sırpların ya da Hırvatların Müslüman Boşnak kadınları aşağılamak için kullandıkları hakaret içerikli bir kelime.

Adamın hakaret dolu sözleriyle annem büsbütün hiddetlenmişti. "Öyleyse al sana," diyerek adamın yüzüne bir tokat attı.

Adam afalladı. Elini önce yüzüne, sonra silahına götürdü. Hepimiz olanları bir filmi ağır çekimde izler gibi izliyorduk. Silahı anneme doğrulttu ve ateşledi. Birden yere yığılan annemin yanına çığlık atarak koştum, ellerinden tuttum. "Ne olursun ölme," dedim. "Ne olursun ölme anne."

Annem feri sönmüş gözleriyle son kez bana baktı, sonra da oracıkta ruhunu Allah'a teslim etti.

KARAMAN'IN EVİ

O gece hayatımın ikinci yarısı başlamıştı. Yeşil renkli Lada marka bir cipe silah zoruyla bindirilirken, alevler içinde kalan evimize son kez baktım. Neredeyse gözyaşlarımdan etrafı göremez olmuştum. Anneme, Fikret enişteme, sevdiğim, özlemini duyduğum her şeye veda ediyordum. Edina ablam elini omzuma attı. Beni kendine doğru çekip bağrına bastı. "Ağla," dedi buz gibi bir sesle. "Ağla, açılırsın belki."

Ayşa ablama baktım. Âdeta bir put gibiydi. Herhalde yaşadığı korkudan aklını kaybetmek üzereydi. "Susun, Balinkura kahpeleri," dedi arabayı kullanan Çetnik. "Yoksa sizi arabadan indirip şurada kurşuna dizerim."

Edina ablam, kafasına siyah çorap geçirmiş Çetnike şaşkın gözlerle baktı. "Sen... Seni sesinden tanıdım Ranko. Sen Fikret'in öğretmen olan arkadaşısın," dedi kekeleyerek.

Araba birden yalpalamaya başladı. Yaklaşık yüz metre gittikten sonra yolun tam ortasında durdu. Arkamızdan arabalarıyla bizi takip eden diğer Çetnikler koşarak yanımıza geldi. "Ne oldu Ranko?" diye sordu içlerinden biri.

Çetnik arabadan hızla indi. Kafasına geçirdiği siyah tül çorabı çekip çıkardı. "Şu Balinkura kahpesi beni tanıdı," dedi heyecanlı heyecanlı.

Eli silahlı Çetniklerden biri başını uzatıp bize baktı. "Eee," dedi soğukkanlı bir sesle. "Seni tanıdıysa ne olmuş yani? Yakında bizi de tanıyacaklar. Hatta bu tanışıklığın sonu beni oldukça mutlu edecek."

"Bizi nereye götürüyorsunuz?" diye bağırdı Edina ablam.

"Ranko," dedi eli silahlı Çetnik. "Sen arkadaki arabaya bin. Bu arabayı ben kullanacağım. Şu ateşli Türk kadını beni bayağı bir heyecanlandırmaya başladı."

Kısa bir süre sonra polis merkezine geldik. Çetnik arabadan inip kapıyı açtı. "Şimdi sorgu zamanı," dedi sinsice gülerek. "Aşağı inin."

"Ne sorgusu?" dedi Edina ablam.

İri ve korkunç görünümlü Çetnik ablamın saçlarından tutup dışarı fırlattı. "Aşırı Müslüman olmakla suçlanıyorsunuz," dedi kızgın bir şekilde.

"Siz kimsiniz ki bizim inancımızı sorguluyorsunuz?" dedim korkarak.

Çetnik yanıma yaklaştı. Sağ kolunu havaya kaldırdı, yumruğunu sıktı. "Dur," diye bağırdı başka bir Çetnik. "Sakın ona vurayım deme. Yoksa komutan hepimizin anasını beller."

Elini usulca aşağı indirdi. Sonra da burnumun dibine kadar sokulup üniformasının üstündeki armaya pat pat vurmaya başladı. "Ben," dedi yamuk dişlerini göstererek. "Beyaz Kartal'ım."

***

O gece, penceresi dahi olmayan karanlık bir bodruma hapsedildik. Her birimiz bir köşeye çekilip saatlerce ağladık. Saatin kaç olduğunu bile bilmiyorduk. Dışarıdan gelen araç seslerinin sıklaşmasından havanın aydınlandığını tahmin edebilmiştik. "Bize ne olacak?" dedim ablamın karanlıkta kalan yüzüne korkuyla bakarak.

"Bilmiyorum," dedi Edina ablam yorgun bir sesle. "Kocamı kaybettim, acısını yaşayamıyorum. Annemi kaybettim, yasını tutamıyorum. Büyük bir öfke içindeyim. Kim bilir şimdi babam ne haldedir? Onu da kaybedersek bittik biz."

O sırada kapı açıldı. Odayı aniden aydınlatan ışıktan gözlerimiz kamaştı. "Kalkın," dedi kapıda duran Çetniklerden biri. "Şimdi sorgulanacaksınız."

Apar topar odadan çıkarıldık, başka bir odaya sokulduk. Odada Yugoslavya Federal Ordusu'nun üniformasını giymiş birkaç Çetnik vardı. Esmer tenli ve yeşil gözlü olan asker ayağa kalkıp yanımıza geldi. Beni dikkatlice süzdü. Sonra da saçlarımı parmaklarına dolayıp kokladı. "Gerçekten de söylendiği kadar güzelmişsin," dedi pis pis sırıtırken.

"Ondan uzak dur," dedi Edina ablam öfkeyle öne atılarak.

Asker bir anda ablamın karşısına dikildi. Dişlerini sıktı, eliyle ablamın çenesini tuttu. "Sen de söylendiği kadar vahşiymişsin," dedi. "Zamanı geldiğinde senin icabına bizzat kendim bakacağım."

Ablam askere ters ters baktı. "Bizi neden serbest bırakmıyorsunuz?" diye sordu.

Yüzünde ansızın şiddetli bir tokat patladı. "Suçluların serbest bırakıldığı nerede görülmüş?" dedi gülerek.

"Öyleyse suçumuz ne?" diye sordu Ayşa ablam cılız bir sesle.

"Bak sen," dedi Çetnik alaycı bir ses tonuyla. "Dilsiz Balinkura dile gelmiş. Suçunuz ne mi? Hem Türksünüz, hem de Müslüman. Bundan daha büyük bir suç mu olur?"

"Biz Türk değil Boşnakız," dedim. "Doğru, dinimiz de İslamiyet."

Asker yanıma geldi, saçlarımı kokladı. "Zaten kokundan belli," dedi. "Sen İslamiyet kokuyorsun."

"Sen de," dedim gözlerimi gözlerine dikerek. "İslamiyetten korkuyorsun. Hem de o kadar çok korkuyorsun ki, geceleri rüyana giriyor, öyle değil mi?"

"Asker," diye bağırdı.

Kapı hızla açıldı. İki üniformalı asker içeri girdi. "Emret komutanım," dedi esas duruşa geçen askerlerden biri.

"Şu Balinkura fahişelerini karşımdan alıp götürün," dedi sinirli sinirli. "Türk ve Müslüman oldukları için de hemen kurşuna dizin."

Hayatım boyunca bu kadar çok korktuğumu hiç hatırlamıyorum. Resmen fırtınaya tutulan bir yaprak gibi sarsılıyordu tüm vücudum. Sanki buz gibi bir havada ince bir kazakla dışarıda kalmışım gibi dişlerim birbirine çarpıyordu. Birden nefes alamadığımı hissettim. Ne kadar çabalasam da nefes alamıyordum. Ağzımı açtım, kapadım. O anda ani bir baş dönmesiyle birlikte gözlerim karardı. En son yere doğru savrulduğumu hatırlıyorum...

***

Kendime geldiğimde, karanlıkta parlayan bir çift göz ve belli belirsiz bir siluet gördüm. Hemen toparlandım. "Kimsiniz?" dedim endişeli bir sesle.

Siluet ayağa kalkınca uzun boylu bir adamın bedenine dönüştü. Hafiften sırtını döndü, elinde tuttuğu çakmakla mumu yaktı. Mumun ışığı yüzünü aydınlattı. Sol tarafında bir yara izi vardı. Kalbim hızla çarpmaya başladı. "Hayır," dedim şaşkınlıkla.

"Evet," dedi Vukadin pis pis sırıtarak. "Kader bizi ne inanılmaz bir şekilde birleştirdi, görüyor musun Suada?"

Vukadin'le tekrar karşılaşacağım aklımın ucundan dahi geçmezdi. "Mümkün mü bu?" dedim kendi kendime.

Vukadin yanıma yaklaştı. Bana hayran hayran baktı. "Hâlâ bir içim su gibisin," dedi. "Seni hiç unutmadım."

"Seni gördüğüme sevinmeli miyim acaba?" diye sordum kısık bir sesle.

"Bu sana kalmış," dedi umursamaz bir tavırla.

"Ne?" dedim şaşkınlıkla. "Nasıl bana kalmış?"

Yatağın kenarına oturdu. "O *baliya*[28] çocukla hâlâ sevgili misin?" diye sordu.

Sustum.

"Susma," dedi sesini yükselterek. "Gerçeği bilmek istiyorum."

28 Sırpların ya da Hırvatların Müslüman Boşnak erkekleri aşağılamak için kullandıkları hakaret içerikli bir kelime.

"Evet," dedim bir çırpıda. "Hatta sözlendik bile."

Sanki bedeni cansızlaştı, bakışları buz kesti. "O gün de bir vida gibi kafama takılmıştın, bugün de," dedi ayağa kalkarken. "Artık kalbinin yeni sahibi benim. Yok yok, yanlış söyledim. Artık şu esir bedeninin yeni sahibi benim."

Bir anda ona karşı öfke ve tiksinti duymaya başladım. Ayağa kalktım. "Şimdi önümden çekil," dedim sert bir sesle. "Gitmek istiyorum."

Şiddetli bir tokat yüzümde patladı. "Daha önce de bu sözleri bana söylemiştin. O gün önünden çekilmiştim, ama bugün o gün değil. Şartlar çok değişti Suada. Önünde diz çöktüğüm günler çok geride kaldı. Şimdi diz çökme sırası sende. Şayet o zaman aşkıma karşılık verseydin şimdi ölen tarafta değil, öldüren tarafta olurdun."

"Sen hastasın," dedim ağlarken.

Çenemin altına sert bir yumruk attı, sendeleyerek yere düştüm. "Şu haline bir bak," dedi. "Yerlerde sümüklü böcek gibi kıvranıp duruyorsun."

Ne yazık ki roller çoktan değişmişti. Yaklaşık bir yıl önce onun yüzüne söylediğim sözlerin tıpatıp aynısını bu sefer o benim yüzüme karşı söylüyordu. "Benden intikam mı alıyorsun?" dedim yere kan tükürürken.

Kahkahayı bastı. "İntikam mı?" diye sordu. "Hayır, senden intikam almıyorum. Dik kafalı kadınları terbiye etmek gerektiğinde bir anda zalim oluveririm. General babamın gözünde beş paralık olan şerefimi şimdi seninle ödeşerek kurtaracağım. Duydun mu beni?"

Ansızın bir sessizlik oldu. Gözlerinde öfke ve kinden başka bir şey yoktu. "O gün sana söylemiştim," dedi. "Bir gün seni hiç kimse elimden kurtaramayacak demiştim. Şimdi yüzüme bak. Nerede olduğunu biliyor musun peki?"

Ağlamaktan konuşamıyordum. Başımı 'hayır' anlamında salladım. "Bir genelevdesin," dedi gülerek. "Burasının adını Karaman'ın Genelevi koyduk. Hiç merak etme. Kız kardeşlerin de burada. Birazdan onlara kavuşursun."

Yattığım yerden doğrulmaya çalıştım, ama başım dönünce tekrar yere düştüm.

"Asker," diye bağırdı.

Kapı hızla açıldı. "Emret komutanım," dedi elinde silah tutan üniformalı asker.

"Şu zavallıyı ayağa kaldır. Aşağı kata indir."

"Emredersiniz komutanım," dedi asker ve sonra da beni kollarının arasına alıp aşağı kata indirdi.

Odadan içeri girdiğimde Edina ve Ayşa ablamla karşılaştım. Yanlarına koşup boyunlarına sarıldım. "Allah'a şükür hayattasınız," dedim ağlarken.

"Çok şükür," dedi Edina ablam buz gibi bir sesle. "Bizi kurşuna dizmediler, ama buraya getirdiler."

"Her şey bir tezgâhtı abla. Vukadin alçağı burada."

Ablam kısa bir süre düşündü. "Vukadin," dedi. "Kim olduğunu çıkaramadım."

"Siz onu tanımıyorsunuz," dedim. "Konservatuardan sınıf arkadaşımdı. Bana âşıktı. Aşkına karşılık bulamayınca da eğitimini yarıda kesmişti."

Ablam allak bullak oldu. "Şimdi yandık desene," dedi. "Hem cani Sırpların, hem de psikopat bir âşığın eline düştük."

O sırada kapı açıldı. İçeri üniformalı askerler girdi. "Ayağa kalkın," dedi askerlerden biri. "Komutanımız burada."

Odaya doluşan askerlere Vukadin eliyle oturun işareti yaptı. Beş asker yemek masasındaki yerlerini aldılar. Bu askerlerden biri de, kurşuna dizilmemizi emreden yeşil gözlü askerdi.

Vukadin yanımıza geldi. "İyi akşamlar güzel hanımefendiler," dedi alaycı bir ses tonuyla. "Bu akşam elektrikler kesik; ama bu durum eğlenmemize engel değil. Bize eşlik ettiğiniz için size teşekkür ederim. "

Askerlerden biri pilli teybi açtı. "Ah!" diye bir ses çıkardı Vukadin. "Şu dünyada iki kadına hayranım. Birinci kadınım Lepa Brena'dır.[29] Onun sihirli sesi beni büyüler âdeta. İkinci kadınım da sensin Suada. Senin duru güzelliğin de her zaman başımı döndürüyor."

"O halde komutanımızın kadınlarına içelim," dedi askerlerden biri votka şişesini havaya kaldırırken. "Şerefe."

Elim ayağım titriyordu. "Allah günahlarınızı affetsin," dedi Edina ablam.

Vukadin kahkahayı bastı, sonra da askerlere dönüp baktı. "Bizim günahımız var mı arkadaşlar?" diye seslendi.

Askerler hemen ayağa kalktılar. Hep bir ağızdan şarkı söylemeye başladılar:

Kaldır kadehleri vur birbirine
İçelim hepimiz Tanrı Slobodan'ın şerefine

29 Ünlü bir Sırp kadın sanatçı.

Cennetten bize bak söyle ey tanrı babamız
Şeytan bile yarışabilir mi bizimle...

Vukadin sol elini havaya kaldırdı. "Susun," diye bağırdı. "Tanrı Slobodan'a kahraman Sırp evlatları vermeliyiz."

Askerler hep bir ağızdan bir şarkı daha tutturdular:

Oh, Tanrı Slobodan
Cennetten bize bak
Büyük Sırbistan'ına
Kutsal Sırp bir oğul hediye et...

O anda allak bullak olmuştum. Tuhaf bir ruh haliyle etrafıma boş gözlerle bakıp duruyordum. "Şımdı yaşlı bunagı getirin," dedi Vukadin yüksek bir sesle.

Birden kapı ardına kadar açıldı. Kapının önünde babam belirdi. Narin yüzü gözyaşlarıyla yıkanmıştı. Bir asker babamı arkadan itip yere düşürdü. Hepimiz aynı anda koştuk, babamızın boynuna sarıldık. "Baba... Baba sen iyi misin?" diye sordum.

Eli bıçaklı dört asker odaya girdi. Bizi yerden kaldırıp yan yana dizilmiş sandalyelere oturttular, sonra da bıçaklarını boğazımıza dayadılar. Vukadin babamın yanına geldi.

"Şimdi senin aile şerefini beş paralık edeceğim ihtiyar," diye kükredi. "Pis bir Müslümanın alnına kara leke süreceğim. Seni kızlarının yanında utandıracağım."

Odadaki askerlerin sesleri yükselip alçalmaya başladı. Vukadin elini havaya kaldırdı. "Aylardan beri Kosova'nın intikamını Türklerden alıyoruz," diye bağırdı. "Bugün de intikamımızı onlardan alacağız. Müslümanların kirli kanlarını temizleyeceğiz."

Sanki yüreğime bir ölüm yeli düştü. "Yapma Vukadin," diye ağlamaya başladım. "Sana yalvarıyorum, yapma."

Bizi sorgulayan yeşil gözlü Çetnik pantolonunun kemerini çözmeye başladı. Kemerin metal sesi bir anda odanın içinde yankılandı. "Kiminle başlıyoruz?" diye sordu pis pis sırıtarak.

Vukadin işaret parmağıyla Ayşa ablamı gösterdi. Oturduğum yerden ayağa kalkmaya çalıştığım sırada boğazıma bıçak dayayan asker, saçlarımdan tutup beni sandalyeye tekrar oturttu. Ayşa ablam çığlık atmaya başladı. "Lütfen onu bırakın," dedi Edina ablam bağırarak. "Onun yerine beni alın."

İki asker hemen yemek masasının üzerindekileri yere devirdi. Ayşa ablam askerlerin kolları arasında çırpınıyor, kulakları sağır edercesine attığı çığlık odanın içinde yankılanıyordu. O anda gözyaşlarım sel olmuş akıyordu. Ayşa ablamı masanın üzerine sırt üstü yatırdılar. "Yapmayın," dedi Ayşa ablam ağlarken. "Ben bakireyim."

Kemerini çözen asker ansızın durdu, Vukadin'e baktı. "Neden bana öyle aptal aptal bakıyorsun?" dedi Vukadin sinirli bir şekilde. "Ben bu balinkuranın söylediğine kesinlikle inanmıyorum. Şimdi kontrol et bakalım. Gerçekten de söylediği doğru mu?"

Asker gevrek gevrek güldü. "Başüstüne komutanım," dedi.

Ayşa ablamın üzerindeki kıyafetleri yırtıp çıkarmaya başladılar. Gördüğüm bu korkunç manzaraya daha fazla bakamadığım için başımı yana doğru çevirdim. O anda babamla göz göze geldik. Solgun bakışları gözyaşlarına boğulmuştu. Asker elinde tuttuğu bıçakla babamın yüzünü kesti. "Sakın gözlerini kaçırma," dedi. "Bu heyecanlı anın her saniyesini büyük bir zevkle izleyeceksin."

Canavar asker o sırada ablama sahip olurken diğerleri de votka içip hep bir ağızdan şarkı söylüyorlardı:

Kim yalan söylüyor
Kim ağlıyor
Sırbistan küçük diye
Bugün ne kadar Müslümanı hamile bırakırsak o kadar âlâ
Şimdi Büyük Sırbistan'ı kuralım
Türkleri kucağımıza oturtup hamile bırakalım...

"Şarkı söylemeyi kesin," diye bağırdı Vukadin. "İşin bittiyse buraya gel Duşan?"

Herkes bir anda sustu. Ayşa ablama tecavüz eden Çetnik pantolonunu yukarı doğru çekiyordu ki, "Pantolonu çekme, yanıma o şekilde gel," dedi Vukadin.

Duşan adlı Çetnik topal bir ördek gibi seke seke yürüyerek yanımıza geldi. Vukadin babamın yanına sokuldu, babamın başını bir eliyle tutarak avucunun içine aldı. Diğer elinde de yanan mumu tutuyordu. Mumu Çetnik'in cinsel organına yaklaştırdı. "Bak," dedi gülerek babama. "Şu gördüğün şey canlı bir Çetnik organı. Sırpların nasıl seviştiğini kendi gözlerinle gördün artık. Seni az önce küçük düşürüp ruhunu öldürdüm. Bu evdeki herkes kızlarınla ilişkiye girecek. Ta ki onlar hamile kalıp Müslüman Aliya'ya Sırp çocukları doğurana kadar. Şu güzel kızına ise sadece ben sahip olacağım."

Babam sonunda dayanamayıp acıdan bayılıverdi. Vukadin babamın saçlarından parmaklarını çözdü. Büyük bir zafer kazanmış komutan edasıyla odadan dışarı çıktı. Bizleri de utanç hissi ve kirli duygular içinde baş başa bıraktı. Edina ablam yanı başımda hıçkırarak ağlıyor, Ayşa ablam ise yaşadığı çaresiz acıyla masanın üzerinde kıvranıp duruyordu.

***

Bir saat sonra kilitli tutulduğum odanın kapısı açıldı. Vukadin içeri girdi, yanıma yaklaştı. Nefesi leş gibi alkol kokuyordu. Gözlerimden ateş püskürerek ayağa kalktım. Yüzüne sert bir tokat attım. Saçımdan tutup beni geri yatağın üzerine fırlattı. Birden loş ışıkta soyunmaya başladı. Ona nefret ve kinle baktım. "Bütün bu kötülükleri nasıl yapabiliyorsun?" diye sordum kızgınlıkla.

Bir anda gözlerimin önünde külotunu indirdi. Ayağa kalktım, kapıya doğru koşmaya başladım. Vukadin hızlı davranarak önümü kesti. Saçlarımdan yakalayıp yatağa attı, üzerime çullandı. Bedeninin altında bağırıp çırpınmaya başladım. Bir eliyle ağzımı kapatıyor, diğer eliyle de eteğimi sıyırıyordu. "N'olur yapma," dedim ağlarken. "Hâlâ bakireyim. Beni bari kirletme."

Birden gerilip yüzüme bir tokat attı. "Bu sözlerinle beni daha fazla azdırma," dedi. "Çok iyi ya! Senin kalbinin olmasa da bedeninin ilk sahibi olacağım. Şimdi uslu bir kız ol. Kabaran arzularıma boyun eğ."

O sırada eteğimi çoktan çıkarmıştı. Bütün vücudum titriyordu. "Sana yalvarıyorum, yapma."

Külotumu yırttı. "Seni artık hiç kimse elimden alamaz," dedi. "Şimdi gücünü kıracağım, sonra da bana boyun eğeceksin."

Gücüm iyiden iyiye tükenmeye başlamıştı. Son bir umutla daha çırpındım. Fakat ağzımı kapattı, sonra da bacaklarımı aralayıp bana sahip oldu. O anda duvarda asılı duran saat dikkatimi çekti. Saat tam onu gösteriyordu. Başımı sağ tarafıma çevirdim. Mumların titrek, dalgalı ve loş ışığı duvarın üzerine gölgemizi yansıtıyordu. Buz gibi tenimin altında yaralı yüreğim sanki kızgın lavlar gibi fışkırıyor, sonra da kalbimi taşlaştırıyordu. Donuk gözlerimi usulcacık kapattım, Tarık'ın benim için çaldığı müziği her zamanki gibi dinlemeye koyuldum.

AYŞA

O gece sabaha kadar gözüme uyku girmedi. Yalnızca bir gün içinde her şeyimizi kaybetmiştik. Elimi açtım. "Yarabbi," diye söylendim. "Şu dünyadan bir an önce çekip gitmeme engel olma."

Sonra acı içinde yataktan doğruldum, bir an durdum. Açık mavi çarşafta kan lekesini gördüm. Bir utanç hissi acılı yüreğimi kapladı. Alnıma sürülen bu lekeyle nasıl yaşayacaktım? Tarık bu gerçeği öğrendiği zaman acaba beni hâlâ sevebilecek miydi? Yoksa o da diğer erkeklerin benzer durumlar karşısında yaptıkları gibi terk edip beni kaderimle baş başa mı bırakacaktı? Bu endişelerim altüst olmuş dünyamı daha da derinden sarstı. İçim çorba çanağı gibi boş kaldı. Hemen yatağın yanından uzaklaştım. Odanın bir köşesine atılmış siyah eteğimi yerden alıp giydim. Aralık duran kapıya doğru yürüdüm, odadan dışarı çıktım. Başka bir odanın önünden geçip giderken bir ağlama sesi duydum, durdum. Başımı hafifçe içeri uzattım. Odanın bir köşesinde ağlayan kadın, Edina ablamdan başkası değildi. Hemen yanına koştum. Ona sarılıp ben de uzunca bir süre sessizce ağladım.

Bir süre sonra, biraz olsun kendime geldiğimde, "Niye biz?" diye sordum. "Bütün bunlar neden bizim başımıza geldi?"

Ablam içini çekti. "Sen gittikten sonra," dedi boğazı düğümlenerek, "diğer Çetnikler en iğrenç içgüdülerini başıboş bıraktılar. Bedenimin üzerinde bir at gibi kişneyip durdular. Heveslerini aldıklarında ise onlara kahve yapmamı, sonra da kahveyi onlara çırılçıplak servis etmemi istediler. Dünden beri âdeta kendimi yiyip bitirdim. Bir erkek masum bir kadına nasıl olup da kaba güç kullanarak sahip olabilir? Başıma gelenleri unutmak için çok çabalıyorum, ama yapamıyorum. Onları affedemiyorum. Hele Ayşa'ya en az on Çetnik tecavüz etti. Yaşadığı acıya daha fazla dayanamayınca da gerçekle bağını kopardı, masanın üzerinde bayılıverdi."

Edina ablam konuştukça içim parçalanıyordu. "Dahası var," dedi ağlarken. "Bir Çetnik'in sesi kulaklarımda çınladı: 'Gördünüz mü arkadaşlar? Aliya'nın fahişesi bayıldı. Gerçek bir erkek bir kadını altında zevkten bayıltan erkektir.' Birden kahkaha koptu. Cani Çetnik sonra da elinde tuttuğu sigarayı Ayşa'nın göğsünde söndürdü."

Şaşkınlıktan elim yüzümde kalmıştı. "Ayşa ablam nerede?" diye sordum acılı sesimle.

"Orada."

Odanın içine bakındım. "Kanepenin arkasında," dedi.

Ayağa kalktım, kanepenin arkasına gidip baktım. Ayşa ablam başını kanepenin sırtına yaslamış, boş gözlerle pencereden dışarı bakıyordu. Belli ki içinde korkunç bir azap duyuyordu. Yanına çöktüm. Ben de onunla birlikte pencereden dışarı baktım. Bahçedeki kocaman incir ağacının üzerinde incir kuşlarını gördüm. Bir tanesi uçup pencerenin önüne kondu. Siyah, küçük gözleriyle sanki bizi gözlüyor, bir şeyler söylemek istiyordu. "Sırplar," dedim. "Bir tek bizleri değil, şu zavallı incir kuşlarını bile öldürdüler."

Ayşa ablam epey bir süre sustu, hiç konuşmadı. Sonra da, "Bana yaptıklarını hazmedemiyorum," dedi ağlarken. "Bundan sonra yaşamak haram bana. Ama onlardan intikamımı almadan hiçbir yere gitmeyeceğim."

Ansızın kapı öylesine bir hızla açıldı ki, pencerenin önüne konan incir kuşu pırr diye uçuverdi. Odaya iki Çetnik girdi, ardından da kapıyı kapattılar. Ayağa kalktım. Birden karşılarında beni görünce şaşırdılar. "Sen şu tarafa geç," dedi kısa boylu olan Çetnik.

"Onları rahat bırakın," diye çığlık attım.

Biri saçımdan tutup yere fırlattı beni. Pantolonunun kemerini hızla çözdü. "Hey sen, saklandığın yerden çabuk çık," diye bağırdı.

Ayşa ablam gülerek ayağa kalktı. Onun bu hali tüylerimi diken diken etti. İki Çetnik birbirlerinin suratlarına şaşkın şaşkın baktı. "Aliya'nın fahişesi neden gülüyor?" dedi az önce kemerini çözen Çetnik. "Şimdi sana gülmenin ne olduğunu göstereceğim."

Ayşa ablam Çetnik'e doğru yaklaştı, Çetnik de onu saçından çekip kanepeye doğru sürüklemeye başladı. "Onun yerine beni al," dedi Edina ablam.

Öteki Çetnik güldü. "Sıranı bekle balinkura," dedi. "Seni ben kendime aldım. Birazdan senin icabına ben bakacağım."

Çetnik, ablamı zorla kanepeye oturttu, kendi külotunu aşağı indirdi. Sonra da yüzünü bize çevirip, "Bizim cinsel organlarımız sünnetli değil. Sünnetsiz bu organlarımıza bir an önce alışsanız iyi edersiniz. Çünkü bu organlardan Çetnik erkekler dünyaya getireceksiniz."

Ayşa ablam kahkahayı bastı. "Sen öyle san pis Çetnik," dedi.

Çetnik ablamın kafasına bir yumruk attı. Ayşa ablam sapsarı kesilmiş, feri sönmüş gözleriyle bana baktı. Birden odanın içinde bir çığlık koptu. Çetnik, Ayşa ablamın etrafında fır dönüyor, bir öküz gibi böğürüyordu. Korku dolu gözlerle baktım. Ayşa ablamın elinde tuttuğu bıçaktan kan süzülüyordu. Ansızın iki el silah sesi peş peşe patladı. Ayşa ablamın bedeni savrulup kanepenin üzerine düştü. Çetnik elinde tuttuğu tabancayı bu sefer Edina ablama doğrulttu, bir el de ona ateş etti. O anda göğsüm sıkıştı, nefesim tıkandı. Gözlerim karardı yere yığılıverdim.

***

Ne kadar zaman geçtiğini hatırlamıyordum; ama gözlerimi bir arabanın içinde açtığımda, ormanlık bir yolda ağır ağır gidiyorduk. Çam ağaçlarından süzülen ışıklar sanki ormanı yeşil renge boyamış gibi taptaze duruyordu. Top sesleri de uzaktan uzağa kulağıma geliyordu. "Uyandın mı?" dedi Vukadin.

Yorgunluktan ve yaşadığım acılardan dolayı duygularım paramparça olmuştu. Donmuş yalnızlığım bir türlü erimiyor, büyük bir yakarış içinde kahrolup gidiyordum. Öfkeli gözlerle Vukadin'e baktım. "Edina ablam öldü mü?" diye sordum çaresiz bir şekilde.

"Bilmiyorum," dedi. "Onu hastaneye gönderdim."

Sustum. Bu suskun boyun eğiş ve tasa altında bir çocuk gibiydim. Her şeyi istemeden de olsa kabullenmeye başlamıştım. Ben artık seçilmiş bir kurbandım. Ne yazık ki Vukadin'e karşı koyacak gücüm de kalmamıştı. Bu gücü kendimde bulamayınca da sürekli düşünüyor, anlam veremediğim soruları kendime sorup duruyordum. "Benden nefret ettiğini gözlerinde görebiliyorum," dedi Vukadin pis pis sırıtırken. "Ama benden nefret etsen de dün gece beni öyle mesut ettin ki. Şimdi de bana bir Sırp erkek doğuracaksın."

Sırtımdan aşağı soğuk terler aktı, irkilerek uzaklaştım yanından. "Sen resmen hasta ruhlusun," dedim. "Hayatımı mahvettin. Şimdi de kalkmış sana bir çocuk doğurmamı istiyorsun. Şunu bil ki, eğer senden hamile kalırsam kendimi öldürürüm."

"Hemen arabayı durdur," diye bağırdı.

Arabayı kullanan asker acı bir fren yaptı. "Dışarı çık," dedi.

Asker arabadan aşağı indi. Bizi takip edenlerin yanına koştu. Vukadin pantolonunun kemerini çözdü. "Şimdi bacaklarını aç," dedi büyük bir kin duygusuyla.

Ona karşı koymaya çalıştım, ama bu karşı koyuşlarım işleri daha da zorlaştırıyordu. Yüzüme sert bir yumruk attı. "Ya şimdi kendi rızanla benimle olursun, ya da sana yine zorla sahip olurum."

Vukadin âdeta yabancı bir nesne gibiydi. Onu bir türlü içimde eritemiyordum. Onun arzuları için bir çöp kutusu olmuştum. Ağlayarak gözlerimi kapattım. Tarık'ı, İfeta teyzemi, babamı, annemi, Fikret eniştemi, Ayşa ve Edina ablamı düşündüm. Sonra küçük bir çocukken annemin bana mırıldandığı ninniyi sessizce içimden mırıldandım:

Şimdi uyku zamanı
Kaparım gözlerimi
Seninle dalarım rüyalara
Sen de bakışlarınla anneciğim
Örtüver üzerimi
Yaramazlık yaptıysam bugün
Bağışlasın Allahım beni...

***

Pale, Sırpların âdeta kalesi gibiydi. Bosna SDS lideri Radovan Karaciç'in de aynı zamanda eviydi. Vukadin o gün Pale'ye giderken beni de yanında götürmüştü. "Dur," dedi arabayı süren askere. "Bu bizim Branka değil mi?"

Asker arabayı durdurdu. Vukadin arabadan aşağı indi. "Ne haber Branka?" diye seslendi.

Kadın küçük bir şişme yatağın üzerine mayosuyla uzanmış güneşleniyordu. Sesin geldiği yöne baktı. "Aaa!" dedi şaşkınlıkla. "Senin burada ne işin var?"

Vukadin ona sarıldı. "Dikkat et," dedi kadın. "Vücuduma güneş yağı sürdüm."

"Bu dünyada işin iş bakalım," dedi Vukadin gülerek. "Kim istemez böyle bir askerliği?"

Esmer tenli kadın kahkahayı bastı. "Sakın ola beni bu halde gördüğünü babana söyleme," dedi. "Bu arada saat kaç olmuş?"

Vukadin kolundaki saate baktı. "Tam üç," dedi.

Kadın elinde tuttuğu sigarayı Vukadin'e uzattı. "Tut şunu," dedi hızlı bir şekilde hareket ederek. "Şu roketi ateşleyip geliyorum."

Dehşete kapıldım. Kadın tetiğe bastı ve Saraybosna'nın rastgele bir yerine doğru roketi fırlattı. Birkaç saniye sonra şehrin bir yerinde patlama sesi duyuldu. "Tamamdır," dedi gülerek. "Roketi adresine teslim ettim."

Bulunduğumuz tepeden Saraybosna'ya baktım. Saraybosna âdeta yerle bir olmuştu. Viyeçnitsa, yani Saraybosna Milli Kütüphanesi cayır cayır yanıyordu. Birden Tarık'la birlikte geçirdiğimiz o günü hatırladım. Beni Âşıklar Tepesi'ne götürmüş, Saraybosna'nın eşsiz manzarasını seyrettirmişti...

"Bu güzel kız da kim?" diye sordu cani kadın.

"O mu?" dedi Vukadin alaycı gözlerle bakarken bana. "O, savaş ganimetinin en güzel parçası."

"Demek ki bu kız Aliya'nın Müslüman fahişesi, öyle mi?"

"Evet."

"Bu fahişenin tadına baktın mı peki?"

Vukadin gevrek gevrek sırıttı. "Onun ilk erkeği oldum."

Kadın yanıma geldi. Güçlü eliyle çenemi tuttu. Ansızın dudaklarımı öptü, sonra da Vukadin'e gülerek baktı. "Ne zaman istersen," dedi. "Bu fahişeyi yatağıma gönderebilirsin."

Vukadin kahkahayı bastı. "Benim gibi sert bir erkek burada dururken, senin gibi bir lezbiyeni ne yapsın?"

"Belki," dedi kadın gülerek. "Balinkura annesini özlemiştir. Kiraz dudaklarını göğsüme bastırıp ona şefkat gösterebilirim."

Gözlerim sulandı. "Git kendini becer Sırp sürtüğü," diye küfür ettim, sonra da koşup arabaya bindim.

Kadın bir put gibi olduğu yerde çakılı kaldı. Vukadin gülerek kadının yanına yaklaştı. "Bir Türkün zehrine dikkat et," dedi. "İnsanı ne zaman sokacakları belli olmaz."

Kadın ağzını bile açamadı. Vukadin kapıyı açıp arabaya bindi. "Sür," dedi emrindeki askere. "Babam beni bekliyor."

Büyük bir karargâh binasının önüne geldiğimizde asker arabayı durdurdu. Vukadin bana baktı. "Aşağı in," dedi.

Onun iğrenç yüzüne öfkeyle baktım. "Babam nerede?" diye sordum.

"Öldü," dedi vurdumduymaz bir tavırla.

Başımdan aşağı kaynar sular döküldü sanki. "Öldü mü?" dedim ağlamaklı bir sesle.

"Evet. Şimdi arabadan çabuk in."

Artık hayatta tamamen yapayalnızdım. Hiç kimsem kalmamıştı. "Üzülme," dedi Vukadin çocuk okşar gibi beni okşamaya çalışarak. "Ben senin için yeter de artarım."

Hemen ondan uzaklaştım. Kapıyı açıp aşağı indim. "Sen şerefsiz bir adamın oğlusun," diye bağırdım.

Bir kahkaha kulaklarımda yankılandı. "Yanlış duymadımsa benden bahsediliyor," dedi sevimsiz bir adam.

Kır saçlı adama şaşkın şaşkın baktım. Vukadin koşarak yanımıza geldi, asker selamı verdi. Sonra da adamın boynuna sarıldı. "Nasılsın baba?" diye sordu.

Bu adam, General Borislav Milunoviç'ten başkası değildi. "Bu aralar bomba gibiyim," dedi gülerek.

O sırada namlunun arka ucuna değdiği anda ateşlenen top mermisi fırlayarak Saraybosna'nın rastgele bir yerine düştü. Birkaç saniye sonra top mermisinin düştüğü yerden toz ve ateş bulutları havaya yükseldi. General Borislav oğlunun boynuna sarıldı. "Şu Türk kızıyla ziyafet çektin mi?" diye sordu.

"Evet," dedi Vukadin hınzır bir bakış atarken babasına.

Sustum, sessiz kaldım. Gözyaşlarımı içime akıttım. Biz Boşnaklara işkence yapan Sırplar ne yazık ki eski komşularımız, eskiden tanıdıklarımız ve birlikte oturup kahve içtiğimiz arkadaşlarımızdı. Aklım bir türlü almıyordu. Nasıl olup da bir anda değişmişlerdi? Meğerse İfeta teyzem ta başından beri gerçekleri söylüyormuş. Sırplar tarihi efsanelerden beslenerek, aslında çok uzun zamandan beri bize kin duymuşlardı. Bizden nefret edip, bu nefretlerini saklamasını da gayet iyi bilmişlerdi. Kendileri için doğru bir zamanda, Slobodan Miloşeviç önderliğinde, Osmanlı Türkleri tarafından I. Kosova Savaşı'nda bozguna uğratılan atalarının intikamını almak için kolları sıvamışlar, ölüm kusan topların namlusunu Müslüman Boşnaklara doğru çevirmişlerdi.

General Borislav yanıma yaklaştı. "Sana teşekkür etmek istiyorum," dedi eğilip kulağıma fısıldarken. "Senin sayende oğlum sanat zırvalıklarını bir kenara bıraktı. Kısa bir süre içinde çok iyi bir asker oldu."

"Zırva tevil götürmez," dedim kısık bir sesle. "Siz istediğiniz kadar boş boş konuşun."

Aniden yüzüme bir tokat attı. "Sırp kadını olduğun için seni ayrıca tebrik ederim," dedi gür bir sesle. "Artık bundan sonra Müslüman Aliya'ya değil, Tanrı Slobodan'a dua edeceksin. Dokuz ay sonra da ona eşsiz bir Sırp kahramanı doğuracaksın."

Karışık duygular içerisindeydim. Hayatımın artık bir daha geri dönmemek üzere avuçlarımın içinden uçup gittiğini görebiliyordum. Daha önceleri çok büyük konuşmuşum meğerse. Vukadin gibi sefil bir erkek ne yazık ki hayatımı mahvetmiş ve ben istemeyerek de olsa ona müsaade etmiştim. General Borislav elinde tuttuğu çelik dartı bana uzattı. "Al," dedi siyah gözleriyle bana bakarken. "Bir el atış yap."

Vukadin etrafına bakındı. "Oyun tahtası nerede baba?" diye sordu.

General Borislav sağ işaret parmağıyla çam ağacını gösterdi. "Orda," dedi büyük bir soğukkanlılıkla.

Çam ağacının altına baktım. Tüylerim diken diken oldu. Kanlar içinde kalmış esir bir Boşnak erkeği, çam ağacının altında ayakta dikilmişti, boynunda da oyun tahtası asılı duruyordu. O anda içimden ağlamak geldi. Ama çabucak öfkeyle gözyaşlarımı sildim. "Siz katilsiniz," dedim titreyen bir sesle.

General Borislav elinde tuttuğu dartı, oyun tahtasına doğru fırlattı. Ansızın bir feryat koptu. Dart, esir tutulan Boşnak adamın göğsüne saplandı. "Pardon," dedi General Borislav kahkaha atarken. "Şu genç Balinkura dikkatimi dağıttı. Bir dahaki sefere oyun tahtasına isabet ettireceğim, söz."

O sırada sivil giyimli başka bir adam çığlık attı: "Onu vurdum."

"Sizi tebrik ederim sevgili dostum Vasily," dedi General Borislav. "Aynı zamanda çok keskin bir nişancısınız."

Sıska ve göbekli adam, elinde tuttuğu dürbünlü tüfeği yanındaki askere verdi. "Müslüman Türkü öldürdüm," dedi gülerek. "Onu bir köpek leşi gibi yere serdim."

"Gelin," dedi General Borislav. "Sizi oğlumla tanıştırayım."

Adam yanımıza geldi. "Sevgili dostum Vasily," dedi General Borislav oğluna bakıp konuşarak. "Rusya'nın son zamanlarda yetiştirdiği en önemli ressamlarından biridir. Şimdi onunla tanışmanı istiyorum."

Vukadin elini uzatıp Rus ressamın elini sıktı. "Sizinle tanışmaktan onur duydum," dedi.

"Baban senden biraz bahsetmişti bana," dedi adam. "Ben de senin gibi genç ve başarılı bir askerle tanıştığım için son derece memnunum."

"Rus dostlarımız bu haklı savaşımızda bizi yalnız bırakmadılar," dedi General Borislav. "Tabii ki bir de Yunanlı dostlarımızı unutmamak gerekiyor. Yunanistan'dan karayoluyla, Rusya ve Ukrayna'dan da Tuna yoluyla gelen petrol ve diğer yardımlar bu savaşta nefes almamızı sağlıyor."

Vukadin, Rus ressama saygıyla bakıp başını öne doğru eğdi. "Bize karşı gösterdiğiniz ihtimam ve alakaya bilhassa minnettarım," dedi.

Rus ressam bana baktı. "Bu genç ve güzel bayan da kim?"

Bu canilerin ve iğrenç adamların her yeni bakışı beni beraberinde yeni acılara sürüklüyordu. Daha birkaç ay öncesine kadar sürdürdüğüm sakin hayatım, sanki güçlü dalgaların üzerinde sallanıp alabora olan bir tekneye dönüşmüştü. Bu kadar çalkantıdan sonra ruhum mavi suların karanlık derinliklerinde hapsolmuştu. Artık vatan toprağımın üzerinde açan değil, solan beyaz bir zambaktım ben. Günlerin neşeli bir şekilde geçtiğini gösteren ve Bosna'nın simgesi olan beyaz bir zambak çiçeği olmaktan çıkmış, yüreğimde açan kan güllerine dönüşmüştüm. Gezip tozmak, sokaklarda özgürce dolaşmak bizim için hayaldi artık. Sadece savaş ve gözyaşı Boşnakların uğursuz kaderi olmuştu. Bu uğursuz kaderi biz yazmamıştık, ama bu uğursuz kaderin senaryosunu yazanlar ne yazık ki bizi başrol oyuncularından biri yapmıştı. Ömrüm boyunca da bu uğursuz kaderin yaftasını boynumda taşıyıp duracaktım. Artık ölülerime dahi ağlayamayan bir ölüye, bir gül olup da gülemeyen kaderi bahtsız birine dönüşmüştüm.

Vukadin Rus ressama baktı. "O benim Türk yosmam," dedi gülerek.

KERİMA

Milyevina'da esir tutulduğum ev aslında Müslüman bir Boşnakın eviydi. Evin sahibinin soyadı da Karaman'dı. Ev görünümlü bu hapishane genişçe bir bahçe içinde, üç katlı, beyaz boyalı müstakil bir evdi. Evin bahçesi ise oldukça dik eğimliydi. Bahçede değişik türden ağaçlarla birlikte kocaman bir incir ağacı da vardı.

Savaş başladığı zaman bu evde yaşayan Boşnak aile Çetniklerin saldırısına uğramış, sonra da yıllardır yaşadıkları evi terk etmek zorunda kalmışlardı. Şimdi bu eve Sırplar Karaman'ın Genelevi adını takmışlardı.

Ertesi gün öğle üzeri Pale'den tekrar Milyevina'ya geri döndüğümüzde, hapsedildiğim evde genç bir Boşnak kızı gördüm. Açık kahverengi lambriyle kaplı duvara yaslanmış ağlıyordu. Hemen yanına gittim. Onun kumral saçlarını okşadım. "Neden ağlıyorsun?" diye sordum.

"Annemi çok özlüyorum," dedi üzüntülü bir sesle.

"Annen nerede peki?"

Başını iki yana salladı. "Bilmiyorum, onu başka bir yere götürdüler."

"Ağlama," dedim gözyaşlarını silerken. "Anneni bulacaksın inşallah."

Başını kaldırdı, kahverengi gözleriyle usulca bana baktı. "Gerçekten mi?" dedi büyük bir sevinçle.

"Evet," diye yalan söyledim ona.

O esnada şişman Sırp bir kadın içeri girdi. "Kalk," dedi sert bir ses tonuyla. "Yukarı kata çık. Komutan Vukadin cepheye gitti. Dönene kadar da odandan dışarı çıkmayacaksın."

Genç kızın elinden tuttum. "Hadi," dedim. "Sen de benimle geliyorsun."

Birlikte yukarı kata çıktık. Sırp kadın bizi odaya soktu, sonra da kapıyı üzerimize kilitledi.

"İsmin ne senin?" diye sordum.

"Kerima."

"Kaç yaşındasın?"

"On altı."

"Nerede yaşıyordunuz?"

"Gatsko'da."

Şaşırmıştım. "Gatsko biraz uzak buraya, öyle değil mi?"

"Çetnikler yaşadığımız köyü bastı. Biz de köyden kadın-erkek, yaşlı-genç, çoluk-çocuk demeden kaçmaya başladık. Sonra dönüp arkamıza baktığımızda, Gatsko ateşler içinde kalmıştı. Yaklaşık on gün boyunca ormanın içinde sürekli oradan oraya dolaşıp durduk. Tam olarak nereye gittiğimizi hiçbirimiz bilmiyorduk. Günler ve geceler birbirine karışmıştı. Korku ve belirsizlik had safhaya çıkmıştı. Çetnikler peşimizdeydi ve aramızdaki mesafeyi giderek kapatıyorlardı. Bu süre içerisinde bebekler ve küçük çocuklar yorgun düşmüş, açlıktan sürekli ağlıyorlardı. Büyükler bitap düşmüş çocukları nasıl susturacaklarını bilmeden, sürgün hayatlarına katlanmaya çalışıyorlardı. Sonra Çetnikler yerimizi buldular, silahlarıyla üzerimize ateş açtılar. O anda çabucak bir karar alındı. Erkekler yollarına devam edip Yablanitsa'ya ulaşmaya çalışacaklar, kadınlar ve çocuklar ise teslim olacaklardı..."

Kerima'nın lafını kestim. "Hiç erkek kalmadı mı yanınızda?"

"Sadece bir erkek kaldı. Onu da Çetnikler döve döve öldürdüler."

"Sonra ne oldu peki?"

"Tan ağardığı vakit, Çetnikler tarafından kuşatıldık. Bizleri büyükbaş hayvanlarmışız gibi kamyonlara bindirdiler, Ulog'daki bir okul binasına götürdüler. Orada Çetnikler biraz dinlenmemiz gerektiğini, sonra da Yablanitsa ya da Mostar'a gidebileceğimizi söylediler. Belirsizlik ve şüpheyle geçen iki günün sonunda, Kalinovik Esir Kampı'na götürüleceğimize karar verildi. Kalinovik Esir Kampı'nın ilk günlerine tahammül edilebilirdi. Fakat birkaç gün sonra kampa komutan Pero Elez ve ona bağlı askerler geldi. Esir kampı bir anda cehenneme döndü. İşkence, gözyaşı ve açlık en büyük korkumuz oldu. Öyle ki, bir somun ekmeği on kişi paylaşıyorduk."

"Gerçekten korkunç bir şey bu," dedim boğuk bir sesle.

"Hissettiğim korkuyu size nasıl tarif edeceğimi bilemiyorum," dedi dudağı titrerken. "Yaşadıklarımız o kadar korkunçtu ki, kıyamet gününün geldiğine inanmaya başlamıştık neredeyse. Ama yine yanılmıştık. Meğerse en kötüsünü henüz yaşamamıştık."

"Merak ettim, baban nerede Kerima?"

"Ben beş yaşındayken babamı kalp krizi sonucu kaybettik."

"Üzüldüm," dedim.

"Babam çok genç yaşta öldü. Öldüğünde otuz yaşına henüz yeni basmıştı."

"Allah nur içinde yatırsın. Sonra ne oldu size?"

"Sonra," dedi ürkek bir sesle, "dikenli tellerle çevrilmiş esir kampında yaşam şartları giderek kötüleşmeye başladı. İnsanlar kendi aralarında bile konuşmaktan çekiniyor, Çetniklerin onları duymasından korkuyorlardı. Hepimiz açtık. Bazen rüyalarımda ekmek görüyordum. Çok geçmeden bizleri sorgulamaya başladılar. Anneme babamın nerede saklandığını sordular. Annem de onlara babamın öldüğünü söyledi. Annemin bu sözleri üzerine bir Çetnik ayağa kalktı, annemi öldüresiye dövdü. Döverken de annemin yalan söylediğini fısıldayıp duruyordu. Sonra, sorgulama sırası bana gelmişti. Şaşı gözlü bir Çetnik Tanrı'ya nasıl dua ettiğimi sordu. Tanrı'ya dua etmediğimi korku içinde söyledim. Bana bakıp pis pis sırıttı. 'Tanrı Sırbistan'da doğdu. Tanrı Sırbdır,' dedi. Tanrı'ya nasıl dua edileceğini, bana şimdi öğreteceğini söyledi. Sonra da üniformasının cebinden küçük bir kâğıt parçası çıkardı. Masanın üstünde duran siyah fotoğraf çerçevesini önüme koydu. Çerçevenin içinde Slobodan Miloşeviç'in fotoğrafı vardı. Kâğıt parçasını bana uzattı. Fotoğrafa bakıp kâğıtta yazılanları iki kez yüksek sesle okumamı emretti. Kâğıtta yazılanları sessizce okurken gözlerime inanamadım. Kâğıtta aynen şöyle yazıyordu:

Oh, Tanrı Slobodan
Büyük Sırbistan'dan bize bak
Ve bizi kutsa
Bizi kutsa ki, yıkansın kirli ruhlarımız
Temizlensin pis inançlarımız...

Kâğıdı buruşturup bir kenara attım. Çetnik büyük bir öfkeyle ayağa kalktı. Masanın etrafını dolaşıp yanıma geldi. Yüzüme şiddetli bir tokat attı. Savrularak yere sert bir şekilde düştüm. Odadaki diğer Çetnikler ansızın annemin üzerine doğru yürüdüler. Annemi kollarından tutup kaldırdılar ve bir anda hepsi birden annemin üzerindeki giysileri parçalamaya, yırtmaya başladılar. Annem onlara yapmamaları için yalvarıyordu, ama onlar annemin bu haykırışlarını duymazdan geliyorlardı. Hemen düştüğüm yerden kalktım. Koşarak gidip kâğıt parçasını aldım. 'Ne olur anneme tecavüz etmeyin. Bakın! Tanrı Slobodan'ın fotoğrafına bakıp kâğıtta yazılı olan sözleri okuyorum,' diye bağırdım, sonra da saçma sapan sözleri ağlayarak yüksek bir sesle tam iki kere okudum:

Oh, Tanrı Slobodan
Büyük Sırbistan'dan bize bak
Ve bizi kutsa
Bizi kutsa ki, yıkansın kirli ruhlarımız
Temizlensin pis inançlarımız...

Çetnik bir-iki dakika sonra işini bitirdiğinde annemin üzerinden kalkıp yanıma geldi. Bana bakıp güldü. 'Aferin sana! Şimdi seninle hem dindaş, hem de akraba olduk. Dokuz ay sonra sana bir erkek kardeş gelecek,' dedi. O sırada anneme yaşlı gözlerle baktım; ama o utanç dolu gözlerini benden kaçırdı hemen."

Kerima'nın anlattıkları acılı yüreğimi daha da acıtmıştı. "Sen nasıl dayanabildin bu acıya?" diye sordum.

Kerima başını göğsüme yasladı, kolunu belime doladı. "O an üç kat daha hızlı büyüdüm," dedi mahzun bir sesle.

"Oradan nasıl kaçtın peki?"

"Çetnikler tecavüz etme işini artık o kadar ileri götürmüşlerdi ki, benim gibi genç kızlara dahi tecavüz etmeye başlamışlardı. Bir sabah bazı kadınları yaban otlarını ayıklamak için Sırp Mezarlığı'na götürdüler. O kadınların arasında annemle ben de vardık. Bizi gözetleyen Zaga adlı Çetnik hemen yanı başımızda yaban otlarını ayıklayan Almasa ablayı gözüne kestirdi. Almasa ablanın yanına geldi, sonra da elinde tuttuğu bıçağı boğazına dayadı. Onu siyah mermer taşlı bir mezarın arkasına doğru sürükleyerek götürdü. Pantolonunu indirip ona tecavüz etmeye başladı. O sırada annemle göz göze geldik. Sessizce oradan uzaklaşıp ormana doğru koşmaya başladık. Bir süre sonra bir ağacın altında durduk. Nefes nefese kalmıştık, ama mezarlıktan da epeyce uzaklaşmıştık. Günlerce başıboş bir şekilde ormanda dolaştıktan sonra, karanlıkta ışıkları yanan bir ev gördük. Neredeyse açlıktan bayılmak üzereydik. Annem evin arka bahçesine doğru gitti. Peşinden de ben gittim. Bir anda yaşlı bir kadınla karşı karşıya geldik. Kadın korkudan çığlık attı. Başka bir kadın çabucak evden dışarı çıktı. Kim olduğumuzu, bahçede ne aradığımızı sordu. Mecbur kaldık, başımızdan geçenleri ona anlattık. Genç kadın halimize acıdı, bizi evlerine aldı. Karnımızı doyurduktan sonra geceyi orada geçirmemize izin verdiler. O gece misafir kaldığımız evde haftalar sonra ilk kez mışıl mışıl uyuduk. Sabah erken bir saatte gözümüzü açtığımızda karşımızda, şapkalarının kenarlarında beyaz tüyler olan eli silahlı Çetnikleri gördük. Âdeta donup kalmıştık."

"Allah'ın belası Sırplar," diye kendi kendime söylendim. "Demek sizi ispiyonlamışlar ha!"

"Evet," dedi Kerima. "Güya savaştan önce Boşnak bir kadın, yaşlı Sırp kadının çiftliğinde beslediği domuzlarından birine taş atıp hayvanın bacağını kırmış."

"Domuz kadın," dedim sinirime hâkim olamayarak.

"Meğerse," dedi Kerima. "O akşam bize yedirdikleri yemek de domuz kulağıymış."

Şaşkınlıktan dilim tutulmuş bir vaziyette kalakaldım.

"Bizi kırmızı renkli bir otobüse bindirdiler," diye devam etti Kerima. "Otobüste de altı Çetnik vardı. Ansızın Çetniklerden biri tabancasını kılıfından çıkarıp alnıma dayadı.

'Söyle bakalım Türk pilici! Seni şuracıkta öldürsem acaba ne düşünürsün?' diye sordu. Annem, 'Ne olur kızımı öldürmeyin, beni öldürün,' diye yalvarmaya başladı. Çetnik bir anda tabancayı elime tutuşturdu. 'O zaman sen beni öldür,' dedi. Ellerim tir tir titriyordu. Çetnik'e korkuyla baktım. Ona bir erkek ve bir hayvan olmadığımı söyledim. Bana sıkı bir yumruk attı. Sanki o anda nefesim kesildi. Sonra da arkadaşlarına dönüp bağırdı: 'Daha ne bekliyorsunuz? Annesini hemen soyun. Otobüste seks partisi yapalım.' Altı Çetnik yol boyunca anneme tecavüz ettiler. Annem onlara karşı koydukça ya annemin göğsünde sigara söndürüyorlardı ya da beni öldürmekle tehdit ediyorlardı. Otobüs saatler sonra durduğunda, beni otobüsten indirip buraya bıraktılar. Annemi de benden ayırıp bilmediğim başka bir yere götürdüler."

Ateş gibi yanan küçük, sıcak ellerini birbirine kilitlemişti. "Abla," dedi duygulu bir sesle. "Sırplar bize bu acıları neden yaşatıyorlar?"

Saçlarını okşadım. "Çok uzun bir hikâye bu," dedim. "Ben bile bizlere bu acıları neden yaşattıklarını henüz yeni yeni öğreniyorum. İstersen şimdi biraz uyu, çok yorgun görünüyorsun."

Yorgun bedeni uykusuzluğa daha fazla dayanamadı. Yanımda bir melek gibi uyumaya başladı. Pencereden dışarı baktım. Bir incir kuşu pencerenin pervazına konmuş bana bakıyordu. "Ne olur, tutsak düşmüşlüğüm yüzünden beni hor görme," diye kendi kendime söylendim.

Tuhaf bir şekilde ötüp durdu. İncir kuşuna baktım, bir anda ağlamaya başladım. Sanki o da benimle birlikte ağlıyordu. Pencerenin önüne gittim, ona uzun uzun baktım. "Neden biz?" dedim. "Biz bunu asla hak etmedik. Suçumuz Müslüman olmak mıydı? Artık her gece kâbuslar içinde uyanıyorum. Bu hayatta uyanık kalmaktan da, uyumaktan da korkar oldum. Kendimi kirlenmiş ve değersiz hissediyorum. Âdeta hislerim uyuştu. Bu savaşta bir sürü Boşnak kadın tecavüze uğruyor. Kim bilir savaş bittiğinde ne olacak? Ya Tarık! Beni bugünlerde en çok düşündüren şey de onun hayatımdaki varlığı. Bir gün onunla tekrar karşılaşırsam, bu utanç dolu gözlerimle onun gözlerine nasıl bakacağım? Beni bu halimle yine sever mi acaba? Ya ben! O beni bu halimle sevse de onun tenime dokunmasına nasıl izin vereceğim? Ah Tarık! Aklım hep sende, aklım hep kaybettiğim ailemde. Evet, güzel incir kuşu... Dünyanın en bahtsız kadını olduğumu sen de görebiliyor musun? Artık mağlup biri olup çıktım. Vukadin tutsak bedenimin efendisi oldu. Beni kendisine bir yosma yaptı. Her gün ağır ağır ölüyorum. Kederimden her an kahroluyorum. Sen dışarılarda özgürce uçup ötüyorsun, bense esir tutulduğum kafesimde öfkelenip çıldırıyorum. Hadi, şimdi uç. Benim yerime de özgür kanatlarını çırp."

Birden su şıkırtısına benzer bir ses çalındı kulağıma. İncir kuşu nerdeyse hiç durmadan öttü, sonra da kanatlarını çırpıp gökyüzüne doğru süzüldü. Her taraf büyük bir dinginlik içindeydi şimdi. Ama bu dinginlik çok uzun sürmedi.

Kapı açıldı. İki üniformalı asker içeriye girdi. Korktum ve irkildim. "Yine ne istiyorsunuz?" diye bağırdım.

"Şurada yatan Türk pilicini," dedi kısa sakallı asker.

Kanım dondu. "Ona dokunmayın," dedim buz tutmuş titreyen dudaklarımla sessizce. "Yalvarıyorum size ona dokunmayın. Onun yerine beni alın."

Sırp askeri yanıma geldi. "Doğrusu, senin de tadına bakmak isterdim; ama sen komutanımızın fahişesisin. Senin bu evde dokunulmazlığın var."

Korku içindeydim. Sırp askerler leş gibi alkol kokuyordu. "Yapmayın," dedim ağlarken.

Diğer asker yanıma geldi. "Bırak keyfimize bakalım," dedi gülerek. "Sırp kadını olma sırası ona geldi."

"Ne olur, biraz merhamet gösterin," diye ayaklarına kapanıp yalvarmaya başladım.

Beni bir köşeye var gücüyle fırlatıp attı. Bir melek gibi uyuyan Kerima'yı birlikte kucakladılar. "Onu rahat bırakın," dedim bağırırken. "Onu rahat bırakın. Neden masum kızlar? Onlar size ne yaptı ki?"

Kerima gözlerini korkuyla açtı. Onu odadan götürmelerini aciz bir şekilde seyrettim. Çok büyük bir acıydı bu. Başımı bacaklarımın arasına alıp hiç durmadan ağladım. Çok kısa bir süre sonra yan odadan feryat figan sesler yükseldi. Ellerimle kulaklarıma bastırdım ama Kerima'nın attığı çığlıklar bir diken gibi yüreğime saplanıyordu. O anla ilgili hatırladığım tek şey acıydı; ama bu acı tarifi imkânsızlardandı.

HAMİLE

Milyevina, Karaman'ın Genelevi, 31 Aralık 1992

Günler çok zor geçiyordu. Son zamanlarda bir hayli zayıflamış ve geceleri uyuyamaz olmuştum. Nedense aile bireylerimin ölümlerinden kendimi sorumlu tutuyordum. Bu suçluluk duygusuna daha fazla katlanamıyordum. Doğrusu, kendimi nasıl teselli edeceğimi de bilemiyordum. Bu aralar benliğimde soğuk rüzgârları estiriyordum. Ne yazık ki çok genç bir yaşta acı ve korkuyla tanıştım. Belki de hayatımın en zor sınavıydı. Bu dönem, güzel olan her şeyi yavaş yavaş alıp götürdü benden. Sonra güzel anılarım günbegün düşüncelerimden de silinmeye başladı. İçimdeki âşık kadın sanki sevdiği adamın ellerini usulca bırakıyordu. Tarık'ın hayatta olup olmadığını çok merak etmeme rağmen artık kendimi ona ait hissetmiyordum. Nasıl hissedebilirdim ki zaten? Âşık olduğum adam gibi kokmayan bir adamın koynundayken, Tarık'a kendimi nasıl yakın hissedebilirdim? Tarık o gün ne kadar da haklıymış. Tarihsel bir kinin yanında aşk yüzünden de bir düşman kazanmışım meğerse. O düşmanın koynuna girdiğim gecelere lanetler yağdırıyor, bu duruma nasıl katlandığıma, acıdan ölmediğime kendim bile şaşırıyordum.

Evet, yapayalnız ve çaresizdim. Yaşadığım onca kötü şey vardı ve bu yaşanmışlıklar düşüncelerimin altını üstüne getiriyordu. Hele bu gece, yılbaşı gecesiydi. Bir sürü domuz Çetnik sarhoş olana kadar içecekler, sonra da evdeki genç kızlarla sabaha kadar seks partileri yapacaklardı. Karaman'ın Evi gerçekten de bir genelev olmuştu. Yaşları on altı ila yirmi iki arasında değişen Boşnak kızlara, bu evde hiç acımadan tecavüz ediliyordu.

O sabah yataktan bu kötü düşüncelerle kalktım. Masanın üzerinde duran bıçakla alev renkli uzun saçlarımı kestim. "Ne yaptın sen?" diye bağırdı Vukadin.

"Hiçbir şey," dedim soğuk bir sesle. "Sadece saçlarımı kestim."

Vukadin çırılçıplak bir şekilde yataktan fırladı. Bıçağı hemen elimden aldı. "Bana bak," dedi dişlerini sıkarken. "Karşında efendinin olduğunu görmüyor musun? Sen kimden izin aldın da saçlarını kestin?"

"Karşımda sadece rezil bir orospu çocuğu görüyorum. Orospu çocuğu, anlıyor musun beni?"

Vukadin donuk ifadelerle dili tutulmuş bir şekilde öylece kaldı. Sonra yüzüme şiddetli bir tokat attı. "Bunun hesabını sana soracağım," dedi öfkeyle burnundan soluyarak.

Sustum. Ona bir cevap vermedim. Üzerini çabucak giyindi, sonra da büyük bir hınçla odadan çekip gitti.

Bütün gün odadan dışarı çıkmadım. Akşam olduğunda ise odanın kapısı açıldı. Şişman Sırp kadın içeri girdi. "Kalk," dedi. "Bütün gün yattığın yeter."

Sırp kadına hırladım. "Kes sesini," dedim. "Bu evdeki kızları sıcak suyla haşlaman yetmiyormuş gibi bir de bana mı diş geçirmeye çalışıyorsun? Seni bir gün bir kaşık sıcak suda boğup geberteceğim."

Tıknaz kadın kahkahayı bastı. "Hadi," dedi. "Seni Saraybosna fahişesi. Şimdi burada oyalanma. Komutan Vukadin seni çağırıyor. Yılbaşı partisi az sonra başlamak üzere."

Zorla aşağı indim. Odanın içinde bir sürü Çetnik vardı. Hepsi de aynı kafadaydılar. "Gel," dedi Vukadin gülerek. "Bu akşam senin için yılbaşı partisini erkenden başlattım."

Bir Çetnik hızla koşarak yanıma geldi. "Komutanımızın emri," dedi. "İç şunu, yüzün biraz gülsün."

Çetnik'in elinde tuttuğu votka bardağına baktım. "Sen iç," dedim. "Senin yüzün gülsün."

Vukadin oturduğu yerden ayağa kalktı. "Şunu iç," dedi kükreyerek. "Yoksa piyanoyu paramparça ederim."

Vukadin aylar önce bir gün, esir tutulduğum bu eve iki pedallı bir Rus piyanosu getirtmişti. Yaşadığım onca acıyı, parmaklarımın uçlarıyla dokunduğum piyanonun tuşlarında birazcık olsun unutmaya çalışıyordum. Vukadin asla aptal biri değildi. Benim zayıf noktalarımı, nelere zaafım olduğunu, hangi fikirlerin aklımı karıştıracağını çok iyi biliyordu. Çetnik'in elinden votka bardağını çekip aldım, kafama diktim. Sonra da bir dikişte votkayı bitirdim. "Aferin," dedi Vukadin alkışlarken beni. "Şimdi çok sevdiğin piyanonun başına geçip bizlere bir şeyler çal."

Piyanonun başına geçip oturdum. Keyifsiz bir şekilde çalmaya başladım. "Esir kızları getirin," diye bağırdı Vukadin.

Vukadin'e nefretle baktım. Hemen yanında oturan ebleh suratlı, armut kafalı bir adam sürekli etrafına bakıp gülüyordu. Vukadin'in öbür tarafında ise pörtlek gözlü, kel kafalı yaşlı bir adam oturuyordu. Adam hiç ara vermeksizin içiyor, bir yandan da ağzına yiyecek bir şeyler tıkıştırıyordu. Onun yanında da uzun sakallı, ince yüzlü biri vardı. Onların arkasında da sessiz sessiz ağlayan Kerima duruyordu. Gözünden akan yaşlar yanaklarından ve çenesinden süzülerek yere damlıyordu.

Epey bir zaman sonra Çetnikler kafayı buldular. Piyanoyu çalmayı bıraktığım anda uzun sakallı Çetnik ayağa kalktı. Elini havada sallayarak şarkı söylemeye başladı:

Hem Ustaşalar hem de Baliyalar
Tanrılarını iyi bilirler
Cennet Sırplara aittir
Tanrı Slobadan da Sırptır...

Vukadin sağ elini havaya kaldırdı. "Herkes sussun," dedi. "Şimdi gerçek gösteri başlasın."

Kapı açıldı. Boynuna mavi kalın bir ip geçirilmiş çırılçıplak bir adam odaya getirildi. Çetnikler hep bir ağızdan adamı yuhalamaya başladılar. "Diğerini de getirin," dedi Vukadin.

Daha sonra başına çuval geçirilmiş çırılçıplak bir kadın odaya sokuldu. Gözlerim fal taşı gibi açıldı, yüzüm soldu. Vukadin'e baktım. Yüzünde sinsi bir gülümseme vardı. İnce yapılı kadını sırtüstü yere yatırdılar. Vukadin çıplak adamın yanına geldi. "İsmin ne?" diye sordu.

"İbrahim," dedi adam kısık bir sesle.

"Yüksek sesle konuş," dedi Vukadin adama bir yumruk atarken. "Seni duymuyoruz."

"İbrahim," dedi adam bağırarak.

Vukadin esir Boşnak'a bir yumruk daha attı. "Karşında sağır yok," dedi gülerek. "Neden bağırıyorsun?"

Odadaki Çetnikler gülüşmeye başladılar. "Şimdi," dedi Vukadin. "Bu kadının üzerine yat. Onunla seks yap."

"Bize merhamet gösterin," dedi adam ağlarken.

Vukadin adama bir tekme attı. Adam yerde yatan kadının üzerine düştü. "Yap, yap, yap..." diye Çetnikler hep bir ağızdan tempo tutmaya başladılar.

Adam hıçkırarak ağlıyordu. Kadın ise sesini hiç çıkarmıyordu. Vukadin adamın sırtına ayağını bastı. "Ya şimdi bu kadını becerirsin ya da şurada beynini dağıtırım."

Sözlerle ifade edilemeyecek üç-beş dakikalık ızdıraptan sonra adamı kadının üzerinden kaldırdılar. "Pis Müslüman," dedi Vukadin, adama tekme tokat girişirken. "Seks yapmayı bile bilmiyorsunuz. Şimdi Karadağlı bir Ortodoksun Müslüman bir kadınla nasıl seviştiğini kendi gözlerinle göreceksin."

Uzun sakallı, ince yüzlü Çetnik bir hışımla kemerini çözdü. Sonra da yerdeki kadının üzerine yattı. O sırada kadın yerde debelenmeye başladı. "Bakın!" dedi Vukadin şaşkın bir şekilde. "Türk kadının gösterdiği direnişe bakın. Bir Sırpla birlikte olmak istemiyor, ama bir Türkün altına yatmasını biliyor. Hiç boşuna debelenip durma. Çünkü Sırp soyunu sürdürmek için sana ihtiyacımız var."

Çetnik kadının üzerinden gülerek kalktı. "Şimdi seni Sırp ve Ortodoks yaptım," dedi kahkaha atarak.

Vukadin kapıda bekleyen askerlerden birini çağırdı. "Alın şu adamı," dedi. "Boynundaki iple dışarıdaki incir ağacına asın."

Asker, bitap düşmüş adamı buz gibi havada çırılçıplak bir halde dışarı çıkardı. "Şimdi kadını yerden kaldırın," diye emir verdi.

Uzun sakallı Çetnik yerde yatan kadını kaldırdı. Vukadin tecavüze uğrayan kadının yanına yaklaştı, çuvalı başından çıkardı. "Bak Suada," dedi kadının ağzındaki yapışkan bandı sökerken. "Bu zavallıyı bir yerden tanıyor musun?"

Soluk benizli, kemikleri büsbütün meydana çıkmış ince yüzlü kadına sersemlemiş bir halde baktım. O anda hayretler içinde donup kaldım. Bu kadın bir zamanlar pembe yanaklı, toparlak yüzlü Edina ablamdan başkası değildi.

***

O gece şaşkınlıktan kendimi zar zor odaya attım. Ateşli bir hasta gibi tuhaf tuhaf düşüncelere daldım. Edina ablam bir deri bir kemik kalmıştı. Dağınık saçları perişan bir şekilde uçuşuyor, uykusuz yüzünde tutsaklığın solgun ışıkları dalgalanıyordu. Allah'a şükür ki hâlâ yaşıyordu. Ellerimi açtım. "Bu karanlık geceler ne zaman bitecek? Umudun gün doğumunu ne zaman göreceğim?" diye Allah'a yalvarmaya başladım.

"Kiminle konuşuyorsun?" dedi Vukadin kapıyı açıp içeri girerken.

Korku içinde bir köşeye sindim. "Hiç kimseyle."

"Şimdi yanıma gel."

Bir an yanına gidip gitmemekte tereddüt ettim. "Gel," dedi kararlı bir ses tonuyla. "Şayet gelmezsen o zaman..."

Hemen yerimden kalktım. "Aferin sana," dedi tebessüm ederek. "Kadın dediğin uysal bir kısrak gibi olmalı."

Elini belime doladı. Beni boynumdan öpmeye başladı. Onun elinde âdeta bir oyuncak gibiydim. "Bugün beni neden kızdırdığını biliyor musun?" diye sordu.

Başımı 'hayır' anlamında salladım. "Saçlarını bir yele gibi ellerime dolayıp yuvarlak kalçalarına çıplak tenimle dokunmayı seviyordum," dedi.

Bu sapık adama ne diyeceğimi bilemedim. O an duyduğum azap ve korku tüm bedenimi sarmışken, ona hiçbir şey söyleyemedim. "Seni her geçen gün daha fazla arzuluyorum," dedi yatağa uzanırken.

Ayakta öylece kalakalmıştım. "Şimdi ağır ağır soyun," dedi. "Seni izlemek istiyorum."

Rezillikten de daha kötü bir şeydi bu. Utanç içinde ona baktım. "Işığı kapat," dedim ağlamaklı bir sesle.

Işığı kapattı, bir mum yaktı. Loş ışıkta ağır ağır soyunmaya başladım. "Orada öylece dur," dedi. "Seni bir süre izlemek istiyorum."

Vukadin çıplak vücudumu büyük bir hayranlıkla izlerken ben de sanki ölüyordum. Yaşadığım kötü olayların acısı hâlâ içimdeyken, bir seks nesnesi olarak görülüyor olmam beni daha çok kahrediyordu. Vukadin'in kemerini söken ellerine baktım. Ellerinde ailemin kanını gördüm. İçimdeki yaram bir kez daha şiddetli bir şekilde kanadı.

"Şimdi salına salına buraya gel," dedi.

Bana söylediği şeyi yaptım. Kollarıyla bir ahtapot gibi çıplak bedenimi sardı. Birden tuhaf sesler çıkararak tüm ağırlığıyla üzerime yüklendi. O anda gözlerimi kapattım. "Bana ne oldu Allahım?" diye sordum.

"Gözlerini aç," dedi hırıltılı bir sesle. "Gözlerimin içine bak."

Gözlerimi açtım, ona baktım. Bir damla gözyaşım yanaklarımdan yastığa süzüldü. Ben de her genç kız gibi günü geldiğinde evlenip anne olmayı arzuluyordum. Fakat artık ne bir erkekle evlenmek, ne de anne olmak istiyordum. Çünkü erkekler tutsak bedenime korku ve ağrı veren kaba güçlerdi. Belki bütün erkekler böyle olmayabilirdi, ama benim gözümdeki erkek fotoğrafı ne yazık ki böyleydi artık. Bu günlerde sahip olduğum erkek korkusu rasyonel düşüncenin çok ötesinde bir şeydi.

Ne tuhaf! O anda benim gözlerimde tiksinme, Vukadin'in gözlerinde ise gurur vardı. Zaten nasıl olmasın ki? Hayatımı kendi emri altına alan sanki o değil miydi? Ona boyun eğip onun altına yatan da ben değil miydim? Vukadin ne zaman soyunup üzerime çıksa, bedenimi değil düşüncelerimi allak bullak ediyordu...

"Seksimiz nasıldı?" diye sordu dalıp gittiğim kötü düşten uyandırırken beni.

"Aslında senin bana tecavüzün nasıldı?" demek geldi içimden, ama korkumdan hiçbir şey söyleyemedim.

Kan ter içinde usulca sol yanıma uzandı. "Şimdi sanırım uyumaya hazırım," dedi.

Düşüncelerimi toplamak için derin bir nefes aldım. "Vukadin," dedim cılız bir sesle.

Gözlerini kapadı. "Ne var?" dedi sert bir şekilde.

"Edina ablama ne yapacaksın?"

Onun kısa bir an için uyumuş olduğunu sandım. Bir gözünü açtı. "Merak etme," dedi. "Yarın mübadele günü. Bir Çetnik'e karşı, on tane Boşnak kadını serbest bırakacağız."

"Bunu neden yapıyorsun?" diye kuşkuyla sordum.

Başını çevirdi. "Seni sevdiğimden," dedi gülerek. "Şimdi sus da uyuyayım."

***

Ertesi gün sabah erkenden kalktım. Hızla odalara girip çıktım. Yataklarda çırılçıplak yatan Çetniklerin koynunda zavallı genç kızları gördüm. İçim cız etti, yüreğim eridi. Sonra aşağı kata indim. Edina ablam kendinden geçmiş bir halde yerde yatıyordu. Onu dürttüm. "Kalk abla," dedim kulağına fısıldarken.

Korkuyla gözlerini açtı. "Ne var?" dedi yüksek bir sesle.

Boynuna sarıldım. "Korkma," dedim. "Benim Suada."

Ansızın hüngür hüngür ağlamaya başladı. Başını göğsüme yasladım. "Ağla," dedim çatallaşan sesimle. "Ağla, belki açılırsın."

Pencereden dışarı baktım. Kar hafiften atıştırıyordu.

"Kâbus dolu günler yaşadım," diye fısıldadı.

"Senin öldüğünü söyledi bana."

"Ruhum öldü," dedi tırnağını yerken.

Elini avuçlarımın içine aldım, tırnaklarına baktım. Tırnaklarını yediği parmaklarını saklamak için nasıl da çırpındı bir anda. Gözlerimden bir damla yaş aktı. "Kendine ne yapmışsın böyle?" diye sordum.

Parmaklarını ağzına götürüp tırnaklarını yeniden yemeye başladı. "Yapma şunu abla," dedim elini ağzından çekerken.

"Günde en az on Çetnik tecavüz etti bize. Günlerce aç bıraktılar. Kamp koşulları çok kötüydü."

"Hangi kamptaydın?" dedim ağlarken.

"Rogatitsa Esir Kampı'ndaydım. Bizleri sürekli tüfeklerinin dipçikleriyle dövdüler. Sırp bir çocuk dünyaya getirmemiz için her gün tecavüz ettiler."

Birden omuzlarım çöktü, sanki anlattığı trajedinin ağırlığı altında eziliyor, nefes alamıyordum. Gözlerini kırpıştırdı, tırnaklarını yeniden yemeye başladı.

"Bugün serbest bırakılacaksın," dedim ona sarılıp ağlarken.

"Biliyorum," dedi buz gibi bir sesle. "Bugün Yakomişl-ye'de takasa gireceğiz."

Ablam yeniden ağlamaya başladı. "Beni neden takasa soktuklarını biliyor musun?" diye sordu.

"Evet," dedim. "Vukadin istediği için."

Ablam bana şaşkın şaşkın baktı. "Vukadin mi?" dedi. "Onun takas edilmemle ne alakası var?"

"Bana öyle söyledi."

"Piçin evladı," dedi ablam sinirli bir şekilde. "Yalan söylemiş sana. Ben..."

Ablamın boğazı düğümlendi. Daha fazla konuşamadı. Vukadin'e karşı öfkemden kuduruyordum âdeta. "Orospu çocuğu," diye söylendim.

Ablam gözlerini benden kaçırdı. Sonra da, "Ben hamileyim," dedi bir çırpıda.

Sanki her şey etrafımda dönmeye başladı. "Ne?" dedim kekeleyerek. "Hamile misin?"

"Hamileyim," dedi. "Bu yüzden bizi takasa sokuyorlar."

"Kaç aylık hamilesin?"

"Bilmiyorum," dedi. "Ama karnımdaki bu piçi aldıracak zaman çoktan geçti."

Tüylerim diken diken oldu. "Babası," dedim, sonra da hemen sustum.

Ablam acı acı güldü. "Babasının kim olduğunu soruyorsan, babası belli," dedi. "Bütün Çetnikler."

Ablama ağlayarak sarıldım. "Şimdi ne yapacaksın?" diye sordum.

"Karnımdaki Çetnik'i doğuracağım," dedi buz gibi bir sesle. "Kız olursa adını Katarina, oğlan olursa da Boşko koyacağım. O piçi Sırp ismiyle büyüteceğim. Aklı her şeye erdiği bir zamanda, ona babasının bir Sırp olduğunu, Sırpların bana tecavüz ettiklerini, onların mührünün de kendi varlığı olduğunu söyleyeceğim. İşte o zaman ben, Sırpları bir piç Sırpla vuracağım. Böylece onlardan intikamımı almış olacağım."

GENERAL

Pale, Temmuz 1993

Günler günleri, aylar ayları, olaylar olayları kovaladı. Son bir yıldır küreklerimi atmış, hayatımı kendi akışına bırakmıştım. Zaman âdeta durmuştu ve ben çöp kutusuna fırlatılıp atılan buruşuk kâğıtlar gibiydim. Hayatım merhametsizce harcanan sayfalar dolusu kâğıt yığınları gibi anlamsız hale gelmişti. Artık hiçbir şeyi olmayan ben, imkânsızın şarkısını yüreğim kan ağlayarak söylüyordum:

İgman Dağı'ndan akan dereler
Uçsuz bucaksız yeşillikler ve ağaçlar
Ormanın ortasında mutsuz yaşamlar
Göğsünü düşmana siper etmiş âşıklar
Gel
Gel yiğidim

Başımı bitkin göğsüne dayayayım
Ateşler içinde yanan göğsünde öleyim...

"Seni çok mu incittiler?" diye sordu yan hücreden biri ansızın.

İki gündür Pale'de, ismini bilmediğim bir hapishanede tutuluyordum. İçine konduğum hücre on metre karelik bir yerdi. Koridorda yanan cılız bir lamba hücrenin içini hafiften aydınlatıyordu. "Siz kimsiniz?" dedim şaşkınlıkla.

"Ben bir Türk gazeteciyim," dedi ince sesli kadın. "Adım da Mubera Duran."

Şaşkınlığım büsbütün artmıştı. "Sizin burada ne işiniz var?"

"Hiç sorma," dedi gazeteci kadın. "Birleşmiş Milletler Koruma Gücü mensubu Fransız askerleri sözde bize kılavuzluk ediyordu. Birden aracımızın önü Sırplar tarafından kesildi. Aracımızdan silah zoruyla indirildik, başka bir araca bindirildik. Sonra da Pale'ye getirildik."

"Boşnakçayı nerede öğrendiniz?"

"Aslında ben bir Boşnak kızıyım. Ailem yıllar önce İstanbul'a göç edip oraya yerleşenlerden. Senin adın ne peki? Senin burada ne işin var?"

"Benimki çok uzun bir hikâye," dedim cılız bir sesle. "Adım Suada. Ben de Sırpların elinde esir bir Boşnak kızıyım."

"Üzüldüm," dedi kadın acıklı bir sesle.

Kısa bir süre sustum. "Üzülmek için çok geç artık," dedim. "Tek gerçeği acı olan bu dünyada beni hayatta tutan şey Allah'a olan inancımdı. Galiba inancımı da yavaş yavaş kaybetmeye başladım..."

Kadın lafımı kesti. "Sakın inancını ve umudunu yitirme," dedi.

Acı acı güldüm. "Bir yaz günü," dedim. "İncir kuşları bile çığlık atarak siyah gökyüzünde kaçışıyorlardı. Kaçamayanlar ise Emin ve Edin gibi incir ağacının üstünde can verdiler. Bu topraklarda yıllardır yaşayan Boşnaklar bugünlerde sessiz ve bu sessizlik ne yazık ki benim kanıma dokunuyor. Bu düşüncelerimi size anlatıyorum, çünkü tek başıma bunlarla mücadele edemiyorum artık."

"Savaşta ölenler geri gelmeyecek," dedi kadın. "Biz de bir şekilde hayata devam etmeliyiz."

"Bu düşüncelerinizde haklı olabilirsiniz elbette," dedim. "Ama sevdiğimiz insanları kaybetmenin acısını hiçbir şey dindiremez. Hele ki bu acının sebebini kendiniz olarak görüyorsanız, aklınızı oynatmaya az kalmıştır."

Kadın bir süre sustu. Sonra da, "Savaştan önce ne iş yapıyordun?" diye sordu.

"Konservatuvarda öğrenciydim."

"İşte ne güzel," dedi. "Sanatçının görevi umutsuzluğa düşmek değil, varlığın boşluğunda kendine bir yer bulmaktır. Bu kadar yenilgi dostu olma. Sana küçük bir sırrımı verebilir miyim?"

"Elbette."

"Daha düne kadar Sırpların eline esir düşmekten çok korkuyordum. Fakat şimdi nedense korkmuyorum. Esir düştüğüm gün şu gerçeği anladım: Korkunla yüz yüze geldiğinde korku denen şey meğerse biten bir duyguymuş."

"Sizi çok iyi anlıyorum," dedim. "Ama sahip olduğunuz bu düşünce biraz da yaşadığınız korkunun şiddetiyle ilintili bir şey. Siz henüz hiçbir şey yaşamadınız."

Kadın sustu. Hemen konuyu değiştirdi. "Sana başka bir sır daha verebilir miyim?" dedi sessiz bir şekilde.

"Sizi dinliyorum."

"Artık hiç korkma," dedi. "Boşnaklar ambargoya rağmen silahlanmaya başladılar."

"Nasıl?" dedim şaşkınlıkla.

"Türkiye cumhurbaşkanı Süleyman Demirel, Ankara'da Hırvat yetkililerle üst üste üç kez toplantı yaptı. Bu toplantıda cumhurbaşkanı Demirel Hırvatlara dedi ki: 'Bakın! Sırplar hem sizin hem de Boşnakların canlarına okuyor. Sizi de eninde sonunda yaşadığınız bu topraklardan sürecekler. Boşnak halkıyla omuz omuza verip Sırplara karşı birlikte savaşın.' Sonra da cumhurbaşkanı Süleyman Demirel Hırvatlara bir teklif sundu. Hırvat yetkililer de Demirel'in sunduğu bu teklifi kendi cumhurbaşkanları Tudjman'a ilettiler. Tudjman da teklifi kabul etti."

"Cumhurbaşkanı Demirel'in Tudjman'a sunduğu teklif neydi?"

"Sen de biliyorsun ki, Birleşmiş Milletler tarafından yürürlüğe konan silah ambargosu yüzünden Boşnaklar silah yardımı alamıyorlar. Demirel'in Hırvatlara sunduğu teklife göre; Türkiye'den kalkacak silah yüklü uçaklar, Hırvatistan'ın Split kentine inecek. Uçaktan çıkan her dört silahtan birini Hırvatlar kendilerine alacak. Diğer silahları da Cessna tipi küçük uçaklarla Visoko'ya sokacaklar."

"Bu silahları Visoka'ya sokabildiler mi peki?"

"Evet, en sonunda bizimkiler Bosna'ya silah sokabildi. PKK adlı silahlı terör örgütünden yıllar içinde ele geçirilen silahlar, Çanakkale kentindeki askeri üsse getirildi. Burada askeri uçakların üzerleri siyah bantlarla kaplandı. Daha sonra da silah yüklü uçaklar Split'e gönderildi."

"İnanmıyorum," dedim.

"Bence Boşnaklar bugün hâlâ ayakta durabiliyorsa bunu Süleyman Demirel'e de borçlular," dedi gazeteci kadın. "Demirel, PKK'dan ele geçirilen silahlar tükenir tükenmez, bu sefer gidip İran'ın, Pakistan'ın ve Malezya'nın kapısını çaldı. Onlardan Boşnaklar için silah istedi. Malezya bilgisayar ve teknik, Pakistan roket, İran da silah yardımında bulundu. Fakat daha sonra İran, Türkiye üzerinden yaptığı yardımları kesti."

"Neden?"

"Çünkü bu yardım olayında Türkiye'nin adının ön plana çıkmasından dolayı İranlılar son derece rahatsız olmuşlardı. Türkiye üzerinden Boşnaklara silah göndermeyi kestiler, kendileri doğrudan yardım yapmaya başladılar. Bugünlerde ise Saraybosna'daki İranlı yetkililer, Boşnak halkına kendi mezheplerinin propagandasını yapıyor."

"Nasıl?"

"İranlı yetkililer savaş mağduru Boşnaklara yiyecek yardımında bulunuyor. Boşnak kadınların başlarını örtmeleri karşılığında onlara nohut, kocalarını ya da erkek çocuklarını camiye getirmeleri karşılığında da et veriyormuş."

Bir anda tüylerim diken diken oldu. "İnsanların içine düştükleri aciz durumdan faydalanmaya çalışmak ne korkunç bir şey," dedim. "Bunu aklım havsalam almıyor. Peki, bu durumu haber yaparak açığa çıkaracak mısınız?"

Kadın fısıldadı. "Hayır," dedi. "Bu bildiklerimi haber yapmaya hiç niyetim yok. Çünkü gazetede çıkacak böyle bir haber bir ulusun sonu olur. Kendi halkıma ihanet edemem ben."

O sırada demir kapı açıldı. İki asker içeri girdi. Yan hücrede esir tutulan gazeteci kadını dışarı çıkardılar. Kadınla bir an göz göze geldik. Siyah kısa saçlı, fındık burunlu kadın bana şaşkın şaşkın baktı. "Aman Allahım," dedi bu sefer İngilizce konuşarak. "Tıpkı bir Ay gibisin. Seni burada neden tuttuklarını daha iyi anlıyorum."

***

O gün gözlerim açık, dışarıdan gelecek ayak seslerini beklemeye koyuldum. Epey bir zaman sonra demir kapı açıldı, şişman bir asker içeri girdi. Elinde tuttuğu anahtarla hücrenin kapısını açtı. "Çık," dedi. "Gidiyoruz."

Dışarı çıktım. Sırp askeri saçlarımdan tuttu, beni kendine doğru çekti. Pis dudaklarıyla beni öptü. Yüzüne bir tokat attım. "Seni komutanına şikâyet edeceğim," diye bağırdım.

Pis pis sırıttı. "Eğer komutanın fahişesi olmasaydın," dedi. "Seni şurada gebertmiştim."

Yüzüne tükürdüm. "Allah hepinizin belasını versin," dedim.

Eliyle yüzünü sildi, sonra da kolumdan tutup çekiştirdi. "Yürü balinkura," dedi. "Komutan seni bekliyor."

Vukadin iki haftadır ortalıklarda gözükmüyordu. Herhâlde beni bu yüzden Pale'ye getirtmişti. Şişman askerle birlikte dışarı çıktım. Kapının önünde zırhlı personel taşıyıcısı duruyordu. "Şimdi şu araca bin," dedi asker.

Başka bir asker araçtan aşağı indi. "Ağzını açmış ne bakıyorsun?" dedi sinirli sinirli. "Hemen araca bin."

Asker bindiğim aracın kapısını kapattı, kendi de ön tarafa geçip oturdu.

Yaklaşık bir saat sonra aracı durdurdu, kapıyı açtı. "Aşağı in," dedi gür bir sesle.

Etrafıma bakındım. Bir dağ otelinin önünde duruyordum. O sırada bir kadın asker koşarak yanıma geldi. "Hoş geldin," dedi tebessüm ederek. "Benim adım Slobodanka."

"Hoş bulduk," dedim şaşkınlıkla.

"İçeri girelim. Komutan birazdan gelir."

İçeri girdik. "Şimdi ikinci kata çıkalım," dedi kadın asker. "İlk önce bir duş al, sonra da üzerine güzel bir elbise giy."

Şaşkınlığım büsbütün artmıştı. İkinci kata çıktık, odaya girdik. Oda bomboştu. Yatağın üzerinde birkaç tane elbise vardı. "Neler oluyor?" diye sordum korkarak.

İnce yapılı kadın asker güldü. "Korkma, bir şey olduğu yok," dedi. "Sadece bir akşam yemeği yiyeceksin. Şimdi soyun, duşa gir."

Bana söyleneni yaptım, soyunup duşa girdim. Duştan çıktığımda ise kadın asker yatağın kenarında oturuyordu.

"Bence kısa kesim kırmızı elbiseyi giymelisin," dedi. "Sana çok yakışacak."

"Ama çok kısa," dedim yüreğim boğazımda atarken. "O elbiseyi giyemem."

Kadın doğruldu. "Hemen şunu giy," dedi sert bir ses tonuyla.

"Şu uzun olanı giysem, olmaz mı?"

Kadın ayağa kalktı. "Sana kırmızıyı giy dedim."

Mecburen kırmızı elbiseyi giydim. "Kendimi fahişeler gibi hissettim," dedim gözlerim dolarken.

Kadın kahkahayı bastı. "Zaten öylesin," dedi. "Şu kırmızı ayakkabıyı da ayağına giy. Biraz da makyaj yap. Ben de yan odaya geçip hazırlanacağım. Yarım saat sonra seni almaya gelirim."

Yaklaşık yarım saat sonra kadın tekrar odaya geldi. Bu sefer üzerinde kısa kesim siyah bir elbise vardı. "Hazır mısın?" diye sordu.

Başımı evet anlamında salladım. "Öyleyse gidelim," dedi.

Aşağı kata indik, önceden büyük bir özenle hazırlanmış masaya oturduk. Etrafımıza bakındım. Koca restorantta bizden başka kimse yoktu.

"Vukadin nerede?" diye sordum.

Kadın pis pis sırıttı. "Vukadin'i çok mu özledin?" dedi alaycı bir ses tonuyla.

Ansızın içeri bir sürü asker doluştu. Kadın asker hemen ayağa kalktı. "Sen de ayağa kalk," dedi bir çırpıda.

Biraz duraksadım, neler olup bittiğine bir anlam verememiştim. Şaşkınlıkla ayağa kalktım. General Borislav Milunoviç yanımıza geldi. Sırp kadına bakıp reverans yaptı. "Her zamanki gibi başımı döndürüyorsun," diye iltifatlarda bulundu kadına.

Kadın şuh bir kahkaha attı. "Hiçbir zaman beyefendiliğinizi, nezaketinizi elden bırakmıyorsunuz generalim," dedi.

General Borislav bana baktı. "Size de iyi akşamlar hanımefendi."

O anda ne diyeceğimi bilemedim. Kadın, General Borislav'ın yanında duran yabancı üniformalı subaylara elini uzattı. "Hoş geldiniz general," dedi.

Kumral tenli ve uzun boylu olanı Sırp kadın askerin elini sıktı. "İyi akşamlar hanımefendi," dedi. "Her zamanki gibi yine çok güzelsiniz."

Kadın hafiften tebessüm etti. "Sizi genç hanımla tanıştırmak istiyorum."

General bana baktı. Ben de ona dikkatlice baktım. Bu adamın yüzü bana hiç yabancı gelmemişti. "Size de iyi akşamlar hanımefendi," dedi İngilizce konuşarak.

Sustum, cevap vermedim. "Hadi," dedi General Borislav. "Şimdi yemeğe oturalım."

Gece boyunca hiç konuşmadım. General Borislav ve kadın asker sürekli içtiler, dans edip eğlendiler. Kumral tenli general de gece boyunca kâh General Borislav'la sohbet etti, kâh kadın askere iltifatlarda bulundu, kâh beni göz ucuyla ince ince süzdü. Gecenin ilerleyen saatlerinde ise bir Sırp subayı yanıma geldi. Eğilip kulağıma, "Şimdi beni izleyin," diye fısıldadı.

Masadan kalktım. Sırp subayın peşine düştüm. Merdivenlerden ikinci kata çıktık. Bir odanın kapısının önüne geldiğimizde durduk. Kapıyı açtı. "İçeri gir," dedi.

O sırada üç asker koşarak yanımıza geldi. "Siz kapıda nöbet tutun," diye askerlere talimat verdi.

İçeri girdim. "Bana ne yapacaksınız?" diye sordum korkarak.

"Şöyle geç otur," dedi. "Korkmana gerek yok."

Bedenim kaskatı kesilmişti. Çok yorgun ve uykusuz olmama rağmen koltuğa oturamadım. Öylece ayakta durdum.

"General Lewis MacKenzie'nin yanında uslu durduğun için sana aferin," dedi yüzü çilli subay.

Birden İfeta teyzemin ölmeden önce bana telefonda söylediği sözleri hatırladım: "İskenderiye Meydanı'nda Yugoslavya Halk Ordusu ile Yeşil Bereliler arasında dünden beri kanlı çatışmalar sürüyor. Boşnak güçleri, Sırp Komutanı Kukanyats'ın ve kumandasındaki askerlerin etrafını âdeta Çin Seddi gibi etten bir duvarla ördüler. Sırplar İzzetbegoviç ve diğerlerinin karşılığında komutan Kukanyats ile Sırp askerlerinin değiş tokuşunu önereceklermiş. Bu değiş tokuş işini de MacKenzie yapacakmış... General Lewis MacKenzie Bosna'daki Birleşmiş Milletler'in Kanadalı komutanıdır... Sonuçta o da bir Hıristiyan. Elbette dindaşlarının yanında olma gereğini hissediyor ki, Bosna'ya uygulanan silah ambargosunu kaldırtmıyor..."

O an acı acı güldüm. Boşnakların hakkını korumakla görevli General Lewis MacKenzie, Sırp General Borislav

Milunoviç'le akşam yemeği yiyip, kadeh tokuşturuyordu. "Şimdi burada uslu uslu otur," diyen Sırp subay beni daldığım düşüncelerden uyandırdı.

Subay daha sonra odadan dışarı çıktı, kapıyı üzerime kilitledi. Askerlere de kapıda beklemeleri için talimatlar yağdırdı. Birden General Borislav'ın söylediği şarkı kapatıldığım odanın içinde yankılanmaya başladı:

Sırbistan'ın küçük olduğu bir yalan
Daha büyük bir Sırbistan için
Canla başla savaşıyoruz
Türkleri bir bir avlayıp öldürüyoruz...

Kulaklarımı ellerimle kapattım. Sırpların saçma sapan şarkı sözleri artık bende kusma hissi uyandırıyordu. Kısa bir sürc sonra kapının kilidi açıldı. General Lewis MacKenzie içeri girdi. Hemen ayağa kalktım. "Matmazel," dedi İngilizce konuşarak.

Yüreğim küt küt atıyordu. Sol elinde kırmızı bir gül vardı. Yanıma yaklaştı. Sağ elindeki kırmızı gülü bana uzattı. Heyecandan donup kalmıştım. O kısa mesafede gülün el değiştirdiğini bile fark etmemiştim. Allak bullak oldum. "Adınız ne güzel bayan?" diye sordu.

Sustum. Ona bir cevap vermedim. "Buraya nereden geldiniz?" diye başka bir soru sordu.

Yine sustum. Sessiz kalmak böyle bir şeymiş meğerse. Onu anlamıyormuşum gibi davrandım. Tam önümde durdu. Nefesini yüzümde hissedebiliyordum ve tabii ki o leş kokusunu da. Sonra bir adım geri çekilerek beni baştan aşağı süzdü. Ben ise donmuş bir vaziyette ona bakıyordum. Sonra yine yanıma sokuldu. "İngilizce konuşabildiğinizi biliyorum," dedi.

"Benden ne istiyorsunuz?" diye sordum korkarak.

Yüzünü yüzüme yaklaştırdı. Nefesini yüzüme üfledi. Sonra da yanağını yanağıma değdirerek kulağıma şu sözleri fısıldadı: "Size yardım etmek için buradayım. Ayrıca size yardım etmek benim de işime geliyor. Çünkü menfaatle motive edilmiş aşk, en güçlü aşktır."

O anda afallamıştım. Beni öpmeye başladı. Ona ne bir karşılık verebiliyordum, ne de geri çekilebiliyordum. Sonra şaşkınlığımı üzerimden atıp kendime geldiğimde geri çekildim. "Yapmayın lütfen," dedim. "Boşnak halkını korumanız gerekirken onlara tecavüz ediyorsunuz. Siz bir Sırp değilsiniz."

Saçımdan tuttu. "Biraz sabırlı ol," dedi. "Seni Sırpların elinden kurtaracağım."

Sinirlerim iyice bozulmuştu. "Bana tecavüz ederek mi?" diye sordum.

"Menfaatle motive edilmiş aşk..."

Hemen lafını kestim. "En güçlü aşktır, öyle mi? Benim size âşık olduğumu da nerden çıkardınız?"

Bana pis pis baktı. Saçlarımdan tutup yatağa fırlattı. Sonra da gidip radyonun sesini sonuna kadar açtı. "Şimdi uslu bir kız ol," dedi. "Yoksa seni kapıda bekleyen Sırp köpeklerine parçalatırım."

Pantolonunun kemerini çözdü, yanıma geldi. Beni soymaya başladı. "General Borislav senden bahsetmişti bana. Doğrusu bu kadar güzel olabileceğini tahmin etmemiştim."

Kanım çekildi, tüylerim ürperdi. "Beni size General Borislav mı önerdi?" diye sordum tir tir titrerken.

General Lewis MacKenzie yüzüme baktı. "Evet," dedi gülerek. "Bu akşam senin için buraya geldim."

"Generalin oğlu benimle birlikte," dedim buz gibi bir sesle.

"Vukadin mi?" diye sordu şaşkınlıkla.

"Evet."

"O şimdi hastanede yatıyor. Cephede fena yaralanmış çünkü."

O anda sevinmeli miydim yoksa üzülmeli miydim bilmiyordum. General Lewis MacKenzie radyodan odanın içine dolan Sırp halk müziğinin eşliğinde sapık arzularını tutsak bedenimde tatmin ederken ağzımı sıkıca kapattım, sızlayan yüreğimin acısını her zamanki gibi dindirmeye çalıştım.

İNTİKAM

Hayat bazen ne tuhaf! Günahkâr insanlarla ve tecavüzle yaşamayı öğrenen biri olup çıktım âdeta. İnsanın elinden hiçbir şey gelmeyince yaşadığı kâbus dolu günlere zoraki katlanmaya çalışıyor. Acaba hangi insan daha kötüsünü yaşayıp da kendini bu dünyadan sayabilir ki? Çoğu zaman ben de ölmeyi arzuluyorum, ama ne yazık ki benden yapılmış balta beni kesmiyor. Evet, bedenim bir maşa oldu, ama ruhum hâlâ kendini ele vermiyor. İşte bu isyankâr ruhum sanki beni bir yılda on yıl yaşlandırdı.

O sabah yine acı dolu bir güne uyandığımda, güneşin ilk ışıkları pencereden içeri süzülüyordu. Güneş şimdiden bu yalancı şehri ısıtırken benim içim buz kesiyordu. Ansızın kapı açıldı. Slobodanka adlı kadın asker içeri girdi. "Kalk," dedi sert bir ses tonuyla.

Yataktan hemen kalktım. Elinde tuttuğu naylon torbayı bana fırlattı. "Çabuk giy şu köylü eteğini," dedi alaycı bir şekilde.

Dimiyeyi torbadan çıkarıp giydim. "Geceniz nasıldı?" diye sordu gülerek. "General yatakta iyi miydi bari?"

Gözlerimi kadından kaçırdım. "Bana bak," dedi sinirli sinirli. "Şu güzel yüzünü bıçağımla doğramayayım. Sorduğum soruya cevap ver."

Bütün cesaretimi toplayıp kadına baktım. "Ölümün ve düşmanın suratına bakarken sevişebilir misin?" diye sordum.

Kadın kahkaha attı. "Bak sen," dedi dudağını büzerken. "Demek küçük fahişe bana akıl veriyor ha! Ölümden ve düşmandan korkarsan tabii ki sevişemezsin. Bir erkekle seviştiğinde gerçek ve saf tutkuyu hissetmelisin. Mesela ben volkanik tutkuları olan bir kadınım. Yatakta soğuk bir heykel gibi olacağıma zevk nesnesi olmayı yeğlerim."

"Pekâlâ," dedim soğukkanlılıkla. "Sizi esir almış ve size tecavüze kalkışan Boşnak erkeklerin altında da volkanik tutkuları olan bir kadın olabilir misiniz? Ya da size zorla tecavüz eden Boşnak erkeklerin yatağında bir zevk objesi olmayı yine de yeğler misiniz?"

Sırp kadın afalladı. Soğuk bir heykel gibi karşımda durdu. Kendine geldiğinde ise bana tekme tokat girişti. "Seni balinkura," dedi. "Beni altı yüz yıllık düşmanımla nasıl aynı yatağa sokabilirsin?"

***

Kendime gelip gözlerimi açtığımda ne kadar süre baygın yattığımı bilmiyordum. "Canın çok yanıyor mu?" dedi kadın.

Başımı zar zor kaldırdım. Gazeteci kadın karşımdaki hücrede duruyordu. "Yine burada mıyız?" diye sordum.

"Evet," dedi. "Bizi yine aynı yere kapattılar."

Her tarafım acıdan sızlıyordu. Birden ağlamaya başladım. "Bu acılar ne zaman son bulacak?" dedim. "Meğerse çaresizlik ne kötü şeymiş. Bana tecavüz ediyorlar, ama ben onlara asla karşı koyamıyorum. Sadece sırtüstü yatıp onların kendilerini tatmin etmesine seyirci kalıyorum. Artık onlardan değil kendimden iğrenir oldum."

Gazeteci kadın kaldığı hücrenin soğuk demir parmaklıklarına tutundu. Oradan çaresizce bana baktı. "Sakın kendini bırakma," dedi. "Ölüm senin şu genç ve melek yüzüne yakışmaz. Biraz daha sabırlı ol."

"Kaçacağım," dedim gözyaşlarımı silerken. "Sadece bunu nasıl yapacağımı bilmiyorum."

"Nereye kaçacaksın?"

"Bilmiyorum; ama kaçacağım. Yaşadığım bu vahşete artık katlanamıyorum. Madem kendimi öldüremiyorum, o halde ben de kaçarken ölürüm."

"Sakın bunu yapma. Her taraf Sırp askeri kaynıyor."

Sustum. Daha sonra da, "Bana biraz Saraybosna'yı anlatır mısınız?" dedim acı dolu bir sesle.

Bana şaşkın şaşkın baktı. "Saraybosna'yla ilgili ne bilmek istiyorsun?"

"Ne bileyim," dedim. "Sadece Saraybosna'yı çok özledim."

Gazeteci kadın kısa bir süre düşündü. "Belki de bu savaşın tek olumlu tarafı," dedi acı acı gülerek. "Yüksek tansiyonu ve şeker hastası olan Boşnaklar sağlıklarına kavuştu. Bu savaşta neredeyse her bir Boşnak otuz kilo verdi. Evlerde fareler cirit atıyor. Her evde üç-beş fare yaşıyor; bomba seslerinden korkup evlere sığınıyorlar. Çetnikler onların yüreklerine bile korku saçtı. Allah'a şükür ki Boşnaklar bomba seslerine alıştılar. Artık bomba seslerinden korkmuyorlar. Sokaklar bomboş ve Saraybosna âdeta savaş kokuyor. Ama Saraybosna'da yaşayan Boşnak kadınlar bir bidon su almak için sokağa çıktıklarında bile saçlarını tarıyorlar, en şık kıyafetlerini giyiyorlar. Bu durumu da gülerek şöyle açıklıyorlar: 'Bari ölürsek de güzel ölelim.' Bence Saraybosna'da Sırplara karşı gizli bir direniş var. Geçen gün tiyatro festivali bile yapıldı."

"Size inanmıyorum," dedim. "Bu savaşta tiyatro festivali mi olurmuş?"

"Evet," dedi gazeteci kadın. "Mum ışıkları altında tiyatro oyunları sahneye kondu. Hatta *Godot'yu Beklerken*[30] adlı oyunu ben de izledim. Seyirciler oyunun sonunda yönetmen Susan Sontag'ı çılgınca alkışladılar. O sırada bombalar dışarıda aralıklı olarak bir yerlere düşüp patlıyordu."

Birden içim aydınlandı. "Ne güzel," dedim büyük bir sevinçle. "Demek Saraybosna'da hayat devam ediyor."

30 1949 yılında Fransızca olarak yazılan ve ilk kez 1953'te Paris'te sahnelenen, Samuell Beckett'ın ünlü eseridir.

"Evet," dedi kadın. "Yüzyılın utancı ve soykırımına rağmen Boşnaklar hâlâ ayakta dimdik durarak yaşamaya devam ediyorlar."

Aradan birkaç dakika geçmişti ki kapı açıldı. Askerlerden biri tutulduğum hücrenin önüne geldi. Elinde tuttuğu anahtarlar şangır şungur sesler çıkardı. Hücrenin kapısını açtı. "Çık," dedi. "Buradan gidiyorsun artık."

Gazeteci kadına baktım. "Hoşça kalın," dedim.

Askerin yüzü bir anda buz kesti. "Bir saniye dur," dedi. "Yoksa bu Türk kadın dilimizi biliyor mu?"

Gazeteci kadına baktım. Yüzü sapsarı kesildi. "Hayır, bizim dilimizi bilmiyor," diye yalan söyledim. "O sadece İngilizce konuşabiliyor."

Kadının bir anda esmer yüzü aydınlandı. Sağ elini havaya kaldırıp kalbinin üstüne koydu. "Allah'a emanet," dedi Türkçe konuşarak.

***

O gün öğleden sonra hapsedildiğim binayı, beyaz renkli Zastava101 marka sivil bir araçla terk edip ağır ağır yola koyulduk. Arabayı kullanan üniformalı askere baktım. "Nereye gidiyoruz?" diye sordum.

Asker dikiz aynasından bana baktı. "Ait olduğun yere gidiyoruz fahişe," dedi gülerek. "Ama gitmeden önce komutan seni görmek istiyor."

Bir süre yol gittikten sonra asker aracı durdurdu. Başını arkaya çevirdi. "Aşağı in," dedi. "Seni komutana götüreceğim."

Arabadan aşağı indim. Büyük bir binanın açık kapısından içeri girdik. Etrafıma bakındım. Etrafım yaralı Sırp askerleriyle doluydu. "Beter olun," diye içimden söylenmeye başladım.

Sırp asker bana baktı. "Görüyor musun?" diye sordu. "Bunu baliyalar yaptı. Ama sizinkilerden bunun intikamını alacağız."

Güldüm. "Bu saatten sonra Boşnakların tenini dişleseniz onların acılarının zehri sizin canınızı almaya yeter. Beter olun inşallah."

Kolumdan tutup ittirdi. "Yürü kaltak," dedi. "Seninle dönüş yolunda hesaplaşacağım."

Merdivenlerden bir kat yukarı çıktık. Açık kapıdan odaya girdik. Sıska asker selam verdi. "Kadını getirdim komutanım," dedi.

"Dışarıda bekle," dedi Vukadin askere.

Asker hemen dışarı çıktı, odanın kapısını kapattı. Vukadin'e baktım. Beyaz çarşaflı bir yatakta benzi solmuş bir halde ve sargılar içinde yatıyordu. Yanına gittim. "Bu kadar kısa bir sürede öleceğini doğrusu beklemiyordum," dedim tebessüm ederek.

"Çok sevdim seni," dedi güçlükle konuşarak.

"Sana karşı nefret dolu içim. Dilerim Allah'tan cehennemde yanarsın Vukadin. Sen beni çok sevmedin, sen beni sadece çok incittin."

"Sus," dedi. "Yeter artık. Dilin hâlâ bir iğne gibi sipsivri."

"Hayır, artık karşında susmayacağım. Yeterince sustum zaten. Sana açıklamam gereken önemli bir şey var."

Solgun gözleriyle bana baktı. "Neymiş bana açıklayacağın önemli şey."

Sinirlerim çoktan bozulmuştu. Kahkahayı bastım. "Sen burada ölürken," dedim. "Baban dün gece beni General Lewis MacKenzie'ye servis yaptı. Galiba senin soysuz bir erkek olduğunu anladı."

Vukadin öksürüp tıksırmaya başladı. "Yalan söylüyorsun," dedi.

"Keşke sana yalan söyleseydim; ama ben de babanın kadın satıcısı olduğunu henüz yeni öğrendim. Sen ve baban bu genç yaşımda bana sadece aşkımı değil, masumiyetimi de kaybettirdiniz. Kafanı kaldırıp aynada kendine bir bak Vukadin. Sen ölüyorsun, bense bugünden sonra yaşamayı seçtim. Ve bu hayatı bir gün elimden geldiğince iyi yaşayacağım. Senden intikamımı böylece almış olacağım."

Vukadin karşımda dut yemiş bülbüle dönmüştü. Gözlerini benden kaçırdı, boşluğa baktı. Ben de gayri ihtiyari etrafıma bakınırken ansızın gözüme bir şey ilişti. Afalladım. Tarık'ın bir zamanlar parmağıma taktığı mavi taşlı elmas yüzük, Vukadin'in başucundaki dolabın üzerinde duruyordu. Vukadin son kalan gücüyle bağırdı: "Asker."

Şaşkınlığımı hemen üzerimden attım. "Her şeye rağmen," dedim büyük bir soğukkanlılıkla. "Sana son kez bir veda öpücüğü vermek istiyorum."

O sırada kapı açıldı. Asker içeri girdi. Vukadin bana şaşkın şaşkın baktı. Çabucak yanına sokuldum. Solgun tenine bir öpücük kondurdum. Vukadin buz gibi soğuk bir bakış fırlattı bana. "Defol," dedi güçlükle bağırarak.

Hemen dışarı çıktım, kapının önünde beklemeye koyuldum. "Şimdi ne yapmamı emrediyorsunuz komutanım?" dedi asker kısık bir sesle.

"Milyevina'ya giderken yolda onu öldür," dedi Vukadin yattığı yerde acıyla kıvranırken. "Sonra da cesedini ormana at. Benim olmayan başkasının da olmasın!"

KAÇIŞ

Zastava101 marka araçla Milyevina'ya doğru yola koyulduğumuzda askerle aramda derin, kesif bir sessizlik vardı. Çaresizlik içinde avucumda tuttuğum mavi taşlı elmas yüzüğe baktım. Bir damla gözyaşım yanaklarımdan süzülüp yüzüğün üzerine düştü. Bana ait olan bu yüzüğe tekrar sahip olmak için Vukadin'i öptüğüme hâlâ inanamıyordum. Herhalde şimdi başucunda duran yüzüğü bulamayınca öfkesinden deliye dönmüştü. Bunu düşününce bir an gülümsedim.

Ormanlık yolda ağır ağır ilerlemeye devam ediyorduk. Az sonra ölecektim. Ama nedense bu düşünce bana korku vermiyordu. Asker aniden acı bir fren yaptı, sonra da başını arkaya çevirip bana baktı. "Neden durduk?" diye sordum.

Bana bakıp pis pis sırıttı. "Çetniklerin öcünü senden alacağım. Hem de dinim hakkı için iyice alacağım," dedi.

"Öyleyse ne duruyorsun?" dedim. "Elini çabuk tut. Orospu çocuğu komutanın beni öldürmen için sana emir vermedi mi zaten?"

"Demek konuştuklarımızı duydun ha!" dedi. "Hiç merak etme, seni öldürmeyeceğim. Çünkü güzel vücudunu solucanlara yem yapacağıma şu güzel tenini kendime yem yaparım."

"Senin gibi iğrenç bir adamın koynuna girmem ben," diye bağırdım.

Sırp asker kahkahayı bastı. "Siz kadınları bazen anlamıyorum. Aslına bakarsan kusurlarınız yok değil. Bu kusurlarınızın en büyüğü de kendinizi beğeniyor olmanız. Dön, kendine aynada bir bak! Bir fahişeden ne farkın var senin? Bir kucaktan kalkıp diğer bir kucağa oturdun ve şimdi de benim kucağıma oturacaksın."

"Esaret günlerimin bedelini ödüyorum," dedim sinirlerim bozuk bir halde. "Ben bir fahişe değil kurbanım. Esas fahişe olanlar sizi doğuran anneleriniz. Onlar öyle bir fahişe ki, sizin gibi canileri doğurup masum kadınların üzerine et yiyici köpekler olarak salmışlar."

Sırp askerin yüzü âdeta buz kesti. Sol eliyle yüzüme bir yumruk attı. Sonra da arabadan aşağı indi, arka kapıyı açtı. Saçlarımdan tutup beni dışarı sürükledi. "Gel bakalım fahişe," diye bas bas bağırdı. "Sana kimin orospu olduğunu göstereceğim."

Elinin altında çırpınmaya başladım. Yüzüme sert bir yumruk daha attı. Bu sefer sendeledim, yere düştüm. Bıçağını kınından çekip çıkardı. "Ayağa kalk fahişe," dedi. "Sana şimdi cezanı vereceğim."

Afallamıştım, ayağa kalkamadım. Saçlarımdan tuttu, bıçağı boğazıma dayadı. "Ya ayağa kalkarsın ya da boğazını keserim," dedi.

Canım çok acıyordu. "Beni öldür," diye bağırdım. "Öldür beni. Hadi, durma! Bu iyiliği benim için sen yap bari."

Bıçağı tutan elleri titriyordu. Saçımdan tutup çekiştirdi. Elinde bir tomar saçım kaldı. Bir tekme savurdu savunmasız bedenime. Yerde öylece acılar içinde kıvranıp duruyordum. Sonra elinde tuttuğu bıçağı arabanın kaportasının üzerine koydu. İki koluyla vücudumu sarıp beni yüzüstü kaportanın üzerine yatırdı. Saçımı arkadan tutup bir eliyle çekiştiriyor, diğer eliyle de sırtımı yumrukluyordu.

Kısa bir süre hareketsiz kaldıktan sonra gözümün önünde duran bıçağa uzandım ve tükenme noktasına gelen enerjimin son damlasıyla bıçağı askerin karın boşluğuna sapladım. Bir damla gözyaşım yanaklarımdan süzülüp kaportanın üzerine düştü. Sonra yüzümü askere döndüm. Yerde kanlar içinde yatıyordu. Feri sönmüş gözleriyle bana baktı. "Seni fahişe," dedi. "Beni bıçakladın."

Başına dikilip yüzüne tükürdüm. "Beter ol," dedim vurdumduymaz bir ses tonuyla. "Umarım bir gün et yiyici diğer Sırp köpeklerinin de can çekiştiğini görürüm."

O sırada birtakım sesler işittim. Yere düşen yüzüğümü aldım, hızla ormana doğru koşmaya başladım. Epey bir süre koştuktan sonra bir nehir gördüm. Hızla daldım nehrin sularına. Suyun berraklığında kayboldum âdeta. Utanç verici günlerin lekesini bedenimden silip atmak istercesine başımı bir süre sudan çıkarmadım.

Sonra sudan dışarı çıktığımda bir dünya dolusu kirden arınmış gibiydim. Dimiyemi çabucak giyindim, arkama bakmadan koşmaya başladım. Koştukça bütün hayatı, yaşadığım kâbus dolu günleri sanki arkamda bırakıyordum.

Ormanın derinliklerinde hiç durmadan koştum, koştum, koştum... En sonunda durdum. Boynum, omuzlarım, göğsüm ter içinde kalmıştı. Bacaklarım yorgun bedenimi daha fazla taşıyamadı ve olduğum yere yığılıp kaldım. Uzun süre soluklanmaya çalıştım.

Daha sonra çaresizlik içinde etrafımda dönüp durdum. Ansızın bir el silah sesi duydum. Yüzümü ellerimle kapayarak kendimi hemen yere attım. "Beni öldürmeniz için size yalvarıyorum," diye yakarmaya başladım.

Yakarışlarım cevapsız kaldı. Çevremde bir süre sessizlik hüküm sürdü. Elimi yüzümden çektim, korkarak etrafa bakındım. Ortalıkta, ağaçların dışında bir Allah'ın kulu gözükmüyordu. İçimi büyük bir sevinç kapladı. Ayağa kalktım, tekrar koşmaya başladım. Epey süre koştuktan sonra dizlerimin üzerine çöküp kaldım. Acıktığımı ve susadığımı hissettim; aynı zamanda üşüyordum da. Bir ağacın gövdesine sığındım ve başımı kaldırıp gökyüzüne baktım. Gökyüzüne bir nefes ışık üflenmişti sanki. Çiçek ve ot kokuları çoktan havaya karışmış, mis gibi kokan bu hava açlığımı iyiden iyiye kamçılamıştı.

İçimde fırtınalar koptu. Ağlamaya başladım. Neden Allahım? Bu genç yaşta neden bu kadar şiddetli bir kederi içime üfledin? Oysa ben kendimi çok inançlı ve cesur sanırdım. Beni hiçbir şey korkutamaz derdim. Şimdi şu halime bak! Bilmediğim bir yerde, gözleri dönmüş, aç hayvanlar gibi kudurmuş insanların ellerinden kaçıp kurtulmaya çalışıyorum. Neden Allahım, neden bana bu genç yaşımda hayatı erken öğrettin?

Baştan aşağı titriyordum. Yaşlı gözlerimi ellerimin arasına gömüp bir an ölümü düşündüm. Kim bilir, şimdi ne kadar da güzeldir ölüm. Kahverengi toprakta huzur içinde uyumak, başının üzerinde hafifçe esen yelin kuru otlar arasında çıkardığı hışırtıyı dinleyip hoş bir seda bulmak... Ve her şeyden önemlisi, içinde bulunduğun anı unutmak, hayatı ve bu hayatta yaşayan günahkâr insanları bağışlamak...

O an kendimi son derece yorgun ve tükenmiş hissediyordum. İçimi sise benzeyen puslu bir keder kaplamıştı. Bir baykuş tepemde ötüp duruyordu. Ayın parlayan yüzüne baktım. Kendi hayallerime, düşüncelerime daldım...

***

Seher vaktine yakın gözlerimi açtığımda âdeta şoke oldum. Yaklaşık on beş Çetnik tepemde dikilmişti. Ellerinde de kınından çıkmış tabancaları vardı. İçlerinden biri eğilip bana hayretler içinde baktı. "Kimsin sen?" diye sordu.

Diğer bir Çetnik arkadaşını kenara itti. "Görmüyor musun dimiyesini," dedi gülerek. "Bu kız bir balinkura."

Korkudan titremeye başladım. "Bana dokunmayın," dedim. "General Borislav Milunoviç'in oğlu Vukadin'in sevgilisiyim ben."

O anda neden böyle bir şey söylediğimi bilmiyordum. Galiba kendimi onlardan korumak istemiştim. Çetnikler bir anda durdular, birbirlerine şaşkın şaşkın baktılar. "Generalin oğlu Vukadin dün öldü," dedi içlerinden biri. "Sen artık bizim sevgilimizsin. Şimdi bu balinkurayı da diğerlerinin yanına götürelim."

Onlarla gitmemek için direndim, fakat beni öldüresiye dövdüler. Sonra kendime gelip gözlerimi açtığımda birtakım kadınların arasındaydım. Hepsi garip bir şekilde bana bakıyorlardı. "Neredeyim ben?" diye sordum acıyla kıvranırken.

"İsmin ne?" dedi yanakları çökmüş, yüzünde derin izler taşıyan bir kadın.

"Suada."

"Nerelisin?"

"Milyevinalıyım."

Kadın elinde tuttuğu mavi taşlı elmas yüzüğü bana uzattı. "Bu senin mi?" diye sordu.

Yüzüğü hemen elinden kaptım. Dayaktan şişmiş dudağıma yaklaştırıp öptüm. "Allah'a şükür," dedim ağlarken. "Yüzüğü dimiyemin içine saklamıştım."

Kadın bana acıyarak baktı. "Bunu bir yere iyice sakla," dedi. "Çetniklerin yüzüğü bulmamaları büyük bir şans."

"Neredeyim ben?"

"Kalinovik Esir Kampı'ndasın. Benim adım da Ramiza."

Etrafımdaki diğer kadınlara baktım. Neredeyse hepsi açlıktan süzülmüş, bir deri bir kemik kalmıştı. "Burada yemek vermiyorlar mı sizlere?" diye sordum.

Hepsi başlarını 'hayır' anlamında salladı. "Bir somun ekmeği on üç kişi paylaşıyoruz," dedi kadın.

Tüylerim diken diken oldu. "Burası acı, gözyaşı, tecavüzler ve en sonunda da iskelet yığını insanların yuvasına döndü," dedi başka bir kadın.

"Pero Elez ve arkadaşları hâlâ burada mı?" diye sordum.

Ramiza bana baktı. "Sen Pero Erez piçini kimden duydun?"

"Bu kampta esir tutulan bir kızdan."

Kadın bir anda heyecanlandı. "O kızın adını hatırlıyor musun?"

"Evet, adı Kerima'ydı. Neden soruyorsunuz?"

Kadın birden ağlamaya başladı. "Bir kızım vardı. Aylar önce onun izini kaybettim. Adı da Kerima'ydı."

Bir anda afalladım. "Kızınız kumral saçlı mıydı?"

"Evet."

"Gatsko'da mı yaşıyordunuz?"

"Evet."

Âdeta nefesimi tutmuştum. "Yoksa kızım öldü mü?" dedi aklını oynatırcasına.

"Hayır," dedim soğukkanlılıkla. "Kızınız yaşıyor."

Kadın donuk gözlerle bana baktı, sonra da ayaklarımın dibine düşüp bayılıverdi.

NAMAZ

Gece sabaha kadar vücudumdaki ağrılardan dolayı hiç uyuyamadım. Ayrıca içimde bütün bedenimi saran bir korku vardı. Bir tek Kalinovik Esir Kampı'nda yaşananları değil; Banyaluka, Bosanska Krupa, Rogatitsa, Bosanski Novi, Brçko, Klyuç, Kotor Varoş, Sanski Most, Omarska, Keraterm, Trnopolye, Manyaça, Tomaşitsa ve Brezina Esir Kampları'nda da yaşananları dinledikçe âdeta çıldıracak gibi oldum. Meğerse ben savaşta olup biten hiçbir şeyi bilmiyormuşum.

Gece boyunca üzerine oturduğum saman balyasından yorgun argın bir şekilde doğrulup ayağa kalktım. Odanın küçük penceresinden dışarı baktım. Birden şimşek çaktı. Korkarak bir adım geriye doğru sıçradım. "Korkma," dedi Ramiza abla. "Sadece bir şimşek. Bugün yağmur yağıyor. Büyük ihtimalle pancar ve patates işlerinde çalışmak için tarlalara gitmeyeceğiz."

"Buradaki işkencelere nasıl katlanacağım?" diye sordum.

Ramiza abla bana baktı. "Burada asla soru sorulmaz," dedi. "Şimdi şu sandalyeye otur."

Sandalyeye geçip sessizce oturdum. Elleriyle bir süre saçlarımı okşadı. "Hazır mısın?" diye sordu.

Ona şaşkın şaşkın baktım. "Neye hazır mıyım?" dedim.

"Şimdi gözlerini kapat."

Sorgusuz sualsiz gözlerimi kapattım, bir süre sadece makasın çıkardığı sesleri dinledim. "Şimdi gözlerini açabilirsin," dedi saçlarımı tamamen kestikten sonra.

Gözlerimi açtım, yere baktım. Bir damla gözyaşım yere dökülen alev renkli saçlarımın üzerine düştü. "Ağlama sakın," dedi Ramiza abla. "Burada su yok. Yoksa birkaç güne kalmaz saçlarına bit düşerdi."

Etrafıma bakındım. Esir tutulan diğer Boşnak kadınların ağızları var dilleri yoktu sanki. Hepsi birer ruh gibiydi. "Bu kadınlar hiç konuşmaz mı Ramiza abla?" dedim kısık bir sesle.

"Bu kampta konuşmak tehlikelidir. Bu yüzden sen de çok fazla konuşmazsan iyi edersin."

O sırada kilitli tutulduğumuz koğuşun kapısı açıldı. "Herkes dışarı çıksın," dedi Çetniklerden biri.

"Yanımdan ayrılma," dedi Ramiza abla alçak sesle.

Dışarı çıktığımızda yağmur sağanak bir biçimde yağıyordu. "Sıraya girin," dedi başka bir Çetnik.

Bir grup kadın yan yana sıraya dizildik. Etrafa göz ucuyla baktım. Esir kampının dört bir köşesi tel örgülerle çevrilmişti. Her taraf çamur balçığıydı. Esir Boşnak erkekleri de karşımızda dikilmiş, yan yana sıralanmıştı. Herkesin feri sönmüş gözlerinde büyük bir elem vardı. Çetnikin biri yüksek bir yere çıktı. "Tanrı yardımcınız olsun Türkler," diye bağırdı.

"Tanrı yardımcınız olsun Sırplar," diye bağırarak karşılık verdi esir Müslüman Boşnaklar.

Birden irkildim. Başımı sağa doğru hafifçe çevirip Ramiza ablaya baktım. "Çabuk önüne bak," dedi cılız sesle. "Bu adam cani Pero Elez."

Başımı hemen önüme doğru çevirdim. "Bugün hava yağmurlu olduğu için çok şanslısınız," dedi Pero Elez. "Tarlalara gitmeyeceksiniz. Sağanak yağan yağmurun altında kalıp yıkanacaksınız. Çünkü siz Müslümanlar çok pis kokuyorsunuz."

Diğer Çetnikler kıkır kıkır gülmeye başladı. Boşnak esirler şaşkınlıkla birbirlerinin yüzüne bakıyordu. "Susun," diye bağırdı Pero Elez. "Aranızdan kaçmaya teşebbüs eden olursa gözümü kırpmadan kurşuna dizerim."

Çetnikler yağmurda daha fazla ıslanmamak için hızla koşup içeri girdiler. Hepimiz sırılsıklam olmuştuk. O sırada esir Boşnak erkeklerin arasından bir adam kısık sesle ezan okumaya başladı:

Allâhu Ekber
Allâhu Ekber
Allâhu Ekber
Allâhu Ekber

Eşhedü en lâ ilâhe illâllah
Eşhedü en lâ ilâhe illâllah
Eşhedü enne Muhammeder-Resûlüllah
Eşhedü enne Muhammeder-Resûlüllah
Hayye ale's-Salâh
Hayye ale's-Salâh
Hayye ale'l-Felâh
Hayye ale'l-Felâh
Allâhu Ekber
Allâhu Ekber
Lâ ilâhe illâllah

Bir anda hıçkırarak ağlamaya başladım. "N'oldu?" diye sordu Ramiza abla. "Neden ağlıyorsun?"

"Kısık sesle ezan okuyan," dedim sessizce yürürken. "O adam benim babam."

Aylar önce kaybettiğim babamı sesinden tanımıştım. Babamın solgun, açlıktan süzülmüş yüzüne baktım. "Baba," dedim sımsıkı boynuna sarılırken.

Babamla birbirimize uzun bir süre sarıldık, hiç konuşmadan dakikalarca ağladık. "Allah'a şükür," dedi babam aramızdaki sessizliği kovarcasına. "Hâlâ hayattasın."

"Her gün," dedim yüzünü öperken. "Seni düşündüm. Vukadin alçağı senin öldüğünü söylemişti bana."

"Öldürmeyen Allah öldürmüyor işte. Ben de her gün sizin için dua ettim kızım. Kardeşlerinden haberin var mı?"

Birden boğazım düğümlendi. "Ayşa ablam," dedim. "Ne yazık ki öldü."

Babamın solgun yüzünde derin bir acı belirdi. "Öldü mü?" diye sordu dudakları titrerken.

"Evet," dedim gözyaşlarımı elimin tersiyle silerken.

"Ya Edina?"

"O yaşıyor. Aylar önce takas oldu."

"Çok şükür," dedi babam. "Her gece Allah'a sığınıp dua ettim. Sizi bana tekrar bağışlaması için."

Bir el omzuma dokundu. "Artık içeri girelim," dedi Ramiza abla. "Pencerenin önünde duran Çetniklerden biri size bakıyor."

Babam bana baktı. "Git kızım," dedi. "Seni tam da bulmuşken kaybetmek istemiyorum. Buradaki Çetniklerin Allah korkusu yok. Her gün Allah'a sığın, ona dua et. Allah bize bir kurtuluş kapısı açacaktır elbette."

Heyecandan elim ayağım titriyor, soluduğum hava yetmiyordu sanki. Ramiza ablanın yanında yürürken bir an durdum, dönüp babama baktım. O da arkamdan bana bakıyordu. Yüzünde acının derin izleriyle birlikte tatlı bir tebessüm vardı.

***

O gün akşamüstü gibi koğuşun kapısı açıldı. Siyah kısa saçlı, orta boylu cani Pero Elez içeri girdi. "Generalin oğlunun sevgilisi nerede?" diye sordu.

Bir anda bütün gözler bana çevrildi. Bitkindim ve saman balyasının üzerine uzanmış yatıyordum. "Sen benimle geliyorsun," dedi Pero Elez.

Ramiza abla öne doğru atıldı. "Ne olur onu bırakın, beni alın," dedi.

Pero Elez bağırdı: "Asker."

Çetnik koşarak içeri girdi. "Şu Müslüman kadını al, buradan götür," dedi gülerek. "Onun içini ısıtıp getir."

Çetnik, Ramiza ablanın kolundan tuttu. "Gel bakalım balinkura," dedi. "Benimle iş tutup Sırp bir çocuk yapmanın vakti çoktan geldi. Ama bu dünyaya getireceğin çocuk asla bir Müslüman olmayacak."

Ramiza abla çaresiz bir şekilde Çetnik'in peşinden gitti. Sonra da Pero Elez beni odasına götürdü. Odada başka bir Çetnik daha vardı. Bu Çetnik, Arkan'a bağlı adamlardan biriydi. Beni görür görmez ıslık çaldı. Sonra da, "Bu ne Pero?" diye seslendi.

Pero Elez güldü. "Bugünlerde koleksiyonumun en değerli parçası," dedi. "On karton sigara karşılığında onunla sevişebilirsin."

Tüylerim diken diken oldu. Kendi aralarında uzun bir pazarlık başladı. "Beş karton," dedi Arkan'a bağlı Çetnik.

"Olmaz, sekiz karton."

"Altı kartondan fazla vermem."

"Yedi kartona bu işi bağlayalım," dedi Pero Elez.

Çetnik ayağa kalktı. "Sana yirmi karton sigara vereceğim; ama diğer adamlarım da bu fahişeyle yatacak."

Birden dehşete kapıldım. "Öyleyse kız senindir," dedi Pero Elez gülümseyerek. "Onu bana sağlam bir halde geri getir."

Çetnik, Pero Elez'in elini sıktı. "Bu fahişenin yanında iki tane daha kadın ver bize."

O anda korkumun beni ele geçirdiğini hissedebiliyordum. Âdeta donup kalmıştım. "Hadi, şimdi gidelim," dedi Çetnik.

***

Ertesi gün baygın bir halde kampa geri getirildik. Beni diğer kızlardan ayırıp kendi hücreme attılar. Ramiza abla çabucak yanıma geldi. "Oturduğunuz yerde aval aval ne bakıyorsunuz?" diye çıkıştı.

Birkaç kadın hemen ayağa kalktı. Kollarımdan tutup beni saman balyasının üzerine yatırdılar. "Allah Sırpların belasını versin," dedi Ramiza abla ağlarken.

Nerdeyse kendimde değildim. Tir tir titriyordum. "Abla," dedim güçlükle.

"Efendim."

"Su var mı?"

Başını arkaya çevirip bidona baktı. "Azıcık var," dedi.

"Onunla yüzümü yıkayabilir misin?"

Ramiza abla elimi sıktı. "Şurada duran su bidonunu biriniz getirsin," dedi yüksek bir sesle.

Kadınlardan biri su bidonunu getirdi, Ramiza ablanın avucuna suyu döktü. Ramiza abla yüzümü yıkamaya başladı. "Otuz Çetnik," dedim boğuk bir sesle. "Hepsi de bize tecavüz etti."

Ramiza abla eliyle ağzımı kapattı. "Sus," dedi. "Biliyorum, bu gerçekler karşısında susmak günahtır, ama konuşmak da bir o kadar tehlikelidir. Aynı acıları hepimiz yaşıyoruz. Sus, sadece acılarına katlan."

Bir anda ağlamaya başladım. "Nasıl katlanacağım?" dedim. "Bana tecavüz eden Çetniklere nasıl katlanacağım? Yüreğimin acısını bir kenara bıraktım artık; ama bedenimin acısına nasıl katlanacağım?"

Eliyle gözyaşlarımı sildi. "Kerima'yı düşün," dedi ağlarken. "O nasıl katlandı sence?"

Ramiza ablanın yaşlı gözlerine baktım. Sonra Kerima'yı düşündüm. İlk tecavüze uğradığı gün, mindere sımsıkı sarılmış, boş gözlerle boşluğa bakıp duruyordu. "Söylediklerimi iyice anladın mı?" diye sordu Ramiza abla.

"Başımıza gelenleri asla kabullenemiyorum," dedim ağrılar içinde kıvranırken.

Ramiza abla yüzüme bir tokat attı. "Senin kadar kalın kafalı birini daha görmedim," dedi ayağa kalkarken. Bana bak! Şu alnımda namusumun kara lekesini taşıyorum."

Diğer kadınlar da birden ayaklandılar. Ramiza abla onlara baktı. "Hepiniz soyunun," dedi sert bir ses tonuyla.

Hücredeki kırk kadın aynı anda eski püskü kıyafetlerini çıkardı. "Şimdi herkes sırtını dönsün," dedi Ramiza abla.

Bütün kadınlar bana sırtlarını döndü. "Görüyor musun?" dedi Ramiza abla buz gibi bir sesle. "Ölene kadar hem alnımızda namusumuzun kara lekesini, hem de sırtımızda Hıristiyanların Haç işaretini taşıyacağız."

Bir anda tüylerim diken diken oldu. Müslüman Boşnak kadınların sırtlarına baktım. Boyunlarından başlayarak bellerine kadar kırmızı düz bir çizgi iniyordu. Sonra da sol omuzlarından sağ omuzlarına doğru kırmızı düz bir çizgi çekilmişti. "İyice bak," dedi Ramiza abla. "İyice bak. Bu Haç işareti kirletilmiş kanlarımızla sırtımıza çizildi. Şimdi bir an önce kendine gel. Hepimiz aynı kaderin kurbanlarıyız."

Ne söyleyeceğimi bilemeden boş gözlerle etrafıma bakıp durdum. Bütün kadınlar aynı anda üzerlerini giydiler. "Şimdi," dedi Ramiza abla. "Her zamanki gibi el ele tutuşalım. Cefakeş Bosna halkı için şarkımızı mırıldanalım."

Bütün kadınlar el ele tutuştular. Sonra da hep bir ağızdan sessizce mırıldanarak şarkı söylediler:

Allah'ın mavi arşına
Mabetlerden tekbirler yükseliyor
Bunlar ülkemin şarkılarıdır
Tüm ovalar, dağlar bunu haykırıyor

Kanlı toprak üzerine kurulmuş
Sevgili Bosnam benim
İki gözüm gibi korurum seni
Çünkü ben senin oğlunum, senin

Tuna'da altın tohum
Drina'da mavi şafak
Neretva'da güneş batarken
Sava ovalara yayılır

Kanlı topraklar üzerine kurulmuş
Sevgili Bosnam benim
İki gözüm gibi korurum seni
Çünkü ben senin oğlunum, senin...

VİCDAN

Kalinovik Esir Kampı, Kasım 1993

Son birkaç ayda fiziksel ve ruhsal açıdan tamamen çökmüştüm. Allah'a beni Çetniklerin ellerinden kurtarması için değil, Çetnikleri bana karşı daha zalim yapması için dua ediyordum. Âdeta tükenmiş ve bitmiştim. Bu kampa getirildiğim ilk günler hayatta kalmak için bayağı mücadele etmiştim. Fakat bu kampta öyle korkunç şeyler yaşadım ki, şimdi boğazımı kesseler tek kılım bile kıpırdamazdı.

Ne yazık ki yaşama sevincim hiç kalmamıştı. Toprağın soğuk koynuna düşerek ortadan kaybolmak, yok olmak istiyordum. Sadece bu dünyadan yok olup giderek bir parça huzur bulmak istiyordum. Bu esir kampında onlarca kez değil, yüzlerce kez tecavüze uğradım. İlk önce şerefsiz Vukadin ruhumu, daha sonra da canavar Pero Elez bedenimi hasta etmişti. Tecavüzlerden yorgun düşen bedenim artık beni taşıyamıyordu. İçim çoktan ölmüş, ruhum sonsuzlukta kaybolmuştu sanki. Geceleri sık sık kâbuslar görüyordum, yaşadığım hayatın korkunç deneyimleri bana işkence ediyordu. Her şeye ve herkese karşı güven duygumu tamamen yitirmiştim. Karanlık bir ortamda kalmaya asla dayanamıyordum. Karanlık, etrafımda olup bitenleri kontrol etmemi engelliyordu. Tıpkı maruz kaldığım acıları kontrol edemeyişim ve bu durum karşısında çaresiz kalışım gibi. Tek tesellim babamdı. Onu da arada sırada görüyor, bir araya geldiğimizde de hiç konuşmadan dakikalarca el ele tutuşup sessizce ağlıyorduk.

Evet, gerçeği itiraf etmek gerekirse bu bir savaş değildi. Kadınlar hiçbir savaşta bu kadar mağdur edilmemişti. Bu bir soykırımdı ve bu soykırımla Müslüman Boşnakların soyları tecavüzlerle dönüştürülmeye çalışılıyordu. Bu savaşın ne yazık ki en acı tarafı da buydu...

Artık soğuklar da kendini iyice hissettirmeye ve kış sert yüzünü bizlere göstermeye başlamıştı. Koğuşun içi buz gibiydi. Bizim ise üzerimizde ne kışlık bir kıyafetimiz ne de battaniyemiz vardı. Ramiza abla yanıma sokuldu. "Çok üşüyorum," dedi. "Böyle giderse yakında hepimiz zatürree olacağız."

O sırada hücrenin kapısı açıldı. Hayro korkudan altını ıslattı. Annesi dört yaşındaki oğlunu hemen kucağına aldı, elbisesinden bir parça yırtıp oğlunun eline verdi. Küçük Hayro bez parçasını hemen ağzına attı, bir sakız gibi çiğnemeye başladı. Hayro'nun bu durumu korkunun resmen dışavurumundan başka bir şey değildi. "Herkes dışarı çıksın," dedi Zaga adlı Çetnik.

Hepimiz hücreden dışarı çıktık, kampın bahçesinde yan yana sıraya dizildik. Soğuktan tir tir titriyorduk. Pero Elez karşımıza dikildi. "Bugün," diye bağırdı. "İçinizden şanslı biri Saraybosna'ya gidecek. Acaba kim gitmek ister?"

Bütün kadınlar şaşkınlıkla birbirlerine baktılar. Sonra da herkes aynı anda elini kaldırdı. Gaga adlı Çetnik kahkahayı bastı. "Görüyor musun Pero?" dedi. "Meğerse balinkuralar buradan gitmeye ne kadar da hevesliymiş."

Pero Elez bize dikkatlice baktı. "Sen," dedi işaret parmağıyla Şerifa ablayı göstererek. "Oğlunu yanındakine bırak, buraya gel."

Şerifa abla oğlu Hayro'nun küçük elini elime tutuşturdu. Sonra da onu yanaklarından doya doya öptü. "Orada oyalanma," diye bağırdı Pero Elez.

Şerifa abla hızla yanımızdan uzaklaştı. Küçük Hayro korkudan ağzını bile açamadı. Annesinin arkasından yaşlı gözlerle baktı. Pero Elez elinde tuttuğu beyaz küçük bayrağı Şerifa ablaya uzattı. "Al şunu," dedi. "Boşnak ordusunun elinde tuttuğu Çetnik esirler hakkında bilgi toplayacaksın, sonra da yarın tekrar buraya geri döneceksin."

Şerifa abla oğlu Hayro'ya baktı. "Şayet geri dönmezsen," dedi Pero Elez. "Gözümü kırpmadan oğlunu öldürürüm. Şimdi adamlarım seni sınıra götürecek. Yarın akşamüstü de aynı yerden alacaklar."

Şerifa abla elinde tuttuğu küçük beyaz bayrakla araca binerken biz de koğuşa geri döndük. Hayro bana baktı. "Abla," dedi çocuksu sesiyle. "Annem nereye gitti?"

"Şehre," dedim ağlamaklı sesimle.

"Ne zaman dönecek?"

"Yarın."

"Yarın ne zaman?"

"Yatacağız, kalkacağız annen burada olacak."

Başını dizlerimin üzerine koydu. "Abla," dedi donuk bir sesle. "Ben askerlerden çok korkuyorum."

Birden gözlerimden yaşlar boşaldı. "Korkma," dedim. "Senin yanında biz varız."

"Korkuyorum işte," dedi ağlarken. "Onlar annemi sürekli dövüyorlar."

Boğazım düğümlendi. "Sen gel bakalım benim biraz yanıma," dedi Ramiza abla. "Sana bir masal anlatacağım şimdi."

***

Ertesi gün akşamüstü hepimiz büyük bir merakla Şerifa ablanın dönüşünü bekledik. Ama ondan ses, seda yoktu. Hayro yanıma sokuldu. "Abla," dedi. "Yarın ne zaman?"

Küçük çocuğun yüzüne karşı ne söyleyeceğimi şaşırmıştım. "Şey," dedim kekeleyerek. "Yarın, yarın işte."

Hayro ağlamaya başladı. "Ben annemi istiyorum," dedi.

Elim ayağım buz kesti. Ramiza ablaya baktım. "Senin söyleyeceğin bir şey var mı?" diye çaresizce sordum.

Ramiza abla ayağa kalktı. "Bak küçük Hayro," dedi sesi titrerken. "Şimdi ağlamayı kes. Annenle bir gün buluşacaksın, tamam mı?"

Birden koğuşun kapısı açıldı. Hayro her zamanki gibi korkudan yine altını ıslattı. Pero Elez küfrederek içeri girdi.

"Sizi zavallı köpekler," diye bas bas bağırdı. "Hepinizi kurşuna dizeceğim. O piç nerede?"

Hayro'ya baktım. Küçük bedeni tir tir titriyordu. "Balinkura annen seni kendi özgürlüğüne sattı," dedi Pero Elez. "Seni geberteceğim."

Hayro korkudan küçüldükçe küçüldü. Pero Elez ona sert bir tekme attı. Ansızın kendimi Hayro'nun üzerine kaldırıp attım. "Bana vur," dedim. "Küçücük çocuktan ne istiyorsun?"

"Çok meraklıysan al öyleyse," dedi ve siyah botlarıyla neredeyse kemiklerimi un ufak etti. Sonra da hücreden bir hışımla çekip gitti.

Acılar içinde yerde kıvranırken, Hayro'nun bana titreyen gözleriyle boş boş baktığını gördüm. "Hiç üzülme," dedim ağlarken. "Senin annen çektiği acılarıyla vicdanı arasında bir tercihte bulundu. Bence buraya geri dönmeyerek en doğrusunu yaptı. Çünkü sana bakacağımızı çok zekice tahmin etmişti."

KÖLE PAZARI

O sabah gün ağarırken arkadan biri omzumu sarstı. "Üşüyor musun?" diye sordu Ramiza abla.

Uyuşuk bir halde samanların üzerinde kıvrılmış yatıyordum. Tam dört aydır bu kampta esir hayatı yaşıyordum. Karaman'ın Evi'nde Vukadin tarafından alıkonduğum zamanlar başıma beterin de beterinin geleceğini hiç tahmin etmemiştim. Aklımın havsalamın almayacağı bir şeyi nasıl düşünebilirdim ki zaten? Kampta her zamanki gibi ölüm sessizliği hüküm sürüyordu. Çoğu kadın ne yazık ki kendini tamamen suyun akışına bırakmıştı. Hastaydılar ve ölmekten başka bir şey istemiyorlardı. Ama yine de yaşamaya devam ediyorlardı. Acılarını tahrik etmeyi de gereksiz sayıyorlardı. Artık ne birbirimizin, ne de Çetniklerin yanında ağlıyorduk. Tecavüzlerden ve tecavüzcülerimizden hiç bahsetmiyorduk. Çünkü yaşadığımız acıları kelimelerle ifade edemeyeceğimizi çok iyi biliyorduk. Aramızdaki bu ortaklık sessizce acı çekerek sabretme birlikteliğinden başka bir şey değildi. Hepimiz gittikçe hayattan ve birbirimizden kopuyorduk. Bunun böyle olması gerektiğini ve böyle olmasının da daha iyi olacağını hissediyorduk.

Çok uzun zamandan beri ben de hayatı ve ölümü düşünüyordum. Daha çok ölümü düşünüyordum da denebilirdi. Kendimi nedense ölüme daha yakın hissediyordum. Aslında hepimiz öldürülmüştük. Sadece bedenlerimiz henüz toprağa gömülü değildi. Artık kalbimde âşık olduğum adama bile yer yoktu. O anda, "Aşk nedir?" diye düşündüm. Aşk bir zamanlar Tarık'tı. Tarık bir zamanlar kısa süre yaşadığım mutluluktu. Mutluluk bir zamanlar çok sevdiğim ailemdi...

Evet, aşka yaralı kalbim çoktan öldü. Yaşadığım kâbus dolu günlerin hayali ne yazık ki kalbimden aşkımı da söküp aldı. Sonra da karanlık bir gölge boş yüreğimin üzerini kapladı. O anda avucumun içinde tuttuğum yüzüğe baktım. "Keşke utanç hissine kapılmadan şimdi sana bakabildiğim gibi, bir gün Tarık'ın da mavi gözlerine bakabilseydim," diye aklımdan geçirdim. Daha sonra korkunç bir bulantıyla iki büklüm olduğum yerden ayağa kalktım. Ramiza ablanın cılızlaşmış bedenine sarıldım. "Çok üşüyorum," dedim. "Galiba zatürreeye yakalandım."

Ramiza abla beni sımsıkı sardı. "Biraz daha dayan," dedi. "Bu kâbus yakında bitecek, sen özgür kalacaksın."

"Nasıl?" diye sordum meraklı bir şekilde. "Aklıma özgür kalacağım günlerin hayali bile gelmezken tutsak bedenim nasıl özgür kalacak?"

Ramiza abla yüzümü avucunun arasına aldı. Bana acı dolu gözlerle baktı. O sırada koğuşun kapısı ansızın açıldı. "Herkes dışarı çıksın," dedi Çetnik soğuk bir sesle.

Koğuşun açık kapısından esir iki Boşnak kadın içeri girdi. Çetnik kadınlardan birine tekme attı. "Bu saatte nerden geliyorsunuz?" diye bağırdı.

Belli ki dün geceden beri tecavüze uğrayan bitik kadın gözlerini bizlerden kaçırıp başını aşağı eğdi. "Dün geceyi erkek arkadaşımla birlikte geçirdim," dedi kısık bir sesle.

Çetnik kahkahayı bastı. "Sizi beceren Çetnikler artık erkek arkadaşlarınız mı oldu?" diye sordu.

Yorgun kadın utancından sustu, cevap vermedi. Evet, ne yazık ki bazı kadınlar tecavüzcülerini erkek arkadaşları olarak göstermeye çalışıyorlardı. Çünkü utanç hislerini ancak bu şekilde bastırabiliyorlardı. Çetnik esir kadının saçlarından tutup çekiştirdi. "Hadi," diye bağırdı. "Siz de dışarı çıkıyorsunuz."

Hepimiz bahçeye çıktık. Pero Elez bağırdı: "Çabuk sıraya geçin."

Hava çok soğuktu. Hepimiz tir tir titriyorduk. Hemen sıraya girdik. Pero Elez sıranın sağ tarafına geçti. "Şimdi," dedi yüksek bir sesle. "Parmağımla dokunduklarım bir adım öne çıksın."

Ramiza ablaya şaşkın şaşkın baktım. "Yine neler oluyor?" diye sordum kısık bir sesle. "Erkek esirler nerede?"

"Derhal önüne bak," dedi korkuyla. "Erkek esirleri başka bir yere sevk etmişler. Dün gece konuşurlarken duydum."

Ağlamaya başladım. "Babam," dedim. "Babamı nereye götürdüler acaba?"

"Sen, sen, sen, sen, sen..." diye söylendi Pero Elez. "Siz bir adım öne çıkın."

Ramiza abla bir adım öne çıktı. O anda sanki kalbimin zemberekleri kırılmış, kan alabildiğine beynime hücum ediyordu. "Neler oluyor abla?" diye arkasından fısıldadım.

"Bilmiyorum," dedi heyecanlı bir ses tonuyla. "Galiba bizi de başka bir yere gönderiyorlar."

Pero Elez bağırdı: "Asker! Şimdi kampın kapılarını aç."

"Galiba serbest kalıyorsunuz," dedim kalbim sıkışarak.

Ramiza ablanın heyecandan zayıf bedeni titriyordu. "Çok şaşkınım," dedi. "Gerçekten serbest mi bırakılıyoruz?"

O sırada kampın kapısından bir sürü insan içeri girdi. "Kim bunlar abla?" diye sordum.

Ramiza ablanın heyecanının yerini endişe aldı. "Bilmiyorum," dedi.

Etrafa dikkatlice baktım. İki küçük erkek çocuğu kuru bir kafayı tekmeliyordu. Pero Elez elini havaya kaldırdı. "Buraya gelin," diye bağırdı.

Adamlar ve kadınlar önümüze gelip durdular. "Hoş geldiniz," dedi Pero Elez tebessüm ederek. "Şu ön taraftakilerden istediklerinizi satın alabilirsiniz?"

Şaşkınlıktan âdeta şoka girdim. Kalbimi şiddetli bir ağrı kapladı. "Şaka mı bu abla?" diye sordum kâbus içindeymiş gibi yavaş bir sesle.

Ramiza abla ağlamaya başladı. "Allah'ın belası," diye söylendi.

Kara suratlı Sırp bir kadın, Ramiza ablanın yanına geldi. Ona alıcı gözüyle baktı. "Bugünleri rüyamda görsem inanmazdım," dedi gururlu bir şekilde. "Siz Müslüman Türklerin bizim temizlik işlerimizi yapacağınızı ve bizim de sizin patronlarınız olacağımızı hayal bile edemezdim."

Tüylerim diken diken oldu. Ramiza abla kadını şaşkın şaşkın ve merakla süzüyordu. "Seni satın alacağım, Karadağ'a götüreceğim," dedi kadın, sonra da birkaç metre uzağında duran adama el salladı.

İri yarı adam kadının yanına geldi. "Söyle Lidiya," dedi gülerek. "Bu Müslüman kölelerin arasından hangisini satın almak istersin?"

Esir kampı bir anda köle pazarına dönmüştü. "Şu köleyi satın almak istiyorum," dedi kadın.

Sert bakışlı adam elini havaya kaldırdı, Pero Elez'i yanına çağırdı. Pero Elez pis pis sırıtarak adamın yanına geldi. "Görüyorum ki," dedi. "Elinizi çabuk tutmuşsunuz."

"Bu kölenin fiyatı ne kadar?" dedi adam.

Pero Elez, Ramiza ablanın yanına sokuldu. "Siz bakmayın bunun zayıf göründüğüne," dedi gülerek. "O acayip çevik biridir. Bu balinkurayı her türlü işte çalıştırabilirsiniz. Fiyatı beş yüz Alman Markıdır."

Boşnak kadınların bir köle gibi alınıp satıldığını gördükçe sinirlerim altüst olmuştu. "Bu para, bu kadına çok," dedi Sırp kadın. "Ancak iki yüz Alman Markı veririm."

Pero Elez düşünceli bir şekilde kafasını kaşıdı. "İki yüz çok az," dedi. "Bari üç yüz verin."

"Üç yüz veremem," dedi kadın. "Genç oğlum Sırp ordusunda Müslüman Türklere karşı savaşıyor. Şu ana kadar altı baliya öldürdü."

Sanki o anda sinir buhranı geçiriyordum. Ayaklarım zayıf düşmüş bedenimi zar zor taşıyordu. Ramiza abla da neredeyse bayılmak üzereydi. "İki yüz elli olsun," dedi Pero Elez.

Kadın başını çevirdi. Eliyle küçük oğlunu işaret etti. "Şu oğlanı görüyor musun?" dedi. "Bir Müslümandan geriye kalan o kuru kafayı tekmeleyen benim oğlum. Ben böyle bir anneyim işte. Düşmanlarımıza karşı bir oğlumu cepheye gönderdim. Diğer oğlumu da Müslümanlara karşı Çetnik intikamıyla yetiştiriyorum. Bu esire iki yüz Alman Markından fazla vermem."

"Karım Lidiya haklı," dedi adam. "Bu esir Türk için sana iki yüz vereceğiz. Arabamdan bir şişe de erik likörü getireceğim."

Pero Elez adama elini uzattı. "Öyleyse anlaştık," dedi.

Sırp kadın güldü. "Erik likörünün tadı damağında kalacak," dedi. "Kendim yaptım."

Ramiza abla yaşlı gözlerle bana baktı. O anda benim kadar o da acı çekiyordu. Sanki kalbinde açılan kanlı yarası iyice deşilmiş, onu bir kere daha ümitsiz ve sefil bir yaşamın koynuna sürüklemişti. "Hadi," dedi Pero Elez, Ramiza ablaya. "Artık bu kamptan gidiyorsun. Yeni bir hayata başlıyorsun."

Ramiza abla yüzünü bana döndü, birkaç adım atıp boynuma sarıldı. İkimiz de hüngür hüngür ağlıyorduk. "Seni çok özleyeceğim," dedim boğazım düğümlenirken.

"Bir gün," dedi gözyaşlarını silerken. "Şayet bir gün kızım Kerima'yla tekrar karşılaşırsan onu çok sevdiğimi ve onu mutlaka arayıp bulacağımı söyle."

İri yarı adam, Ramiza ablanın cılız kollarını boynumdan söktü. "Yürü," dedi sert bir ses tonuyla. "Şimdi düş önümüze bakalım, gidiyoruz."

Ramiza ablanın son kez arkasından baktım. İncecik bacakları rüzgârda savrulan bir çalı gibiydi. "Abla," dedi Hayro. "Ramiza teyzemi nereye götürüyorlar?"

Gözyaşlarımı sildim. "Ramiza teyzen evine geri dönüyor," diye yalan söyledim.

Hayro bacağıma sarıldı. "Biz ne zaman evimize gideceğiz? Annemi çok özledim."

O sırada Pero Elez birkaç adamla yanımıza geldi. Gözleri parıldıyordu. "Size bahsettiğim işte şu oğlan," dedi. "Bu oğlanı isterseniz, sizinle fiyatta anlaşabiliriz."

Hayro bacağıma sımsıkı sarıldı. Adamlardan biri Hayro'yu kollarından tuttuğu gibi havaya kaldırdı. Hayro korkudan altını ıslatıp çığlık atmaya başladı. Adam, Hayro'yu fırlatıp yere attı. "Bu çocuk neden ağlıyor?" diye sordu.

"Çok zalimsiniz," dedim Hayro'yu yerden kaldırırken. "O henüz küçük bir çocuk."

Pero Elez yüzüme bir yumruk attı. "Sus balinkura," dedi. "Canımı sıkma."

Diğer adam Pero Elez'e baktı. "Çocuğun annesi burada mı?"

"Hayır," dedi. "Balinkura annesi kendi özgürlüğü için onu sattı. Şimdi ben de onu size satıyorum."

"Çocuk için kaç para istiyorsun?"

"Yedi yüz Alman Markı."

"Üç yüz," dedi adam. "

Pero Elez pazarlığı uzatmadı. "Tamam," dedi. "Verin parayı, alın götürün şu piçi."

Adam Pero Elez'e parayı ödedi. Pero Elez Hayro'ya baktı. "Anneni özledin mi?" diye sordu.

Fena halde canım sıkılmıştı. Şuursuz bir şekilde Hayro'ya bakıyordum. "Evet," dedi Hayro çocuksu bir sesle.

"Annene gitmek ister misin?"

Başını 'evet' anlamında salladı. "Aferin sana," dedi Pero Elez. "Şimdi bu adamlar seni annene götürecek."

Hayro kollarını bacaklarımdan ayırdı, adamların yanına koştu. "Size söylemiştim," dedi Pero Elez gülerek. "Bu oğlan çok akıllı diye."

Islak gözlerimle son defa Hayro'ya baktım. Küçük siyah gözlerinde sözde annesine kavuşacağı günün mutluluğu okunuyordu.

TAKAS

Aradan üç gün geçti.

Koğuşta yaklaşık yirmi kadın kalmıştık. Bitkin bir halde kendimi saman balyasının üzerine atıp yine ağlamaya başladım. Babamın ve Ramiza ablanın gidişinden sonra kendimi iyice yapayalnız hissediyordum. Etrafımdaki bütün manzara benim için o kadar aşinaydı ki, buradan bir gün kurtulacağımı hayal bile edemiyordum. Artık hayatı öğrenmiştim. İnsanlardan çok fazla korkuyor, içinde yaşadığımız dünyaya hiç güven duymuyordum. "Ağlamayı kes," dedi Meliha abla çıkışarak. "Karşımda kaç gündür zırlayıp duruyorsun."

Meliha abla olmuş, bitmiş şeyler üzerinde duran bir yaratılışta değildi. Hayatın devam etmesi gerektiğini düşünür, gerçekleri kabul etmekten başka bir çaremizin olmadığına bizi de inandırmaya çalışırdı. Galiba o da yaşadığı kâbus dolu hayatı görmezden gelmek için kendince böyle bir çıkış yolu bulmuştu. Ama hiçbirimiz hayata onun baktığı gibi bakamamıştık. Pencerenin önüne gitti, sonra da şu sözleri mırıldandı:

Sırplar yüreğimi ateşe tuttular
Ben hiç yanmadım
Geceleri soyunup koynuma girdiler
Ben hiç sevişmedim
Atalarıma küfürler savurdular
Ben hiç duymadım
En sonunda beni hamile bıraktılar
Ben hiç doğurmadım...

O sırada kapı açıldı. Şişman, kalın kaşlı Çetnik içeri girdi. "Dışarı çıkın," diye bağırdı.

Buz gibi havada dışarı çıktık. Hepimiz âdeta taş kesilmiş gibi kaldık. "Dün akşam olanları duydun mu?" dedi Çetniklerden biri diğerinin kulağına fısıldayarak.

"Hayır," dedi. "Dün akşam burada yoktum. Kampa şimdi geldim. N'oldu ki?"

Hemen yanı başımda konuşan Çetniklere kulak kabarttım. "Pero Elez öldü," dedi soğukkanlı bir şekilde.

O anda iki Çetnikin arasında bir sessizlik oldu. Duyduklarıma inanamıyordum. "Sen neler söylüyorsun?" dedi Çetnik sesi titrerken. "Nasıl öldü?"

"Zaga öldürdü."

"Zaga mı? Zaga onu neden öldürsün ki?"

"Esir satışından elde ettikleri parayı bölüşememişler. Aralarında çok şiddetli bir tartışma çıkmış. Zaga da sinirlenip silahıyla onu vurmuş."

"Zaga'ya ne oldu peki?"

"Onu da bu sabah apar topar götürdüler. Galiba askeri mahkemede yargılanacakmış. Buraya da derhal yeni bir komutan atadılar."

Bütün vücudum soğuktan ve şaşkınlıktan titriyordu. "Yerine geç," dedi Çetnik arkadaşına. "Yeni komutan geliyor."

Komutana baktım. İriyarı birisiydi. Yanındaki Çetnik'e dönüp, "Esirler bu kadar mı?" diye sordu.

"Evet, komutanım," dedi Çetnik. "Birkaç tanesi de koğuşlarda yatıyor."

"Onların nesi var?"

"Hastalar."

Komutan önce elindeki kâğıtlara, sonra da başını kaldırıp bize baktı. "Bugün," dedi yüksek bir sesle. "Aranızdan bazılarınız takasa sokulacak. Şimdi koğuşlarınıza geri dönün. Birazdan koğuşlara gelip takasa gireceklerin adlarını okuyacağım."

"Hadi, herkes koğuşlara," diye bağırdı başka bir Çetnik.

Koğuşa geri döndük. Saman balyasının içine gizlediğim mavi taşlı elmas yüzüğümü çıkardım. Dimiyemin içine sakladım. "Askeri kamyonları getiriyorlar," diye seslendi Meliha abla.

Hepimiz aynı anda küçük pencerenin önüne koştuk, dışarı baktık. Birden kapı açıldı, Sırp komutan içeri girdi.

"Şimdi isimlerini okuyacaklarım dışarı çıksın, kamyonlara binsin," dedi elinde tuttuğu kâğıda bakarken.

Hepimiz âdeta heyecandan taş kesildik. "Aida," dedi komutan.

O anda bir çığlık koptu. Aida sevinçten bir çocuk gibi ağlamaya başladı. Komutan kısa bir süre hiç sesini çıkarmadan onu seyretti, sonra da yanındaki Çetnike dönüp, "Bu kadını dışarı çıkarıp kamyona bindir," diye emir verdi.

Üniformalı Çetnik Aida'nın koluna girip onu dışarı çıkardı. "Belma, Mevlida, Sadika, İzeta, Amra, Bahra, Amira ve Meliha," dedi komutan. "Siz de dışarı çıkın, kamyonlara binin."

İsimleri tek tek okunanlar çabucak dışarı çıktı. "Bu kadar," dedi komutan. "Şimdi kapıyı kilitleyin."

Koğuşun siyah demir kapısı tekrar üzerimize kapandı. İsmim yine listede yoktu. O anda yaşadığım hayal kırıklığını tarif edemem. Ağlamaya başladığım sırada koğuşun kapısı tekrar açıldı. Komutan kapının önünde belirdi. "Suada hanginiz?" diye sordu.

Elimi ürkek bir şekilde havaya kaldırdım. "Benim," dedim yüreğim boğazımda atarken.

"Senin ismini atlamışım," dedi. "Hemen dışarı çık, kamyonlardan birine bin."

***

O gün öğle vakti kamyonlar ağır ağır yola koyuldu. Sanki herkes ilk kez birbirine daha fazla sokulmuş, buruk bir sevinç içerisindeydik. Aida durup durup elini omzuma atıyor, sevinçten hiç susmadan konuşuyordu. Belma ablaya baktım. O da benim gibi suskunluğa bürünmüştü. Kim bilir onun da aklından neler geçiyordu? Babam ve Edina ablam dışında bu hayatta kimsem kalmamıştı. Acaba onlar neredeydi şimdi?

"Bundan sonra ne yapacaksın?" diye sordu Aida tiz bir sesle.

Gözlerim uzaklara dalıp gitti. Nereye gideceğimi, bundan sonra ne yapacağımı doğrusu ben de bilmiyordum. "Bilmiyorum," dedim ağlamaklı bir sesle.

Yaklaşık bir saat sonra kamyonlar peş peşe durdu. Çetniklerden biri kamyon kasasının kapağını açıp bağırdı: "Herkes aşağı insin."

Kamyonlardan birer birer aşağı atladık. Havada acı bir soğuk vardı. "Sıraya geçin," dedi Çetnik.

Karşısında ip gibi dizildik. "Şimdi beni takip edin," diye bağırdı.

Çetnikler önden, biz arkalarından yürümeye başladık. Birkaç yüz metre yürüdükten sonra, "Durun," diye bağırdı.

Hepimiz durduk. O sırada Birleşmiş Milletler Barış Gücü'ne ait çelik zırhlı araçlar yanımıza geldi. Bütün esirler bu araçlara bindirildi. "Takasa gidiyoruz," dedi bir asker İngilizce konuşarak. "Artık özgürlüğünüze kavuşmak üzeresiniz."

Çelik zırhlı araç bir gidiyor, bir duruyordu. Bir türlü takas noktasına varamıyorduk. Aracın her duruşunda kalbim küt küt atıyordu. "Acaba yeniden geri mi dönüyoruz?" diye sordu Aida.

Sinirlerim yay gibi gerilmişti. Zırhlı aracın kapısının ağzında iki asker oturuyordu. "Neler oluyor?" diye sordum büyük bir heyecanla.

"Korkmayın," dedi askerlerden biri. "Yol kapalı. Bu yüzden ağır ağır ilerliyoruz."

"Ne söyledi?" dedi Aida.

"Yol kapalıymış," dedim. "Endişe edecek bir şey yokmuş."

Aida derin bir nefes aldı. "Öyleyse güzel," dedi. "Bir daha o esir kampına döneceğime burada intihar ederim."

Zırhlı araç tekrar yola koyuldu. Küçücük camdan dışarı baktım. Dışarıda bir sürü asker ve esir vardı. Kısa bir süre sonra araç yeniden durdu, kapı açıldı. "Haydi dışarı çıkın," diye emretti bir asker.

Zırhlı araçtan aşağı indik. Dışarısı âdeta mahşer yeri gibi kalabalıktı. Bir asker yanımıza yaklaştı. "Sakın gözden kaybolmayın," diye bağırdı. "Birtakım formlar dolduracaksınız."

Askere baktım. "Çok üşüyoruz," dedim titrerken.

"Ne istiyorlar?" diye seslendi bir adam aracın içinden.

Bir anda askerlerin hepsi teyakkuza geçti. "Komutanım," dedi asker. "Çok üşüdüklerini söylüyor."

Zırhlı aracın kapısı açıldı. Aracın içinden General Lewis MacKenzie indi. O anda elim ayağım birbirine dolaştı. Ağzım bir karış açık kaldı. "Kim söylüyor?" dedi.

Asker beni işaret parmağıyla gösterdi. "Şu kadın, komutanım."

O sırada bir asker koşarak yanımıza geldi. "Komutanım," dedi, sonra da esas duruşa geçti.

Tecavüzcü General Lewis MacKenzie tam da başını çevirip bana bakıyordu ki, sırtını bizlere döndü. "Ne var?" diye çıkıştı askere.

"Efendim," dedi asker. "Amerika Dışişleri Bakanı çok acil olarak sizden telefon bekliyormuş."

General Lewis MacKenzie zırhlı aracı kullanan askere baktı. "Çabuk karargâha sür," diye emretti.

Diğer askerler de zırhlı araçlarına bindiler. Sirenlerini çalıştırıp yanımızdan hızla uzaklaştılar.

Derin bir nefes aldım, kendime gelmeye çalıştım. "Beni takip edin," dedi asker. "Şimdi takas için otobüslerle Bosna-Hersek devletinin kontrol bölgelerine götürüleceksiniz."

Heyecan içerisinde otobüse bindim. Bir süre bombalardan delik deşik olmuş asfalt üzerinde sarsılarak yola devam ettik. Sonra otobüsler acı fren yaparak durdu. Birleşmiş Milletler Barış Gücü'ne bağlı asker oturduğu koltuktan ayağa kalktı. "Hiç kimse acele etmesin," dedi yüksek sesle. "Size beyaz bayraklar dağıtacağız. Bosna-Hersek bölgesine geçene kadar bu bayrakları elinizde taşıyacaksınız."

Askerler hiç zaman kaybetmeden küçük beyaz bayrakları dağıttılar. "Tek tek aşağı inin," dedi bir asker.

Otobüsün ön kapısından aşağı inerken bir anda gözüm dikiz aynasına takıldı. Aylar sonra aynadaki görüntüme baktım. Aynada gördüğüm yüz, benim yüzüm değildi. Alev renkli saçlarımın yerinde dazlak bir kafa vardı. Gözlerimin altı çökmüş, mosmor olmuştu. Yüzüm küçülmüş, burnum büyümüştü. Bu ben değildim! Bu yüz sanki bir yabancının yüzüydü!

"Lütfen aşağı inin," dedi asker.

Bakışlarımı bir türlü aynadan alamıyordum. Elimle yüzüme dokundum. "Bana ne olmuş böyle?" diye söylendim.

Asker yanıma gelip kollarımdan tuttu. "Lütfen aşağı inin," dedi nazikçe. "Diğerlerini bekletiyorsunuz."

Şoka girmiştim. Birden tüylerim diken diken oldu, içim ürperdi. "Çok üşüyorum," dedim donuk bir sesle.

Asker parkasını çıkardı, omuzlarıma attı. "Birazdan size yeni elbiseler ve şallar dağıtılacak," dedi. "Şimdilik bununla idare edin."

Ne yazık ki aynadaki görüntüm bir kurt gibi içten içe beni kemirmeye başlamıştı. "Bayrağınız nerede?" dedi asker.

Omzumu silktim. "Bilmiyorum," dedim ruhsuz bir halde.

Asker çabucak otobüse koştu. Dikiz aynasının altına düşürdüğüm beyaz bayrağı alıp tekrar yanıma geldi. "Bu bayrağı elinizden bırakmayın," dedi.

Bayrağı şuursuzca elime aldım. "Artık gidelim," dedi. "Sizi yeni bir hayat bekliyor."

Birkaç yüz metre yürüdükten sonra kontrol bölgesine geldik. İki Boşnak asker koşarak yanımıza geldi. Bir tanesi elimden tuttu. "Bosna'ya hoş geldiniz," dedi.

Boşnak askere sarılıp ağlamaya başladım. "Çok acılar çektim," diye fısıldadım. "Çok acılar çektim."

Bir süre hepimiz donmuş gibi sessiz, hareketsiz kaldık. Daha sonra Boşnak asker omzumdan parkayı çekip aldı, barış gücü askerine uzattı. Elinde tuttuğu siyah şalı sırtıma attı. "Hadi gidelim," dedi buğulu gözlerle bakarken bana.

Yan yana sessizce yürüdük. Yalnızca rüzgârın çıkardığı ince ıslık sesi havada yankılanıp duruyor, burnuma sıcak ekmeğin kokusu geliyordu.

ŞEMSA

Koşevo Hastanesi, 2 Aralık 1993

Soğuk, yağmurlu bir kış günüydü. Pencerenin önünde durmuş dışarıya bakıyordum. Uzaklardan top sesleri işitiliyordu. Savaş tüm hızıyla sürüyordu. Saraybosna'da yaşanan savaşı belki de en iyi anlatan şey, camları kırık pencerelere tutturulan kalın beyaz naylonlardı. Ha! Bir de sokaklara konan konteynırlar, keskin nişancılardan korunmak için âdeta çelik zırh görevini üstleniyordu.

Saraybosna'da Sırplar tarafından köşeye sıkıştırılan Boşnaklar en sonunda havaalanının altına bir tünel kazmayı akıl edebilmişlerdi. Tünelin başlangıç noktaları Dobrinya ve Butmir'den seçilmişti. Tam altı ay süren kazı çalışmaları, ayçiçeği yağıyla dolu kısa fitilli kandillerin cılız ışığı altında yapılmıştı. Bugünlerde Saraybosna'ya sokulan yiyecek, mazot, cephane, ilaç ve ağır yaralı sevkiyatları, sekiz yüz metre uzunluğunda, bir metre genişliğinde, bir buçuk metre yüksekliğindeki bu tünelden sağlanıyordu.

Üç gündür, Koşevo Hastanesi'nin Psikiyatrı Kliniği'nde tedavi görüyordum. Aldığım bazı ilaçlar beni biraz sakinleştirse de, içimde hâlâ fırtınalar kopuyordu. Birden kapı açıldı, irkildim. "Korkma," dedi Şemsa abla. "İlacını getirdim."

Şemsa abla rahmetli İfeta teyzemin en yakın arkadaşlarından biriydi. Onu çok eskiden beri tanıyordum. Güler yüzü savaşın yorgunluğundan dolayı çökmüştü.

Bir anda ağlamaya başladım. "Kendimi korunaksız ve diken üstündeymişim gibi hissediyorum," dedim. "Sanki kapıdan Çetnikler gelecek ve beni alıp geri götürecekler."

Yanıma gelip boynuma sarıldı. "Yeter artık ağlama," dedi. "Her şey zamanla düzelecek."

"Karanlıktan çok korkuyorum," dedim içimi çekerken. "Geceleri uyuyamıyorum. Gözüme uyku girdiği kısa anlarda da kâbuslar görüyorum."

"Bütün bunlar geçecek; ama sen de mücadeleyi elden bırakmamalısın. Yaşadığın bu travma ya seni güçsüz kılacak, ya da sen bu travmayla başa çıkıp güç kazanacaksın. Seçimini buna göre yap Suada. Hâlâ hayattasın ve aldığın her nefesin kıymetini bil. Ne yazık ki İfeta'nın böyle bir şansı bile olmadı."

Şemsa ablaya baktım. Yüzü son derece soluktu. "İfeta teyzemin mezarının nerde olduğunu biliyor musun?" diye sordum yutkunarak.

"Evet," dedi boğazı düğümlenirken. "Seni bir gün onun mezarına götürürüm. O gün burada ölen herkesin acısı hâlâ içimdedir."

Gözlerim uzaklara dalıp gitti. "Boş ver kötü anıları," dedi. "Senin geçmişi değil geleceği düşünmen gerekiyor."

"Benim artık geleceğimle ilgili bir planım yok."

"Yavaş yavaş olacak. Hiç acele etme. İlk önce kendini toparlaman gerekiyor."

Sustum. O da elinde tuttuğu ilacı bana uzattı. "Al iç," dedi.

İlacı içtim. "Dün gece," dedim. "Kadınların bazıları nasıl bağırıyorlardı, sen de duydun mu?"

Elimden sımsıkı tuttu. "Sakın kendini boşluğa bırakma," dedi. "Her zaman güçlü olmaya çalış. Şayet kendini bırakırsan, sen de o bağıran kadınlar gibi yaşamdan kopup gidersin. Anladın mı beni?"

Boynuna sarıldım. "Hastaneden çıktıktan sonra nerede kalacağım?" diye sordum ağlarken.

Eliyle yanaklarıma düşen gözyaşlarımı sildi. "Sen hiç merak etme," dedi. "En kötü ihtimal bende kalırsın. Sen bana İfeta'nın mirasısın."

***

O gece kan ter içinde ansızın uyandım. "Sadece bir rüyaydı," dedi Şemsa abla. "Korkma, hepsi bir rüyaydı."

Yüzümü Şemsa ablanın göğsüne bastırıp ağlamaya başladım. "Rüyamda yine annemin öldürülüşünü gördüm," dedim.

Şemsa abla yüzümü okşadı. "Geçti," dedi. "Sana bir bardak su getireyim."

Birkaç dakika sonra biraz kendime gelebilmiştim. "Senin bu saatte ne işin var burada?" diye sordum.

"Öylesine uğramıştım," dedi Şemsa abla. "Senin yanına uğramışken de biraz dinleniyordum. İnanır mısın bana, bu savaş başladığı günden beri sırtım yatak yüzü görmedi."

"Galiba bütün Boşnaklar yorgun," dedim. "Kamplarda esir tutulanlar, cephede Sırplara karşı savaşanlar, hastanede görev yapanlar, evlerinde oturup bu adaletsiz savaşın bir an önce bitmesini bekleyen tüm Boşnaklar yorgun."

"Artık kalkayım," dedi. "Bir-iki saat önce cephede şiddetli çatışmalar olmuş. Bazı yaralı askerleri getirdiler. Bizimkiler bu çatışmalarda bir sürü Sırp köpeğini öldürmüş."

"Allah onların belasını versin," dedim.

Şemsa abla meraklı bir şekilde gözlerimin içine baktı, sonra da elimden tuttu. "Ne kadar güzel bir yüzük," dedi.

Mavi taşlı elmas yüzüğe baktım. "Bu yüzüğün çok uzun bir hikâyesi var," dedim buğulu bir sesle. "Bu yüzüğün hikâyesi aynı zamanda benim hikâyemdir."

"Bu yüzüğü sana kim vermişti?"

Kısa bir süre hiç sesimi çıkarmadan yüzüğe baktım. "Bir zamanlar âşık olduğum erkek," dedim ağlarken. "Bizimkisi yıldırım aşkıydı. İki yıldız bir anda buluştu, sonra da biri kayıp gitti. Ondan bana geriye kalan da sadece bu yüzük oldu."

Elini omzuma attı. "Üzüldüm," dedi hüzünlü bir sesle. "O ne zaman öldü?"

Bütün bedenim titremeye başladı. "Onun ölüp ölmediğini bilmiyorum," dedim. "Savaş başladığında Yeşil Bereliler Birliği'ne gönüllü olarak katılmıştı. Uzun bir zamandır da ondan bir haber alamıyorum."

"Öyleyse onu neden arayıp bulmuyorsun?"

"Utanç hissim onu düşünmeme ve aramama engel oluyor," dedim içim sızlarken.

"Çok yanlış düşünüyorsun," dedi Şemsa abla. "Belki o da kaç zamandır seni arıyordur."

Omuzlarımı silktim. "Sen beni anlamıyorsun," diye çıkıştım. "Kirletilmiş bir bedeni hangi erkek ister? Beni bu halimle hangi erkek kabul eder? Söyle bana, sen Tarık'ın yerinde olsaydın beni eskisi gibi sevebilir miydin?"

"Siz savaş gazisisiniz."

"Ben gazi mazi değilim. Ben seçilmiş bir kurbanım."

Şemsa abla ayağa kalktı, sonra başını çevirip bana baktı. "Sen seçilmiş bir kurban olabilirsin," dedi. "Ama sen benim gözümde asla alnı lekeli bir insan değilsin."

Başımı yastığa gömdüm, hıçkırarak ağlamaya başladım. "Lütfen dışarı çık," dedim kederli bir sesle. "Beni şimdi yalnız bırak."

***

O sabah düşünceli bir şekilde yataktan kalktım. Şemsa ablanın gece bana söylediği sözler kafamı kurcalayıp duruyordu. Kahverengi ahşap masanın başına geçip oturdum, donuk gözlerle bir süre dışarıyı seyrettim. Sonra da masanın üzerinde duran kalemi kâğıdı alıp içimden geçenleri yazdım:

Sevgili Tarık,

Senin şu anda ne yaptığını bilmiyorum. Hatta yaşayıp yaşamadığını bile bilmiyorum.

Ben senin hâlâ yaşadığını farz ederek bu satırları Koşevo Hastanesi Psikiyatrı Kliniğindeki odamda karalıyorum.

Bilmem, seni ne çok özlediğimi söylememe gerek var mı? Parmağıma taktığın yüzük hâlâ yerinde duruyor. Sanırım bu savaşta yerli yerinde duran bir tek o kaldı.

Tarık,

Aslında bu satırları yazmadan önce biraz zamana ihtiyacım vardı. Çünkü çok yorgun ve hayata kırgınım. Sen beni hiçbir zaman üzmedin, ama hayat beni fazlasıyla incitti. Şimdi de yaşadığım kötü anılar peşime düşmüş beni yalnız bırakmıyor.

Sana açıklamam gereken çok şey var. Nereden ve nasıl anlatmaya başlayacağımı bilemiyorum. Ama anlatmaktan başka çarem yok.

Hani hatırlar mısın? Bir gün bana Vukadin'le ilgili şöyle söylemiştin: "O kız her kimse aşk yüzünden bir düşman kazandı."

Hani yine hatırlar mısın? O gün ben de sana şöyle demiştim: "Ya o kızın gerçekten bir sevgilisi varsa... Ayrıca o kız onu arzulayan her erkeğe boyun eğmek zorunda mı?"

Evet, o günlerde Vukadin'e 'hayır' diyen kız bendim. Çünkü sana yıldırım aşkıyla bağlanmıştım. O günlerde sen benim küçükken sık sık rüyalarıma giren beyaz atın üstündeki prensimdin.

Ama bir gerçek daha var ki, o günlerde beni arzulayan Vukadin'e daha sonra ne yazık ki boyun eğmek zorunda kaldım. Kader bizi öyle inanılmaz bir şekilde tekrar karşılaştırdı ki, o günden beri kaderime isyan edip duruyorum.

Ayrıca şunu da bilmeni istiyorum: Bir tek Vukadin'in arzularına değil, diğerlerinin de arzularına istemeyerek de olsa boyun eğdim.

Tarık,

Bir kızın başına gelebilecek en güzel şey aşkmış. Ben güzel olanı sende yaşadım. Ailemden neredeyse hiç kimse kalmadı. Onların acısını yüreğime bastırabiliyorum, ama yaşadığım tecavüzlerin acısını bir türlü içime sindiremiyorum.

Ben artık alnı lekeli, yüreği yaralı bir kadınım. Bu yüzden senin de acın olmak istemem. Varsın olsun, içimden gitmesin bu keder. Ben de bu acımı kendi içimde, sensiz ve sessiz yaşarım. Sana bu konuda hiçbir şey söyleyecek durumda değilim.

Zaman benim için durmuş artık. Hayat gözlerimin önündeki kâğıt yığınları gibi anlamsız bir hale gelmiş. Bu savaşta beni çok incittiler. Bilmek istiyorum, bu savaşta ben de seni incittim mi yoksa?

Çetniklerin eline esir düştüğüm zamanlar seni ilk başlarda çok düşündüm. Fakat daha sonra seni düşünüp temiz aşkımızı kirletmek istemedim. Çünkü bedenime ve ruhuma karışan kiri sana bulaştırmaktan korkar oldum.

Bu yaşadıklarımı sana yazıyorum, çünkü tek başıma bunlarla mücadele edemiyorum. Ayrıca şu gerçeği de biliyorum: Seninle tekrar birlikte olmanın olabilirliği bana o kadar uzak geliyor ki.

Doğrusu bir şeyi çok merak ediyorum. Beni bu halimle yeniden sevebilir miydin acaba? En ufak bir şüpheye mahal vermeden aşkımıza bir şans daha verir miydin?

Tarık,

Seni o kadar çok sevdim ki, seni de çektiğim acılara ortak edemem. Seni kendime bağlama hakkım yok. Sen bensiz yeni hayatını yaşamalısın. Hâlâ beni arıyorsan, peşimi bırak. Şayet peşimi bırakmazsan varlığım senin de canını acıtır. Ben bir hiçim. Seninle değil, ama utanç hissimle yaşamam gerektiğini öğrenen biri olup çıktım.

Seni hep seveceğim. Ama seni asla beklemeyeceğim. Sana ebediyen sadık kalacağıma ve sen yaşadığın müddetçe ömrümü sana adayacağıma dair verdiğim sözü tutamadığım için ne olursun beni affet.

Keşke ömrümü yine sana adayabilseydim. Bana geldiğinde sadece beni alabilseydin. Kollarını büyük bir hasretle açtığında sadece beni kucaklayabilseydin. Beni o anda koklasaydın, ama canımı yakmasaydın. Çünkü çok acılar çektim, hem de çok.

Bu hayatta istediğim tek şey seninle mutlu olmaktı; ama seninle her şeye en baştan başlayamadıktan sonra mutluluk benim için hayal oldu. Yaşadığım kötü günler kederim, kederim ise yeni ben oldu...

O sırada kapı çaldı. Alelacele masayı düzelttim. Bir kadın kapıyı hafif aralayıp başını içeri doğru uzattı. "Girebilir miyim?" diye sordu.

Siyah elbiseli, gümüş çerçeveli gözlük takmış, güler yüzlü kadına baktım. "Buyurun," dedim.

"Günaydın," dedi elini uzatırken bana. "Benim adım Fadila Husiç."

Bir anda gözlerim doldu. "Bir şey mi oldu?" dedi kadın.

"Rahmetli annemin adı da Fadila'ydı," dedim acı dolu bir sesle. "Sırplar onu gözümün önünde öldürdüler."

Kadının yüzü kireç gibi oldu. "Başınız sağ olsun," dedi titreyen sesiyle. "Hepimiz bugünlerde çok zor bir dönemden geçiyoruz. Ben de buraya Bosna-Hersek devleti adına sizinle birtakım görüşmeler yapmaya geldim. Size yaşadıklarınız ile ilgili bazı sorular soracağım."

Kadına boş gözlerle baktım. "İnanın bana o kadar yorgunum ki," dedim. "Sorularınıza şimdi cevap verecek durumda değilim. Ne olur beni anlayın."

Kadın parmağıyla gözlüğünü düzeltti. "Sizi gayet iyi anlıyorum," dedi. "Ama yine de bir-iki soru sorabilir miyim?"

"Hayır," dedim kararlı bir ses tonuyla. "Lütfen bana soru sormayın. Şimdi benim sizden bir ricam olabilir mi?"

"Elbette," dedi kadın şaşkınlıkla.

"Yaklaşık bir sene önce kız kardeşim Yakomişlye'de takasa girmişti. Onun şu anda nerede olduğunu öğrenebilir misiniz? Ve babam," dedim gözlerim dolarken. "Babamı en son Kalinovik Esir Kampı'nda görmüştüm."

Kadın sandalyeyi çekip oturdu. Sonra da siyah çantasından not defterini çıkardı. "Sizin adınız Suada Hatiboviç, doğru mu?"

"Evet, doğru."

"Foça'da mı yaşıyordunuz?"

"Evet. Daha doğrusu Milyevina'da yaşıyorduk. Sırplar evimizi bastılar. Annem ve eniştemi oracıkta öldürdüler. Evde ne var, ne yok aldılar. Sonra da evimizi ateşe verip yaktılar. Bizi de esir aldılar."

Kadın bana acıyarak baktı. "Kız kardeşinizin adı neydi?"

"Edina Hatiboviç."

"Kaç yaşında?"

"Durun bir saniye," dedim. "Kız kardeşimin soyadı Hatiboviç değil, Efendiç olacaktı."

"Evli miydi?"

"Evet, ne yazık ki çok kısa bir süre evli kalabildiler."

"Yaşı?"

"Yirmi sekiz."

"Nerede takasa girdiğini söylemiştiniz?"

"Yakomişlye."

"Tamamdır," dedi kadın. "Ya babanız? Onun adı neydi?"

"Emin Hatiboviç."

"Babanız kaç yaşındaydı?"

"Altmış iki."

"Onu en son Kalinovik Esir Kampı'nda görmüştünüz, doğru mu?"

"Evet."

Kadın not aldığı defteri kapattı. "En yakın zamanda size bir haber vereceğim. Umarım buraya tekrar geldiğim gün kendinizi biraz daha iyi hissedersiniz."

"Teşekkür ederim," dedim. "İnşallah babam ve kız kardeşimin nerede olduğunu bulabilirsiniz."

Kadın ayağa kalktı. "Şimdilik hoşça kalın," dedi.

Onu kapıya kadar yolcu ettim. Odanın kapısını kapatacağım sırada Şemsa ablayı gördüm. "Al şunları," dedi.

Elime tutuşturduğu kot pantolon ve kazağa baktım. "Bunlar da neyin nesi?" diye sordum şaşkınlıkla.

"Hemen giyin," dedi. "Umarım pantolon sana olur."

"Neler oluyor?"

"Hiç sorma," dedi heyecanlı heyecanlı. "Bugün Alipaşino Polye'deki sığınakta çocuklar için bir tiyatro gösterisi var. Ama piyanist kadına ne yazık ki dünden beri ulaşamıyorlarmış. Acilen bir piyaniste ihtiyaçları varmış."

Kot pantolon ve kazağı yatağın üzerine fırlatıp attım. "Ben gelmiyorum," dedim. "Burada acılar içinde kıvranırken benden piyano çalmamı nasıl istersin?"

"Bence gitmelisin," dedi içeri giren yaşlı psikiyatrist.

"Siz konuşun hocam," dedi Şemsa abla. "Beni dinlemiyor."

"Bak Suada," dedi psikiyatrist. "Şayet yaşadığın bu ağır travmayı atlatmak istiyorsan çevrendekilerle birlikte yol almalısın. İnsanlara yeniden güvenmelisin. Bu dünyada senin de güvenebileceğin birileri mutlaka vardır. Anormal olan sen değilsin, anormal olan şey yaşadığın tatsız şeyler. Şimdi üzerini giyin, dışarı çık. Ben dışarı çıkmana izin veriyorum."

"Emin ol ki," dedi Şemsa abla. "Bugünkü etkinlik önemli olmasaydı senden kesinlikle böyle bir şeyi istemezdim. Bundan yaklaşık bir ay önce, Alipaşino Polye semtindeki Prvi May 1 Mayıs İlkokulu'nda görev yapan Fatima adlı bir öğretmenle üç öğrencisini Sırplar hunharca öldürdüler. Bugün işte o okulun küçük öğrencilerine moral olsun diye böyle bir etkinlik düzenliyoruz."

"Şemsa doğru söylüyor," dedi psikiyatrist. "Saraybosna Sırplara karşı hâlâ direniyorsa bu etkinlikler sayesindedir. Saraybosnalılara moral veren bu etkinliklerin kaynaştırıcı gücünü yabana atmamak gerekiyor."

Kısa bir süre düşündüm. "Pekâlâ," dedim. "Şimdi odadan dışarı çıkar mısınız? Üzerimi giyineceğim."

Birkaç dakika içinde hazırdım. Şemsa abla odanın kapısını açıp tekrar içeri girdi. "Şöyle dön bakayım bana," dedi. "Bakalım pantolon olmuş mu sana?"

Elimle pantolonu yukarı çektim. "Belim," dedim. "Bir karıncanın belinden daha ince olmuş."

"Zayıflamış olabilirsin, ama hâlâ çok güzelsin," dedi Şemsa abla ve sonra da elinde tuttuğu makyaj malzemelerini ahşap masanın üzerine koydu.

"Eskiden bu kadar zayıf değildim," dedim.

"Bu ne?" dedi Şemsa abla, Tarık'a yazdığım satırları okurken.

Hemen kâğıdı masanın üzerinden çekip aldım, pantolonun arka cebine sokuşturdum. "Bir şey değil," dedim.

"Tamam," dedi gözlerimin içine bakarken. "Panik olmana gerek yok. Şimdi şu sandalyeye otur, sana biraz makyaj yapacağım."

TİYATRO

O gün hastaneden dışarı çıktım. Saraybosna perişandı. Şehir âdeta ikiye bölünmüştü. Sokaklardan tek tük araba geçiyordu. O sürücüler de Sırp keskin nişancıları tarafından vurulmamak için arabalarını son surat sürüyorlardı.

Evet... Saraybosna hayalet bir şehre dönmüştü. Neredeyse bütün binalar kurşunlardan delik deşik olmuş, evlerin camları naylonlarla kaplanmıştı. "Bu şehre ne olmuş böyle?" dedim büyük bir üzüntüyle.

"Her gün şehrin üzerine bombalar ve kurşunlar yağıyor," dedi Şemsa abla. "Saraybosna'nın bu halde olması anormal bir durum değil."

Binaların duvar diplerine sığınarak sokaklarda yürüyen az sayıdaki insana baktım. Hepsinin yüzünde savaşın derin izleri vardı. "Bu soğuk havada insanlar evlerinde nasıl ısınıyorlar?" diye sordum.

Şemsa abla elimden sımsıkı tuttu. "Şimdi," dedi. "Şu tepedeki keskin nişancının kurşununa hedef olmamak için, bu kavşağı hızlı koşmamız gerekiyor."

Kavşağı koşarak karşıya geçtik. O anda nefes nefese kalmıştım. "Sokağa çıktığında çok dikkatli olmalısın," dedi Şemsa abla. "Her an ölümün soğuk nefesini ensende hissedebilirsin."

Şaşkınlıktan küçük dilimi yutmuştum. "Geçen gün," dedi Şemsa abla. "Annem sobaya Adidas ayakkabılarımı atıp yakmış. Ne yapsın yaşlı kadıncağız? Bu zamanda odun bulmak çok zor. Zaten odun bulsan da alacak para mı var?"

Yanımızdan üç-beş kadın hızla geçti. Başımı çevirip onlara baktım. "Bu kadınlar böyle süslenip nereye gidiyorlar?"

"Harabeye dönmüş bu şehirde nereye gidecekler?" dedi Şemsa abla. "Kesin muhtarlığa gidiyorlardır. Saraybosna'da her şey değişti, ama kadınlar süslerinden asla vazgeçmediler. Savaşı dudaklarına sürdükleri rujlarla protesto ediyorlar."

Ne diyeceğimi bilemedim. "Muhtarlığa neden gidiyorlar peki?" diye sordum meraklı bir şekilde.

"Herkes muhtarlıktan yardım paketleri alıyor. Bu paketlerin içinde de iki yüz elli gram yağ, bir paket kakao, biraz feta peyniri ve iki kilo da un var."

"Kime yetecek bu yiyecekler?"

"Hiç kimseye yettiği yok zaten. Bu yardımları karnımızı doyurmak için değil, ölmememiz için dağıtıyorlar."

Saraybosna artık hem çok tehlikeli, hem de bir o kadar hüzünlüydü. Şehirde böyle bir hayat daha ne kadar sürebilirdi ki?

"Geldik," dedi Şemsa abla. "Şimdi sığınağa inelim."

Kapısı açık büyük bir binaya girdik, merdivenlerden sığınağa indik. Hemen hemen her tarafta kandiller yanıyordu, elektrikler kesikti. "Sen burada bekle," dedi Şemsa abla. "Ben yetkililerle konuşup geliyorum."

"Tamam," dedim ve sonra da etrafıma bakındım. Sanki küçük çocukların üzerine korku sinmişti. Hepsi sus pus oturmuş, çevrelerine boş gözlerle bakıyordu. O sırada iki kadın önümde belirdi. Sıska olanı diğerine bakıp güldü. Sonra da, "İnanır mısın bana?" dedi. "Dün akşam uzun zamandan beri ilk kez hem elektrikler, hem de sular geldi. Banyoya koştum, kirli çamaşırları makineye attım."

"Eee," dedi diğer kadın. "Ne var bunda?"

Sıska kadın acı acı güldü. "Floresan lambadan yayılan ışığın altında bir elimle makineye çamaşırları koyarken, diğer elimde yanan kandili tuttuğumu gördüm."

Diğer kadın yüzünü ekşitip dudağını büzdü. "Sakın bu tuhaf haline üzülme," dedi. "Normal bir yaşam sürmüyoruz ki, davranışlarımız da normal olsun."

Kadına baktım, yüreğim burkuldu. Birden Şemsa ablanın sesini işittim: "Size bahsettiğim arkadaşımız işte burada."

"Hoş geldiniz," dedi genç bir adam tebessüm ederken bana. "Benim adım Haris. Size binlerce kez teşekkür ederiz. İnanın bizi büyük bir sıkıntıdan kurtardınız."

"Sizin için ne yapabilirim?" diye sordum.

"Dünden beri piyano hocamıza ulaşamıyoruz. Sizden tiyatro oyunumuzun bittiği anda öğrencilerimize bir konser vermenizi istiyoruz."

Bir anda afalladım. "Bakın," dedim. "Konser vermek için uzun bir süre çalışmak gerekiyor. Hadi çalışmayı bir kenara bırakın, ben ne çalacağımı dahi bilmiyorum."

Adam elinde tuttuğu pembe karton dosyayı bana uzattı. "Hocamızın notaları bu dosyanın içinde," dedi. "Bu notalar belki sizin işinize yarayabilir. Lütfen şimdi yerlerinize oturun. Oyunumuz başlamak üzere."

Sığınakta bulunanlar hiç sesini çıkarmadan oyunu izledi. Oyunun sonunda ise küçük öğrenciler ayağa kalktılar, oyuncuları alkışladılar. Oyunculardan biri elini havaya kaldırdı. "Lütfen herkes sussun," dedi. "Şimdi rahmetli Fatima öğretmenimiz ve öldürülen diğer üç öğrenci arkadaşımız için saygı duruşunda bulunacağız."

Haris bana dönüp baktı. "Sizi şimdi sahneye alabiliriz," dedi.

Sahneye kadar zar zor yürüdüm. "Evet," dedi sahnedeki tiyatro oyuncusu. "Lütfen herkes yerlerine otursun. Birazdan konserimiz başlayacak. Bugün bizi yalnız bırakmadığı için Piyanist Suada Hatiboviç'e çok teşekkür ederiz."

Birden sığınakta alkış tufanı koptu. O anda heyecandan ayaklarımda takat kalmadı. Hemen taburevi çekip oturdum. Karton dosyayı açtım, notayı elime aldım. Şaşkınlıktan kısa bir süre notaya bakakaldım. Sonra da Sebastian Bach'ın *Well-Tempered Clavier* adlı eserinden alınmış Praeludium bölümünü çalmaya başladığım anda konservatuardaki o günü hatırladım...

Profesör Duşanka elinde tuttuğu nota kâğıdını bana uzatmıştı. "İlk olarak barok kompozisyonların ustası Sebastian Bach'la dersimize başlayalım. *Well-Tempered Clavier* adlı eserinin Praeludium bölümünü çalmanı istiyorum."

İnce, uzun parmaklarımla nota kâğıdını sehpaya yerleştirmiş ve büyük bir heyecanla çalmaya başlamıştım. "Kes," demişti sesini yükselterek. "Çok hızlı çalıyorsun. Oysa bu eserin temposu moderatodur. Şimdi baştan al bakalım."

O gün sinirlerim bozulmuş, tekrar çalmaya başlamıştım. "Olmadı," diye bağırarak konuşmuştu benimle. "Yine olmadı, olmadı... Sen bu kadar gerginken müzik vücudundan nasıl akabilir ki? Sana dik oturmanı söylemiştim. Deve gibi hörgücün çıkıyor. Parmaklarını unut gitsin. On küçük solucanı boş ver şimdi. Müzik karından gelir ve ruhunun derinliklerinden yukarıya doğru sürekli çıkar. En derin içgüdülerinden aklın seviyesine, beyne ulaşana kadar yükselir. Anladın mı beni? Şimdi bırak çalsın parmakların..."

Sinirlerimi kontrol altına almaya çalışmıştım. Profesör Duşanka'nın varlığını bir an için unutmuş, Tarık'ı düşünmüştüm. Bach'ın eserini yeniden çalmaya başlamıştım. "İşte böyle," demişti Profesör Duşanka. "Bırak parmakların çalsın. Sağ eldeki kırık akorların bir ırmak gibi şırıl şırıl aktığını hayal et şimdi. Suyun ritmi eşittir, bunu hiçbir zaman unutma. Sol eldeki tonik seslerin sağ ele yön verdiğini aklından çıkarma sakın. Evet, evet... İşte şimdi çalmaya başladın. Kendini serbest bırak. Müzik ruhunun derinliklerinden yukarı doğru fışkırsın. Ayağını gereksiz yere pedalın üzerinde tutma. Çalınan her notanın çok net bir şekilde duyulması gerekir. Evet, evet... İşte böyle... Evet, bayan virtüöz..."

Birden parmaklarım piyano tuşlarının üzerinde hareketsiz bir şekilde durdu. Sığınaktakilerin hepsi aynı anda ayağa kalktılar ve beni çılgınca alkışlamaya koyuldular. "Bravo," dedi bir kadın arkamdan bağırarak.

Sığınaktakilere reverans yaptım, sonra da başımı arkaya çevirdim. Arkamda birdenbire belirdiği için ilk önce biraz sarsıldım. Fakat hemen kendimi toparlamaya çalıştım. "Siz," dedim kekeleyerek.

"Evet," dedi Profesör Duşanka. "Seninle tekrar karşılaşmak ne güzel Suada. Yeteneğinden hiçbir şey kaybetmemişsin. Şu tesadüfe bak, bugün benim yerime bu konseri son derece başarılı bir öğrencim verdi."

Gözyaşlarımdan etrafı göremez olmuştum. Islak gözlerimi gözlerinden kaçırdım. "Sadece elimden geleni yaptım," dedim boğazım düğümlenirken.

"Gözlerime bak," dedi. "Sakın gözlerini benden kaçırma."

Utanç hissim bir kez daha yüreğimi sarmıştı. "Artık gitmeliyim ben," dedim panik bir halde.

Titreyen ellerimden tuttu. Parmağımdaki yüzüğe baktı. "Bu yüzüğü parmağına takan genç adama ne olduğunu merak etmiyor musun?" dedi gözleri dolarken.

Islak ve durgun gözlerine baktım. Yüreğim hızla çarpmaya başladı. "O da öldü mü?" diye sordum gözlerimden yaşlar boşalırken.

"Hayır, yaşıyor," dedi. "Seni ölesiye merak etti. Seni aylarca aradı. Bir gün bile seni bulma umudunu yitirmedi."

O anda yüreğim paramparça oldu. Profesör Duşanka'nın hemen arkasında duran Şemsa ablayla göz göze geldim. Beni ince ince süzüyordu. Alelacele kot pantolonumun cebinden kâğıdı çıkarıp Profesör Duşanka'nın eline tutuşturdum. "Bu kâğıdı Tarık'a verin lütfen," dedim hüngür hüngür ağlarken ve sonra da koşarak yanından uzaklaştım.

***

O gün öğle sonrası hastanenin kapısından içeri adımımı attığımda moralim son derece bozuktu. "Yeter artık üzülme," dedi Şemsa abla. "Daha fazla hastalanacaksın. Âşık olduğun adam yaşıyormuş işte. Gözyaşlarını ne diye akıtıyorsun?"

Sustum. Düşünceli bir şekilde koridorda hızla yürümeye başladım. "Suada abla," diye arkamdan biri seslendi.

Aniden durdum, arkama döndüm. Kerima kollarını açmış bana doğru koşuyordu. Kollarımı açtım, onu sımsıkı sardım. Titriyordu. "Ağlama," dedim ben de ağlarken. "Sakın ağlama."

Yüzünü avuçlarımın arasına aldım. Kahverengi gözleri tıpkı Ramiza ablanın gözlerine benziyordu. "Annenle aynı kamptaydım," dedim yutkunarak. "Seni çok sevdiğini, seni bir gün mutlaka bulacağını söyledi."

Kerima'nın bir anda yüzü allak bullak oldu. "Annemi gerçekten gördün mü?" diye sordu şaşkın bir halde.

"Kalinovik Esir Kampı'nda birlikteydik. Şerefsiz Pero Elez anneni Lidiya adında Karadağlı bir kadına sattı. Annen şu anda Karadağ'da Sırp bir ailenin yanında yaşıyor."

Kerima'nın solgun yüzü sevinçten aydınlandı. "Bana çok güzel bir haber verdin Suada abla," dedi mutluluktan ağlarken. "Annemi tamamen kaybettiğimi sanmıştım."

"Hadi, daha fazla oyalanma Kerima," diye bir kadın ta uzaktan seslendi.

Kerima gözyaşlarını sildi. "Hoşça kal abla," dedi. "Ben buradan ayrılıp başka bir ülkeye gidiyorum. Annemin izini de artık gideceğim ülkeden süreceğim. Şimdi burada kalırsam annemi asla bulamam. Savaş hâlâ devam ediyor çünkü, ne zaman biteceğini de ne yazık ki kimse bilmiyor."

Elinden sımsıkı tuttum, ona son defa sarıldım. "Sen de hoşça kal," dedim içim acıyla dolarken. "Kendine bundan sonra çok iyi bak. Umarım bir gün annenle tekrar birbirinize kavuşursunuz."

Ellerini ellerimden çözdü. Bana arkasını dönüp giderken de, "Anne oldum," dedi gözleri buğulanırken. "Doğurduğum Çetniki bağrıma basamadım. Onu terk ettim."

VEDA

Ertesi sabah pencereden dışarı baktığımda kara kışın soğuğu şehri âdeta dondurmuştu. Hem Sırplar, hem de kara kış sözde anlaşmışçasına Boşnakların mukadderatına hükmediyorlardı. Birden içimdeki son cesaret kırıntılarının da uçup gittiğini hissettim. Bu acı hayattan geriye ne kalmıştı bana? Sadece utanç!

Ahşap masanın başına oturdum, ince parmaklarımın arasında tuttuğum siyah kurşun kaleme bakarken, o anda bu düşünceler aklımdan geçmişti. Sonra kâğıdı önüme çektim, şu mısraları yazdım:

Karlı tepelerden
Dağlar ölüm kusuyor
Kanatlı melekler şehre inip
Boşnakların bir bir canlarını alıyor

Ölüm meleklerine bakıyorum
Onlar da bizim gibi bir başlarına yalnızlar
Sonra dönüp kendime bakıyorum
Ben de bir başıma yalnızım

Ey göklerden inmiş melekler
Beyaz zambaklı şehrimi
Neden hâlâ kana bularsınız
Hadi gidin şimdi, gidin

Ben yeterince acı çektim
Hem de çok çektim
Dayanamam artık
Yok, artık dayanamam, gidin...

Ansızın kapı çaldı. Kalemi kâğıdın üzerine usulca koydum. "İçeri girin," diye seslendim.

Kapı açıldı. "Günaydın," dedi Fadila Hanım.

"Size de günaydın," dedim heyecanlı bir ses tonuyla. "Babam ve kız kardeşimden bir haber var mı?"

"Evet, size güzel haberlerim var."

Derin derin nefes aldım, Fadila Hanım'ın yüzüne büyük bir merakla baktım. "Onlar nerede?" diye sordum.

"Kız kardeşiniz şu anda İsveç'te yaşıyor."

Şaşkınlığım büsbütün artmıştı. "İsveç mi?" diye sordum nefesimi tutarken.

"Takasla serbest bırakılan bazı Boşnak kadınlar, kendi istekleriyle başka ülkelere gidiyorlar," dedi. "Gittikleri bu yerler de genelde İskandinav ülkeleri oluyor. Birleşmiş Milletler Barış Gücü'ne bağlı Fransız askerleri, kız kardeşinizi Yakomişlye bölgesinde Sırplardan teslim almış. Askerler kız kardeşinizi önce Trnova'ya, sonra da Hırvatistan'a götürmüşler. Oradan da bir uçağa bindirip İsveç'e göndermişler."

"Edina ablam dil bilmez, yol yordam bilmez. İsveç'te şimdi ne yapıyordur acaba?" diye sordum.

Fadila Hanım siyah çantasını açtı, not defterini çıkardı. Defterin sayfalarını parmak uçlarıyla hızla çevirdi. Bir sayfayı eliyle koparıp bana uzattı. "Buyurun," dedi. "Burada kız kardeşinizin adresi yazıyor."

"Ya babam?" dedim bana uzattığı kâğıdı alırken.

Fadila Hanım gözlerini bir an benden kaçırdı. "Ne yazık ki babanızla ilgili henüz bir bilgiye ulaşamadım. Onunla ilgili bir bilgiye ulaşır ulaşmaz sizi derhal haberdar edeceğim."

Moralim bozulmuştu. "Acaba hâlâ yaşıyor mu?" diye sordum büyük bir hayal kırıklığıyla.

"İnanın bilmiyorum," dedi. "Ama bu işin peşini kesinlikle bırakmayacağım. Şimdi size Bosna-Hersek devleti adına birkaç soru sorabilir miyim?"

Hayal kırıklığımı üzerimden atmaya çalıştım. "Elbette," dedim ve sonra da Fadila Hanım'ın peş peşe sorduğu sorulara kısa kısa cevaplar verdim.

Bir süre sonra odanın kapısı açıldı. Şemsa abla içeri girdi. "Hazır mısın?" diye sordu.

Fadila Hanım'a baktım. "Şayet sorularınız bittiyse gidebilir miyim?" dedim.

Ayağa kalktı, tuttuğu notları özenle çantasına yerleştirdi.

"Bize yardımcı olduğunuz için size çok teşekkür ederim," dedi elimi sıkarken. "Konuştuğumuz üzere çok yakın bir zamanda tekrar bir araya geleceğiz. Şimdilik hoşça kalın."

"Güle güle," dedim, sonra da Şemsa ablaya baktım. "Ben hazırım. Biz de gidelim mi artık?"

***

Şemsa ablayla mezarlığa giden yokuşu yürüye yürüye çıktık. Ne kadar üzüntü içinde olduğumu ona belli etmemeye çalışıyordum. "Geldik," dedi Şemsa abla. "Şu mezar."

İfeta teyzemin mezarına baktım. Mezarının üstü karla kaplanmıştı. Eğildim, baş tahtasının üzerini örten karı ellerimle temizledim. Kara tahtada yazılı ismini görünce hatırası bütün benliğimi sardı. Ağlamaya başladım. "Meğerse ne kadar da haklıymışsın teyzeciğim. O günlerde Bosna'ya sokulan o toplar ölüm olup senin üzerine kan kustu... Baştan sona sen haklıymışsın. Ama bir gerçeği de ne olursun kabul et. Bence sen tek bir şeyde yanıldın teyzeciğim. Hani, hatırlar mısın? Bana bir gün güzelliğimle birçok erkeğin canını yakacağımı söylemiştin. İşte burada yanıldın sen. Ben birçok erkeğin canını yakmadım. Ne yazık ki onlar benim canımı yaktı... Bugün buraya sana geldim. Aslında bu gelişim ziyaret değil, sana bir veda... Beyaz zambaklar ülkesinde artık kan gülleri açtı. Bosna'da yaşadığım acılarım diken olmuş yüreğime batıyor. Teyzeciğim... Karanlığıma bir mum yakacak gücüm dahi kalmadı. Bir zamanlar bütünleştiğim bu şehirden artık ayrılmaya karar verdim. Çünkü sen yanımda yokken yüreğime Sırp dikeni battı... Hoşça kal teyzeciğim, hoşça kal," diye isminin yazdığı baş tahtasına bakıp kendi kendime konuştum.

Şemsa abla arkadan omzuma dokundu. "Ben çok üşüdüm," dedi. "Artık gidelim mi?"

Gözyaşlarımı elimin tersiyle sildim. "Gidelim," dedim donuk bir sesle. "Bir ulusu göz göre göre kaybederken gerçekleri hiçbirimiz göremedik. Şimdi de Hıristiyan Avrupa ülkeleri Müslüman Boşnakların 20. yüzyılda Avrupa'nın göbeğinde yaşadığı trajediyi bilerek görmezden geliyor."

***

1993 yılının 4 Aralığıydı. O gün benim doğum günümdü. Pencerenin önünde tek başıma durmuş, dışarıda sert bir şekilde esen rüzgâra bakıyordum. Gözlerim uzaklara dalıp giderken birden hatıralar içinde kayboldum.

Annem ben çocukken her doğum günümde mutlaka pelüş bir oyuncak alırdı. O gece pelüş oyuncağıma sarılıp heyecan içinde uyurdum. Ah anneciğim! Hepiniz bırakıp gittiniz beni. Şimdi yapayalnız kaldım. Her birinize karşı yüreğimin üzerinde o kadar büyük bir özlem var ki, her parçam ayrı ayrı kanıyor. Ruhumun derinliklerinden gelen bir sesle, "Yarabbi," dedim. "N'olursun ellerimden tut..."

Birden odanın kapısı açıldı. Başımı arkaya çevirdim, Profesör Duşanka'yı karşımda görünce allak bullak oldum. Donuk bakışlarla Profesör Duşanka'ya baktım. Onun karşısında sararıp solduğumu hissettim. Kalbimin derinliklerine öylesine sonsuz bir hüzün çökmüştü ki, önüne geçilmez bir özleyişle hemen oracıkta ölüvermek istedim. "İyi seneler," dedi Profesör Duşanka, elinde tuttuğu küçük hediye paketini uzatırken.

O an ne diyeceğimi bilemedim. Bedenim zangır zangır titriyordu. Âdeta korkuyla elimi uzattım, hediye paketini aldım. "Beni nasıl buldunuz?" diye sordum afallayarak.

Sesinde insanı yatıştırıcı bir eda vardı. "Artık hepimiz çektiğimiz acıları unutmaya bakalım," dedi gözleri dolarken. "Tarık dışarıda seni bekliyor."

Ansızın derin bir heyecana kapılmıştım, elim ayağıma dolaşmıştı. Sanki ruhumun ta derinliklerinden kalkan bir ürperti nefesimi kesmişti. "Hadi," dedi Profesör Duşanka. "Gece gündüz adını sürekli sayıkladı. Sana sarılacağı günü büyük bir özlemle bekledi."

Birdenbire yüzüm bir şakayık çiçeği gibi kıpkırmızı kesildi. Yüreğim öyle hızla çarpıyordu ki, Profesör Duşanka bile bunun farkına varmıştı. "Hadi! Onu daha fazla bekletme istersen," dedi sandalyeye otururken.

Ağır ve ürkek adımlarla yürümeye başladım. Kapının önüne geldiğimde aniden durdum. Yaralı ruhum derin düşüncelere gömülüp gitti. Cesaretimi yine kaybetmiştim. "Sakın durma," dedi profesör arkamdan seslenerek. "Sevdiğin adama git."

Gözlerimi kapatıp bir adım daha ileri doğru attım. Sonra usulca gözlerimi açtım. Tarık koridorun başında durmuş mavi gözleriyle öylece bana bakıyordu. Ortalık öylesine sessizdi ki, sanki bu sessizlik kulağıma bir şeyler fısıldıyordu. O anda düşünceleri dilsiz iki insandık. Ama yüreklerimiz çığlık çığlığaydı. Sıcak bir damlacığın solgun yanaklarımı ıslattığını hissettim. Daha sonra gözyaşlarımdan akan damlalar gittikçe şiddetini artıran sağanak bir yağmur gibi boşaldı. "Bana yazdıklarını yüzlerce kez satır satır okudum," dedi ağlarken. "O satırların arasında bana şu soruyu sormuşsun: 'Beni bu halimle yeniden sevebilir miydin acaba?' Evet! Seni ilk görüşte her halinle sevdim ben. Nefes aldığım sürece hep seveceğim."

Koşup boynuna sımsıkı sarıldım. İkimiz de uzun süre ağladık. "Sanırım," dedi kulağıma fısıldarken. "Bu savaşta hepimiz bir şeylerini kaybetti. Sen de beni bu halimle yeniden sevebilecek misin acaba?"

Başımı göğsünden kaldırdım, tekerlekli sandalyede oturan Tarık'a ıslak gözlerimle baktım. Rengini yitirmiş dudakları tir tir titriyordu. "Sen ve ben ortak bir kadere sahibiz," dedim boğazım düğümlenirken. "Sen benim yaralı kalbimin merhemisin, ben de senin kaybettiğin bacağınla kolunum. Evet... Seni ilk görüşte her halinle sevdim ben. Nefes aldığım sürece de seni hep seveceğim. Bugün tekrar kavuştuysak, biz artık birbirimiziniz."

SON

İsveç, on yıl sonra...

Bugün benim için çok heyecanlı ve gurur verici bir gündü. Sahnenin kenarında durmuş, beni birazdan salondaki kalabalık seyircilere takdim edecek İsveçli adamı ince ince süzüyordum.

İtiraf etmeliyim ki, sahneye çıktığım zamanlar en büyük heyecanı bacaklarımda hissediyordum. Kulisten sahnedeki piyanoya doğru giden o ince uzun yolu yürürken, bacaklarım sanki bana ait değildi. Kalbim ise her defasında mutluluk ve ürpertiyle karışık bir heyecanla küt küt atıyordu.

Konserime başlamadan önce seyircilere selam verirken salondaki kalabalığı görüp hem mutlu oluyor, hem de az sonra sergileyeceğim performanstan dolayı alacağım alkışların hakkını verip vermeyeceğimin heyecanını içimde taşıyordum.

Seyircilerin ilk alkışları bitip piyanonun başına oturduğumda ise, artık geriye sadece tuşlar ve ben kalıyordum. Gözlerimin önünde beyazların ve siyahların kusursuzca birleştiği eşsiz bir tablo oluşuyordu âdeta. Ellerim o bildik tabloya her dokunduğunda sanki içime bir huzur doluyor, çok sevdiğim birine en ihtiyaç duyduğum anda sarılmış gibi oluyordum. O andan itibaren spot ışığının altında tüm dünya duruyor, kalp çarpıntımdan geriye sadece ellerimin titremesi kalıyordu. Derken müzik beynimden parmaklarıma doğru akmaya başlıyor, tüm evreni dolduruyordu.

Aslında onca çalışmamın karşılığı önümdeki bu bir saate bağlıydı. Bu bir saat tüm bir yılın karşılığıydı. Evet... Bu yorucu çalışmamda birazdan beni mutlu edecek tek şey, konser bitiminde seyircilerin ayağa kalkıp beni alkışlayacak olmalarıydı...

Sahnedeki İsveçli adamın sesiyle dalıp gittiğim düşünceden uyandım. "Sevgili seyirciler," dedi elinde tuttuğu mikrofonu dudaklarına yaklaştırırken. "Sarayevo doğumlu İsveçli sanatçımız Suada Begiç, 4 Aralık 1973'te dünyaya geldi. Absolut bir kulağa ve olağanüstü müzik yeteneğine sahip olduğu artık tüm müzik otoriteleri tarafından kabul görmektedir. Dünyanın ünlü müzik merkezlerinde, dünyanın önde gelen orkestralarından ve uluslararası müzik festivallerinden aldığı davetlerle sanat etkinliklerini başarılı bir şekilde sürdürmektedir... Büyük piyano sanatçımız Suada Begiç'i şimdi huzurlarınıza davet ediyorum."

Büyük bir alkış tufanı koptu. Bordo renkli kadife perdenin önüne çıkıp seyircileri heyecanla selamladım. Arkamda duran sahnenin perdesi ağır ağır açılırken ben de piyanomun başına geçip usulca oturdum, Chopin'in *Prelude*'ünü kusursuz bir şekilde yorumlamaya çalıştım.

Yaklaşık bir saat sonra, parmaklarım piyano tuşlarının üzerinde hareketsiz bir şekilde kaldı. Salondaki seyirciler aynı anda ayağa fırladılar ve çılgınca alkışlamaya koyuldular.

Zarif bir biçimde piyanonun başından kalktım, seyircilere doğru yürüdüm. Birden konser salonunun ışıkları ardı ardına yanmaya başladı.

Evet... Ben bir sanatçıydım. Müzik içimde vardı. Alkışları, ışıkları seviyordum. Hatta kimimizin çoğu zaman ölmek istediği tek yer de sahneydi. Yoğun bir çalışmanın her damla alın terinin hakkını veren hasat zamanıydı şimdi. Beni büyük bir hayranlıkla alkışlayan seyircilere son bir defa baktım. Saygıyla onların önünde eğilip reverans yaptığım esnada en ön sırada bulunan babamı, Profesör Duşanka'yı, Tarık'ı, Edina ablamı ve kızı Katarina'yı beni alkışlarken gördüm.

O anda zaman durdu sanki. Milcho Manchevski'nin hem senaryosunu yazdığı, hem de başarılı bir şekilde yönettiği *Yağmurdan Önce* adlı filmi gözlerimin önünden hızla geçti. Filmde, beklenen yağmur en sonunda yağar ama savaştan geriye kalan her şeyi yağan yağmurun temizlemesi mümkün müdür acaba? Savaşlarda onca yaşananlar insanoğlunun en karanlık ve en vahşi taraflarına ait öykülerse, makineli tüfekler ve top mermileri art arda patlayıp etrafa ölüm saçıyorsa, tecavüz mağduru zavallı kadınlar 'nefret çocukları'nı dünyaya getiriyorsa... Ne yazık ki savaştan geriye kalan bu pislikleri temizlemeye göğü yararak bardaktan boşalırcasına yağan yağmurun dahi gücü yetmez...

Başımı usulca yukarı kaldırdığım da, "Bravo anne," diye seslendi dokuz buçuk yaşındaki oğlum bana bakıp gülümserken.

Oğlum Almir'e baktım. Bir kez daha gözlerim doldu, yüreğim kanadı.

YAZARIN NOTU

Savaş Avrupa'nın gözü önünde 1992-95 yılları arasında sürdükten sonra, 21 Kasım 1995'te sözde Dayton Antlaşmasıyla bir barış sağlandı. Bu anlaşmaya göre; Bosna-Hersek Devleti, içinde Bosna ve Hırvat Federasyonu'yla bir Sırp Cumhuriyeti'ni ihtiva etmekteydi. Toprakların yüzde elli biri federasyona, yüzde kırk dokuzu da Sırp Cumhuriyeti'ne (Republika Srpska) verildi.

Bu noktada üzülerek şunu söylemeliyim ki; Eylül ve Ekim 1995'te Kuzeybatı Bosna'daki Sırp kuvvetlerinin, Boşnak ve Hırvat kuvvetleri karşısında ani çöküşüyle birlikte, Sırpların başlattıkları bu savaşı o günlerde cephede kaybetmeleri an meselesiydi. Askeri yollardan tamamen çözümlenmek üzere olan bu anlaşmazlık ne yazık ki Dayton Barış Antlaşması'yla askıda kaldı.

Bence Dayton Barış Antlaşması Boşnaklar ile Sırplar arasındaki savaşı bitirmedi. Bu antlaşma aslında gelecek bir savaşın ortamına bugünlerde zemin hazırlıyor. Boşnak ulusu için savaş henüz bitmiş değil. Bosna'da yalnızca silahların sustuğu bir savaş yaşanıyor şimdi.

Avrupa ülkelerine gelince...

Bu savaşta herkes şu soruyu birbirine sordu: "Avrupa ülkeleri üç yıl boyunca bu savaşa neden kör kaldı?"

Yine üzülerek şunu söylemeliyim ki; Avrupa ülkeleri bu savaşta kör değil, taraftı. Hıristiyan Avrupa ülkeleri, Hıristiyan ve Ortodoks Sırpların yanında yer aldılar. Avrupa ülkeleri de Sırplar gibi Boşnaklara "Müslüman Türkler" gözüyle bakıyorlardı. Halbuki Boşnaklar sadece Müslümandı. Onlar Türk değil Avrupalı bir milletti.

Son olarak Birleşmiş Milletler örgütüne gelince...

Birleşmiş Milletler (BM), 24 Ekim 1945'te dünya barışını, güvenliğini korumak ve uluslar arasında ekonomik, toplumsal ve kültürel bir işbirliği oluşturmak için kurulmuş uluslararası bir örgüttür. Birleşmiş Milletler kendisini 'adalet ve güvenliği, ekonomik kalkınma ve sosyal eşitliği tüm ülkelere sağlamayı amaç edinmiş küresel bir kuruluş' olarak tanımlamaktadır.

Birleşmiş Milletler bu soykırımda Boşnakların yaşadıkları trajediye neden seyirci kaldı? Yoksa Birleşmiş Milletler, içinde Müslüman devletleri barındıran bir Hıristiyan topluluğu mu?

Nasıl oluyor da Bosna'daki Birleşmiş Milletler'in Kanadalı komutanı General Lewis MacKenzie, Sırpların zorla alıkoyduğu esir bir Boşnak kadına tecavüz edebiliyor? Boşnak kadına tecavüz ederken de ona hiç utanmadan şunu söyleyebiliyor: "Menfaat ile motive edilmiş aşk, en güçlü aşktır."

Ayrıca, 11 Temmuz 1995 tarihinde yaşanan Srebrenitsa Katliamını da unutmamak gerekiyor. Birleşmiş Milletler'in Bosna'ya yaptığı müdahale, tarihindeki en kötü anıydı.

Srebrenitsa'da yaşayan Müslüman Boşnakların ellerindeki üç-beş silaha da, Birleşmiş Milletler Barış Gücü tarafından koruma gerekçesiyle el konmuştu. Sırp General Ratko Mladiç komutasındaki Sırplar Srebrenitsa'ya saldırdıklarında, Müslüman Boşnaklar kendilerinden toplanan silahları geri almak için Hollandalı komutan Thom Karremans'a müracaat ettiler. Fakat Srebrenitsa'daki Hollandalı Barış Gücü komutanı Karremans Boşnakların bu taleplerini anında geri çevirdi. Sırpların Srebrenitsa'ya saldırısından haberdar olan Birleşmiş Milletler ise, o gün sadece iki F16 uçağını gökyüzünde gösteri uçuşu yaptırmakla yetindi.

Daha sonra, Srebrenitsa bölgesindeki Hollandalı askerler bir gece yarısı, Bosna'daki başka bir Barış Gücü komutanı Fransız generalden aldıkları emir doğrultusunda şehri alelacele boşalttılar. Hollandalı komutan Thom Karremans şehri terk ederken, kendisine sığınan yirmi beş bin mülteci Boşnak'ı Sırp General Ratko Mladiç'in ellerine teslim etti. Şehri ve mülteci Boşnakları teslim sırasında ise General Ratko Mladiç, Hollandalı komutan Thom Karremans'a gülerek teşekkür hediyesini bir paketin içinde sunuyordu.

General Ratko Mladiç ve emrindeki Sırplar beş günde tam 8.300 Müslüman Boşnak'ı hunharca katlettiler. Sırplar bu katliamı yaparken Bosna'daki Birleşmiş Milletler ne yazık ki üç maymunu oynuyordu. Sırplar keskin bıçaklarıyla doğradıkları Boşnakların feryatlarını telsizlerden bütün dünyaya zevk içinde duyuruyorlardı.

Şimdi bir kez daha soruyorum: Birleşmiş Milletler bu soykırımda Boşnakların yaşadıkları trajediye neden seyirci kaldı? Yoksa Birleşmiş Milletler, içinde Müslüman devletleri de barındıran bir Hıristiyan topluluğu mu?

1992-1995 yılları arasında Bosna'da yaşanan bu soykırımda yüz binin üzerinde Müslüman Boşnak öldürüldü. Otuz ila elli bin arasında da Boşnak kadına ve genç kıza Sırp güçleri tarafından sistematik olarak tecavüz edildiği ortaya çıktı. Ama bana öyle geliyor ki, sosyal olarak damgalanmaktan korkan tecavüz mağduru sessiz çoğunluk aslında çok daha fazladır.

Evet... Bosna'da yalnızca silahların sustuğu bir savaş yaşanıyor şimdi.

Boşnakların deyimiyle herkese 'Allah'a emanet...'

TEŞEKKÜR

Bu kitabın yazılışında bana katkıda bulunan ve beni Bosna ziyaretimde hiç yalnız bırakmayan başta Halide Hanım'a, Amina Siljak'a, TRT'nin Bosna-Hersek muhabiri Gözde Şeker'e, Bosna-Hersek Başkonsolosu Nidzara Ercan'a, Münire Coşkun'a, Memnuna Zvizdiç'e, Mirsad Tokaça'ya, Bosna'daki Türk işadamı Murat Özkaya'ya, İngilizce çevirilerde bana büyük yardımları dokunan Deniz Esentaş ve Mustafa Ercilasun'a ve katkıları için Prof. Dr. Mehmet Z. Sungur'a, İbrahim Zahid Altay'a, Mustafa Odabaşı'na, Aydın Ergil'e, Beyazıt Kahraman'a, Mehmet Ali Bulut'a, patronlarım Faruk ve Vedat Bayrak'a, küçük alıntılar yaptığım *Mesnevî'den Seçmeler* kitabının yazarı Şefik Can'a ve piyanist Burcu Atakul'a teşekkür ediyorum.

Ayrıca her kitabımda olduğu gibi bu kitabımda da 'evdeki editör' rolünü başarıyla üstlenen eşim Ayşen'e teşekkürü bir borç bilirim.

KAYNAKÇA

Bu kitabın yazılışı sırasında zaman zaman başvurulan kaynak kitap ve filmler aşağıda belirtilmiştir:

Noel Malcolm, *Bosna'nın Kısa Tarihi,* Om Yayınevi

Semezdin Mehmedinoviç, *Saraybosna Blues,* Pupa Yayınları

Münire Coşkun, *Bosna'da Savaş Yüreğimde Kan Gülleri,* 3F Yayınevi

Misha Glenny, *Balkanlar 1804-1999,* Sabah Kitapları

Selim Dobruna, *Zivi Mrtvima,* Nulon Marketing

Chris Coetzee, *Piyano,* Alfa Yayınevi

Şefik Can, Mesnevî'den Seçmeler / Cevâhir-i Mesneviyye I-II, Ötüken

I Begged Them To Kill Me, Crime Against The Women Of Bosnia-Herzegovina

Mirsad Tokaça, *The Sin Of Silence-Risk Of Speech*

John Schlesing, *Madam Sousatzka,* film

Michael Haneke, *The Piano Teacher* film